РЕДАКЦИОННО-ИЗДАТЕЛЬСКАЯ ГРУППА «ЖАНРЫ» ПРЕДСТАВЛЯЕТ КНИГИ

ЮЛИИ ШИЛОВОЙ

Азарт охоты, или Трофеи моей любви
Белая Ворона, или В меня влюблён даже бог
Быстрые деньги, или Я жду, когда ты нарисуешь сказку
Брак по расчёту, или Вокруг тебя змеёю обовьюсь
В ворохе чувств, или Разведена и очень опасна
Венец безбрачия, или Я не могу понять свою судьбу
Влюбиться насмерть, или Мы оба играем с огнём
Воплощение страсти, или Красота – большое испытание
Время лечит, или Не ломай мне жизнь и душу
Всё под откос, или Я выпита до дна
Всё равно ты будешь мой, или Увези меня в сказку
Встань и живи, или Там, где другие тормозят, я жму на газ!
Встретимся в следующей жизни, или Трудно ходить по земле, если умеешь летать
Выигрывает тот, кто всё продумал, или Наказание красотой
Высокие отношения, или, Залезая в карман, не лезу в душу
Гарем по-русски, или Я любовница вашего мужа
Глаза одиноких, или Женщина с прошлым ищет мужчину с будущим
Грехи молодости, или Расплата за прошлую жизнь
Досье моих ошибок, или Как я завела себе мужичка
Душевный стриптиз, или Вот бы мне такого мужа
Его звали Бог, или История моей жизни
Если хочешь меня – возьми, или Отдам сердце в хорошие руки
Железная леди, или Ты в моём чёрном списке
Женщина для экстремалов, или Кто со мной прогуляться под луной?!
Жизнь с перчинкой, или Идите смело против правил
Заблудившаяся половинка, или Танцующая в одиночестве
Замки из песка, или Стервам тоже бывает больно!
Игра вслепую, или Был бы миллион в кармане
Идущая по трупам, или Я нужна вам именно такая!
Исповедь грешницы, или Двое на краю бездны
Казнь для соперниц, или Девушка из службы «907»
Карьеристка, или Без слёз, без сожаления, без любви
Крик души, или Никогда не бывшая твоей
Кукла без сердца, или Твоя жизнь всегда будет пахнуть моими духами
Лабиринт страсти, или Случайных связей не бывает
Ловушка для мужчин, или Умная, красивая, одинокая
Ложные ценности, или Мое сердце в группе риска
Люби и властвуй, или С мужчинами не расслабляйтесь!
Любовь проверяется временем, или Его нежная дрянь
Меня зовут Провокация, или Я выбираю мужчин под цвет платья
Мечты сбываются, или Инстинкт против логики

Моё сердце ставит точку, или Любовь в инете не для слабонервных
Мой грех, или История любви и ненависти
Мужская месть, или Давай останемся врагами
Мужские откровения, или Как я нашла дневник своего мужа
Мужчина на блюдечке, или Будет всё как ты захочешь!
Мужчина – царь, мужчина – бог, и этот бог у женских ног
На зависть всем, или Меркантильная сволочь ищет своего олигарха
Неверная, или Готовая вас полюбить
Нежное чудовище, или Я поставлю твою волю на колени
Неслучайная связь, или Мужчин заводят сильные женщины
Не такая, как все, или Узнаешь меня из тысячи
Нечего терять, или Мужчину делает женщина
Ни мужа, ни любовника, или Я не пускаю мужчин дальше постели
Ноги от ушей, или Бойся меня. Я могу многое!
Ночь без правил, или Забросай меня камнями
Обманутые надежды, или Чего не прощает любовь
Обновление чувств, или Зачем придумали любовь?
Одинокая волчица, или Я проткну твоё сердце шпилькой
Океан лжи, или Давай поиграем в любовь
Отрекаются любя, или Я подарю тебе небо в алмазах
Пленница Хургады, или Как я потеряла голову от египетского мачо
Порочная красота, или Сорви с меня мою маску
Пощадить – погубить, или Игры мужскими судьбами
Праздник страсти, или Люби меня до сумасшествия!
Притягательность женатых мужчин, или Пора завязывать
Пропади всё пропадом, или Однажды ты поймёшь, что ты меня убил
Путь наверх, или Слишком красивая и слишком доступная
Рожденная блистать, или Мужчины в моей жизни не задерживаются
Сердце вдребезги, или Месть – холодное блюдо
Сердце на продажу, или Я вижу свет в конце тоннеля
Сильнее страсти, больше, чем любовь, или Запасная жена
Сказки Востока, или Курорт разбитых сердец
Слишком редкая, чтобы жить, или Слишком сильная, чтобы умереть
Согрей меня, или Научи меня прощать
С пляжа к алтарю, или Танго курортной страсти
Упавшая с небес, или Жить страстями приятно
Хочется кричать, или Одним разбитым сердцем стало больше
Хочу замуж, или Русских не предлагать!
Храбрая блондинка, или Мужчина должен быть в сердце и под каблуком!
Цена за её свободу, или Во имя денег
Чувство вины, или Без тебя холодно
Шаги по стеклу, или Я знаю о мужчинах всё!
Шанс на счастье, или Поиск мужа за рубежом
Эгоистка, или Я у него одна, жена не считается
Я живу без оглядки, или Узнай тайны женской души
Я стерва, но зато какая, или Сильная женщина в мире слабых мужчин

Юлия

Шилова

Нечего терять,

или Мужчину делает женщина

www.юлия-шилова.рф

АСТ
Москва

УДК 821.161.1
ББК 84(2Рос=Рус)6-44
Ш59

Серия «Женщина, которой смотрят вслед»

Официальный сайт Юлии Шиловой
www. юлия-шилова.рф

Портрет автора на обложке — Борис Бендиков
www.bendikov.ru

Ранее книга издавалась под названием
«Предсмертное желание, или Поворот судьбы»

Компьютерный дизайн — Г. Смирнова

Адрес для писем: 129085, РФ, Москва, а/я 30

Шилова, Юлия Витальевна
Ш59 Нечего терять, или Мужчину делает женщина: [роман] / Юлия Шилова. — Москва: АСТ, 2014. — 319, [1] с. — (Женщина, которой смотрят вслед.)
ISBN 978-5-17-082747-3

Злодейка-судьба совершенно незаслуженно наказала красавицу Викторию — она тяжело заболела, а любимый муж тут же объявил, что жена ему нужна только здоровая, и бросил ее. Вика попадает в больницу, ей предстоит сложная операция, но она не опускает руки и даже подбадривает и успокаивает молодого человека, с которым случайно знакомится в больничном коридоре. Новый знакомый открывает девушке тайну: он зарыл на даче под старой яблоней шкатулку с огромными деньгами и просит Вику их найти. Если бы Виктория только знала, во что выльется на первый взгляд невинная просьба милого молодого человека, она бы мгновенно унесла ноги...

УДК 821.161.1
ББК 84(2Рос=Рус)6-44

ОТ АВТОРА

Дорогие мои друзья, я очень-очень рада встретиться с вами вновь! Мне так приятно, что вы держите в руках эту замечательную книгу!

В своих письмах довольно часто вы задаете мне один и тот же вопрос: как отличить мои новые книги от тех, которые были изданы несколько лет назад, ведь теперь у них другие названия? Это очень просто. На новых книгах написано: НОВИНКА. На книгах, вышедших ранее: НОВАЯ ЖИЗНЬ ЛЮБИМОЙ КНИГИ. Поэтому просто будьте внимательны.

Я бесконечно благодарна читателям, которые коллекционируют мои книги в разных обложках и имеют полное собрание. Для меня это большая честь и показатель того, что я нужна и любима. Переизданные книги заново отредактированы, а у меня появилась потрясающая возможность внести дополнения и новые размышления. Теперь я отвечаю на ваши вопросы в конце книги, рассказываю, что происходит в моей творческой жизни, да и просто делюсь тем, что у меня на душе. Для меня всегда важен диалог с читателем.

На этот раз я представляю на ваш суд роман «Нечего терять, или Мужчину делает женщина», ранее издававшийся под названием «Предсмертное желание, или Поворот судьбы». Думаю, он обязательно понравится тем, кто будет читать его впервые, а если кто-то захочет перечитать роман заново, я уверена, ему будет безумно интересно пережить все события еще раз. Искренне надеюсь, что она ни в коем случае вас не разочарует и придётся по душе.

Спасибо за ваше понимание, любовь к моему творчеству, за то, что все эти годы мы вместе. Я рада, что многие согласились: мои переиздания представляют ничуть не меньшую ценность, чем новинки, которые только что вышли из-под моего пера. Спасибо, что вы помогли мне подарить этому роману новую жизнь. Если вы взяли в руки книгу, значит, вы со мной во всех моих начинаниях. Мне сейчас, как никогда, необходима ваша поддержка...

Итак, устраивайтесь поудобнее, наливайте себе чашечку вкусного чая и разрешите мне пожелать вам приятного чтения. А я ни в коем случае вас не покину. Я буду рядом. Мне самой интересно, какие события происходят в этом романе, какие интриги и страсти там разгораются. Признаться честно, мне вообще не хочется с вами расставаться, но после того, как вы перевернете последнюю страницу, увы, придется. Но разлука будет недолгой, обязательно последует скорая встреча, и она произойдёт сразу, как только вы возьмёте в руки мою новую книгу. Вы не представляете, как много мне хочется вам рассказать, как многим поделиться. Только бы хватило сил, здоровья и времени. Мне слишком дорого общение с вами.

Я благодарна вам за любовь, неоценимую сопричастность, за дружбу, за то, что наша с вами любовь так созвучна.

Заходите на мой новый официальный сайт: **www.юлия-шилова.рф.**

Вы можете попасть на него и с моего старого, уже закрытого сайта: www.shilova.ast.ru.

На сайте я с огромным удовольствием общаюсь со своими поклонниками. Если вы ещё не с нами, то обязательно присоединяйтесь! Мы очень ждём. На форуме моего сайта мы делимся радостями, горестями, переживаниями и протягиваем друг другу руку помощи. МЫ СЕМЬЯ. У нас собрались самые красивые, самые прекрасные и просто потрясающие люди, от которых идут свет и тепло. Приходите! Не пожалеете! Я буду ждать...

Не забывайте, что поменялся мой почтовый ящик для ваших писем:

129085, Москва, абонентский ящик 30.

До встречи в следующей книге.

Я приложу все усилия для того, чтобы она состоялась как можно скорее!

Любящий вас автор,
Юлия Шилова.

ГЛАВА 1

Я припудрила нос и подкрасила губы. В очередной раз посмотрела на свое отражение, всхлипнула и смахнула слезинку. У меня красивое лицо, быть может, даже слишком... Роскошные черные волосы, бархатистая нежная кожа... Я не хотела верить, что спустя какое-то время я потеряю свою притягательную красоту.

— Ну что ты опять крутишься у зеркала? — донесся до меня раздраженный голос мужа. — Вбила себе в голову, что неизлечимо больна. Меня уже трясет от твоего зареванного вида. Тебе не онколог нужен, а психиатр. Может, он вправит тебе мозги.

— Мне ничего не нужно вправлять! — возмутилась я. — Ну почему ты не хочешь поверить, что я очень больна?! Я болею, Андрей, пойми... Я очень больна...

— Ерунда! Такие, как ты, не болеют. Такие живут долго и умирают только от старости.

— Это совсем не смешно. Тебе не кажется, что ты очень жесток?

— Наверное, ты просто не видела жестоких мужчин. Я по сравнению с ними просто ангел.

— Ты никогда не был ангелом. Никогда. Мы живем с тобой уже шестой год, и с каждым годом ты становишься все хуже и хуже.

— Не нравится — ищи другого. Я никогда тебя не держал! Никогда! И не разыгрывай драму. Ты совершенно здоровая и сильная женщина! Ты же на больную совсем не похожа!

— Спасибо тебе, Андрей, — безжизненно произнесла я и опустилась в кресло.

— За что?

— За то, что ты такой чуткий, добрый. Такой человечный. Спасибо за моральную поддержку.

Я чувствовала, что в любой момент могу сорваться на крик.

— Решила съязвить? Что ж, у тебя это хорошо получается. Если бы ты только знала, как я от тебя устал.

Андрей вышел в коридор и принялся обуваться. Я бросилась следом и загородила дверь:

— Андрюш, ты куда?

— Какая тебе разница?

— Как это какая разница? Я же твоя жена.

— Ну и что?

— Как это — ну и что?! Я должна знать, куда ты собрался.

— Я ухожу по своим делам.

— По каким еще делам? Ты говорил, что сегодня свободен и обещал съездить со мной в больницу. Ты же знаешь, как я боюсь. Мне нужно, чтобы ты был рядом.

— Извини, дорогая, но у меня появились неотложные дела. Будь хорошей девочкой, не втягивай меня в эту малоприятную историю.

— Андрюшенька, не уходи! — взмолилась я, пытаясь держать себя в руках.

— Вика, ради бога, не устраивай истерик. Дай пройти, — равнодушно бросил он.

— Ты можешь просто так взять и уйти? Оставишь меня в таком состоянии одну? Челноков, ты редкая сволочь.

— Вместо того чтобы меня стыдить и мотаться по больницам, занялась бы лучше собой и хоть немного скинула вес. Ты стала похожа на вечно ноющую жирную корову.

— Ты всегда был щедр на комплименты, — прошипела я.

— Плевать мне на то, что ты думаешь.

— В последнее время ты слишком часто плюешь. Неужели тебе так нравится делать мне больно? Мне нет необходимости худеть, у меня прекрасное тело.

— Вика, отойди от двери, — повторил он, будто не слыша моих слов.

— А если не отойду?

— Тогда мне придется тебя отодвинуть.

Я отошла от двери и медленно опустилась на пол. Я надеялась, что муж сейчас сядет рядом, крепко обнимет за плечи, успокоит, а я, конечно же, растаю и прощу ему все на свете. Главное, что он рядом... Потом мы поедем в больницу, он будет держать меня за руку, и мне не будет страшно. Но он даже не посмотрел и, громко хлопнув дверью, ушел. Я обхватила колени руками и дала себе волю — заревела.

Мне всегда хотелось верить в то, что он меня любит. Ну хотя бы самую малость. Однако жизнь постоянно доказывала обратное. Я никогда не чувствовала себя любимой. Теперь, когда узнала о своей страшной болезни, было особенно одиноко. С каждым днем мне становится хуже и хуже. Лимфогранулематоз... Господи, какое ужасное название! И не выговоришь. Правда, диагноз еще под вопросом, но если он подтвердится... Заболевание лимфатической системы. С этим живут недолго. Боже мой... И самый близкий, родной человек даже слышать не хочет о твоей болезни! Так хочется быть любимой. Просто хочется, и все. Говорят, чтобы быть любимой, нужно говорить не о том, что занимает тебя, а о том, что занимает любимого. Я всегда внимательно слушала своего мужа, была просто искусной слушательницей. Он никогда не вникал в мои переживания, говорил только о себе. В любви мужчина стремится не к войне, а к миру. Понимая это, я всегда была нежной и кроткой. Ведь ничто так не выводит мужчину из себя, как агрессивность женщины. Амазонок обожествляют, но не обожают.

Я вытерла слезы, с трудом встала с пола и вновь подошла к зеркалу. И все же, несмотря ни на что, я чертовски красива! Только вот на сколько хватит моей красоты?

Я даже не помню, как все это началось. Слабость, головокружение, небольшая температура, непонятные растущие уплотнения под мышками... А затем ужасная потливость, резкий отвратительный запах. Этот запах преследовал меня, как ни пыталась я избавиться от него.

Я знала, что больна, но не хотела верить, что возможен такой диагноз. Бесконечные анализы, душные врачебные коридоры, жуткие очереди... И вот теперь — только душевная боль и удручающее одиночество. Если бы мой муж меня любил, было бы немного легче. У нас двоих было бы ровно в два раза больше сил, мы смогли бы скрутить черту рога и победить болезнь. Так хотелось почувствовать рядом сильное мужское плечо, хоть какую-то поддержку.

Все пять лет нашего брака я тянула двоих: своего сына и своего мужчину. Я всегда хотела быть сильной, потому что мне хотелось иметь возможность быть слабой. Я не жалуюсь на свою судьбу. Я принимаю ее такой, какая она есть. Господь нам дает именно столько испытаний, сколько мы можем вынести.

Если бы мне выпала сладкая доля, я бы, наверное, многого не понимала в жизни. Да, я часто спотыкалась, падала, но всегда поднималась и шла вперед. Я страдала от своих ошибок, но исправляла их сама.

И я знала: главное — нельзя давать озлобиться душе. Ведь всегда рядом с нами и ангел, и дьявол. Чем слабее человек, тем сильнее дьявол. Теперь в моей жизни возник очередной барьер — болезнь. Что ж, я должна справиться и с этим.

Я быстро переоделась и поехала в больницу. Не помню, что я почувствовала в тот момент, когда узнала, что диагноз подтвердился. Странно как-то получается...

Жила-была чудная озорная девочка по имени Виктория. Прошло время, и эта девочка превратилась в интересную девушку, а затем эта молодая, полная сил и энергии девушка узнает, что больна страшной, почти неизлечимой болезнью. Что это? Наказание сверху? Тогда за что? Я никому не делала зла и в эту рулетку под названием «жизнь» играла только честно.

Даже не помню, как я добралась домой. Перед глазами плыло, мысли путались, на душе была жуткая пустота. Упав на кровать, я обхватила подушку и стала ждать Андрея. Сейчас он вернется, сядет рядом и успокоит меня. Теперь все будет иначе. Диагноз подтвердился, и у Андрея нет оснований мне не доверять. Ведь он мой родной человек, он послан мне Богом.

Мне вспомнилось венчание с Андреем. Был восхитительный день, такой тихий, торжественный. Медленно падал пушистый снег, происходящее походило на детскую волшебную сказку, приятно замирало сердце и перехватывало дыхание. Андрей устроил так, что мы венчались одни — мы не хотели венчаться вместе с другими парами. Я была безумно счастлива и тайком смахивала слезы ни с чем не сравнимой радости.

Желание любви — это желание Бога. Я никогда не боялась раствориться в сущности другого человека. Я всегда верила, что если я люблю, то меня обязательно будут любить, если я буду бояться, что меня обманут, то меня обязательно обманут, если я захочу много денег, то я обязательно их получу. Верила, что мысль материальна. Помню, с каким восхищением смотрели на нас приглашенные на венчание гости, и мы наслаждались этим. Какая-то богомольная бабка взяла меня под руку, наговорила кучу комплиментов и повела в другой конец храма. Там стоял гроб с покойником, которого собирались отпевать. Стоявшая неподалеку женщина испуганно взглянула на меня и сказала, чтобы я немедленно вернулась обратно. Это очень плохой знак, когда в церкви встречаются покойник и невеста. Мол, это знак свыше, знак того, что у пары не сложится семейная жизнь.

Я взглянула на часы. Время позднее, а Андрея все нет. Странные все же создания — эти мужчины. Сначала закидывают цветами, завоевывают, покоряют, а добившись желаемого, забывают и об элементарном уважении, и о чувстве долга. А может быть, виноваты мы сами — выбираем не тех? А разве есть другие? Где же они? Что-то не встречаются. Время шло. Я, как неприкаянная, ходила из угла в угол. В голове проносились малоприятные картинки: вот мой Андрей раздевает какую-то молодую красивую девушку. Целует ее волосы, шею, грудь... Шепчет ласковые слова... Нет, я не завидую ее красоте и молодости, все это у меня есть. Ее главный козырь — здоровье, которого у меня, к сожалению, нет.

Услышав звук поворачивающегося в замочной скважине ключа, я выскочила в коридор и бросилась Андрею на шею.

— Андрюшенька, ну что ты так долго? — тихонько всхлипнула я. — Уж не знала, что и думать.

— Что ты всполошилась? Могла бы лечь спать. Я же сказал, что уехал по делам.

Я почувствовала сильный запах чужих женских духов и отстранилась:

— От тебя просто разит ужасными дешевыми духами!

— Не разит, а пахнет, — издевательски уточнил Андрей.

— В данном случае они воняют! — взорвалась я, кинулась в комнату и плюхнулась на диван.

Андрей молча прошел следом за мной, сел рядом и закурил. Я долго молчала, нервно покусывая ногти. Наконец не выдержала и заговорила первой:

— Ты голоден?

— Нет.

— Оно и понятно. Ты был у женщины?

— Да.

— Она красивая?

— Очень.

— Она... ничем не болеет?

— Ты же знаешь, для других баб у меня всегда есть пачка резинок.

— Да, ты очень предусмотрительный. Но я имела в виду совсем не это. Мне сейчас и так не сладко, а ты делаешь еще хуже. Мог бы хоть немного меня пощадить и не рассказывать, что был у любовницы.

— Ты предпочитаешь вранье?

— Иногда лучше сладкая ложь, чем горькая правда.

— Хорошо, если тебе так этого хочется, с этой минуты я буду врать самым наглым образом. — Андрей засмеялся. В его смехе я услышала истеричные нотки.

Захотелось разрыдаться, но я все же смогла взять себя в руки.

— Можно подумать, что ты не врал мне раньше, — сказала я. — Просто сейчас тебе хочется уколоть меня как можно больнее.

— Ладно, родная, забудем. — Андрей обнял меня за плечи. — Ты значишь для меня намного больше, чем все вместе взятые женщины на свете. Послезавтра я уезжаю на целый месяц. Я бы хотел, чтобы ты поехала со мной. Ты рада?

— Куда ты уезжаешь? — оторопела я.

— На реку. Я уже говорил тебе, но ты в последнее время так увлечена своими мнимыми болячками, что ничего не хочешь слышать. Мы поедем под Екатеринбург. Сплавляться будем по Чусовой.

Слегка отодвинувшись от Андрея, я взяла его за руку и сжала что было сил. Тот слегка поморщился, но не издал ни звука.

— Слушай, мы не можем поехать, — произнесла я словно во сне. — Мы не поедем, — повторила я.

— Почему?

— Потому что диагноз подтвердился. Завтра меня положат в онкологическую больницу. Я очень больна. По правде говоря, мои шансы ничтожны. Ты должен быть рядом, иначе мне просто не выкарабкаться.

— И как называется твоя болезнь? — с вызовом спросил Андрей.

— Лимфогранулематоз.

— Ты долго запоминала это навороченное название?

— Такой диагноз заучивать не приходится. Он намертво врезается в память. Проще говоря, это рак лимфы... Понимаешь? Это рак...

Андрей изменился в лице и снова закурил.

— Ты хочешь сказать, что у тебя... онкология? — спросил он после затяжной паузы. — И ты поверила отечественной медицине?

— Есть результаты анализов, и от этого никуда не денешься.

— Ерунда! Ты совершенно здоровая женщина!

— Ну почему ты не хочешь мне верить?

— Потому что ты вбила себе в голову невесть что, веришь каким-то анализам! Не надо думать о болезни, тогда и болеть не будешь. Так ты поедешь со мной или нет?

Меня охватило чувство беспомощности. Самый близкий человек не хотел понять меня. Я сползла на пол и обхватила колени руками.

— Андрей, господи... Ну почему же ты такой жестокий? — словно в бреду шептала я. — Ну неужели в тебе не осталось ничего человеческого? Если бы ты заболел, я бы сутками сидела у твоей кровати и выходила бы тебя...

— Не нужно громких слов, Виктория. Я задал тебе вопрос, а ты на него не ответила, — раздраженно оборвал Андрей.

Собрав последние силы, я сжала кулаки и процедила сквозь зубы:

— Вопрос закрыт. Завтра я должна лечь в больницу, потому что послезавтра может быть поздно...

— Не поедешь так не поедешь. — Муж безразлично пожал плечами и встал с дивана. — Жаль. Мое дело предложить... Я и не думал, что этот месяц мне придется провести без тебя. Мне хотелось, чтобы ты была рядом.

— Ты поедешь без меня? — спросила я с отчаянием.

— Конечно, а ты сомневалась? Я не полный дурак и не собираюсь сидеть у кровати мнимой тяжелобольной и выслушивать полнейший бред.

— А сейчас ты куда собрался?

— Я снял квартиру. Переночую там.

— Ты снял квартиру?!

— Представь себе.

— Но зачем?

— Затем, что мне иногда хочется побыть одному. Я устал от тебя, от этой квартиры и от жизни, которую ты пытаешься мне навязать. Короче, я умываю руки. Появлюсь, когда посчитаю нужным. — Андрей встал и направился в прихожую.

Как только он открыл дверь, я бросилась к нему с криком:

— Постой! Не оставляй меня одну!

Он посмотрел на меня как на пустое место и отвернулся. Дверь с грохотом захлопнулась. У меня потемнело в глазах...

ГЛАВА 2

Не помню, как прошла ночь. Утром приехал папа и повез меня в больницу. Я, как могла, держала себя в руках и старательно избегала сочувствующих взглядов отца. Я чувствовала себя словно виноватой и за свою внезапную болезнь, и за неудавшуюся семейную жизнь...

Где-то там, в другом измерении, остались заботливая мама, мой единственный сын и непутевый муж. Впереди новая, неведомая мне ранее борьба, битва за собственную жизнь, за право находиться рядом со своими близкими.

Чувствовала я себя паршиво. Сильно кружилась голова, подташнивало, я вся обливалась потом. К тому же еще жара в тридцать с лишним градусов. Июнь. Кто-то рванул на Кипр, кто-то в Сочи, а кто-то загорает на даче в ближайшем Подмосковье, и только я, словно маленькая девочка, иду за ручку с отцом и стараюсь из последних сил не потерять сознание.

Я украдкой взглянула на отца, и сердце мое сжалось от жалости. Мне показалось, что он состарился лет на десять. Лицо осунулось, седые виски стали еще белее. Болезнь не щадит ни того, кто болеет, ни его близких.

В больнице нам пришлось долго ждать своей очереди в приемный покой в душном, неприятно пахнущем коридоре. Уставшие больные люди стояли, опираясь о стену, некоторые садились прямо на пол, кто-то постанывал от боли. В очереди были пожилые, молодые и совсем юные. Мы все были обречены, но очень хотели жить и, как утопающие, хватались за соломинку, надеясь на современную медицину и Бога.

Отец тяжело вздохнул. Наши взгляды встретились, и я увидела в его глазах слезы. Он заговорил о себе, о матери, о том, как сильно они меня любят. Он говорил и незаметно вытирал влажные глаза. Я слушала как завороженная и даже не пыталась его перебить.

Я поняла, что просто обязана выкарабкаться. Ради своих близких. И еще я осознала, что пронесу этот разговор через годы и каждый раз с содроганием сердца буду вспоминать слова отца, которые вселили в меня надежду и веру.

Подошла моя очередь. Меня позвали, и я попрощалась с отцом. Врач попросил меня лечь на кушетку и стал осматривать распухшие лимфатические узлы. Я увидела недоуменно растерянное выражение на его лице, и меня охватил панический ужас. Скоро вокруг меня собрался кружок медиков. Они громко спорили, размахивали руками, и из всего этого я поняла, что шансов у меня не осталось. Мне захотелось крикнуть, что я еще живая, всё слышу и чувствую, что это очень жестоко, но силы оставили меня.

Очнулась я в палате. Я ничего не соображала.

— Не переживай, все будет нормально, — сказал кто-то рядом.

Я повернула голову. На соседней кровати лежала девушка.

— Вы это мне?

— Конечно, а кому же еще? Кроме меня и вас, тут никого нет. Палата двухместная. Тут только поначалу тяжело, а потом привыкаешь. Давай перейдем на «ты». — Девушка нервно улыбнулась. — При нашей болезни лучше не думать о тонкостях этикета. Тебя как зовут?

— Вика. Виктория...

— Красивое имя. Виктория — значит победа. А меня — Мила. Я тут уже целый месяц лежу.

— А что с тобой? — робко спросила я.

— Рак молочной железы. — Мила помолчала. — Самое страшное уже позади. Опухоль вовремя вырезали.

— Ты думаешь, у меня тоже есть шанс?

— Конечно. Иначе бы тебя сюда не положили. Шанс есть у всех, даже у обреченных больных. Держи себя в руках и не раскисай, — потребовала она. — Тут главное — иметь деньги. Есть бабки — будут лечить. Нет — сдохнешь, как муха.

— И много нужно денег?

— Много. Рак еще толком не изучен, поэтому покупаешь сначала один препарат, если он не подходит, покупаешь другой, пока не наткнешься на тот, который тебе действительно нужен. Ты замужем? — неожиданно спросила она.

— Вроде бы да...

— А почему «вроде бы»?

— Мне кажется, муж от меня отказался...

Мила прикусила нижнюю губу и уставилась в потолок. Потом резко приподнялась и ударила кулаком о стенку.

— Суки! Господи, какие же они суки!

— Кто?

— Мужики, кто ж еще! Тут полбольницы сплошные брошенки! Сволочи, разыгрывают из себя невесть что, а сами — обыкновенные, жалкие и ничтожные гады! Будь моя воля, я бы их всех перестреляла! А еще бы повыдирала их вонючие яйца...

— Тебя тоже бросили?

— Меня нет. Я не замужем. Правда, есть у меня один крендель на примете. Хороший такой крендель, навороченный. Мой начальник.

— Твой босс?

— Да, а что тебя так удивляет? Он у меня бандит высшей категории. Умопомрачительный костюм, золотая цепь с собачий ошейник, тачка за сто тысяч долларов, самый настоящий замок в пригороде, квартира на Кутузовском... Если бы ты только знала, как мне нравится весь этот антураж!

— Наверное, он у тебя очень красивый?

— Он не красавец, зато жизнь ведет роскошную: дорогие рестораны, зарубежные курорты, дамы.

— Дамы? И ты не ревнуешь?

— Ревнуют те, у кого комплекс неполноценности, а я самодостаточная женщина.

— Ты работаешь секретаршей?

— Нет. Секретаршей я бы не выдержала и суток. Я телохранитель. Охраняю своего босса и получаю за это очень неплохие деньги.

— Ты шутишь? — не поверила я своим ушам.

— Разве я похожа на шутницу? Девушки-телохранители уже давно вошли в моду. Ты только представь себе такую картинку: в сверхнавороченный ресторан заходит до ужаса неформальный мужик, а рядом с ним — молодая красивая женщина. Все удивляются: такой известный человек и без охраны... Принимают меня за любовницу. И тут появляется кто-то из его врагов, даже не подозревая, что я профессиональный телохранитель. Реакция у меня — что надо. В момент нападающий окажется обезоружен, а может быть, даже и обезображен. Я в совершенстве владею боевыми искусствами и метко стреляю. У меня есть разрешение на ношение оружия.

— И ты не боишься?

— Нет. Это же моя работа.

— А если нагрянет целая кодла, да еще с автоматами?

— Тогда у меня другая задача: прикрыть патрона собой, довести до безопасного места и вызвать ментов. У меня есть телефон купленного начальника милиции. Начнут стрелять — я должна отстреливаться, пока тот с командой не явится. У шефа тоже пушка есть, и стреляет он не хуже меня. Правда, нападений пока не было. Шеф очень боится за свою жизнь, поэтому я у него не одна. Часто с нами идет парочка здоровенных костоломов.

— Вот это работенка! Тебя же могут убить в любой момент...

— А куда мне деваться, если я ничего другого делать не умею? Работа рискованная, не спорю, но кто не рискует, тот не пьет дорогого шампанского. Женщины-телохранители сейчас в цене. Понимаешь, все обращают свое внимание на двух шкафообразных мужиков и не берут меня в расчет. Я сплю со своим шефом и надеюсь выйти за него замуж. Поэтому и охраняю его с тройным рвением. Если с замужеством не выйдет, скоплю деньжат и открою свою школу для девушек-телохранителей. Сейчас таких школ больше, чем бандитов. Правда, ничему дельному там не научат, бестолковщина одна.

— А если ты выйдешь замуж за своего шефа, разве сможешь его охранять? Тогда тебе самой понадобится телохранитель.

— Так это же здорово. Бизнес-леди тоже пользуются нашими услугами. Кому придет в голову, что одна из двух подруг — профессионал-телохранитель.

Мила замолчала и застонала.

— Ты что?

— Грудь болит. Вернее, то, что от нее осталось.

— И что, много вырезали?

— Немного, но ощущения не из приятных.

Скоро мне пришлось убедиться в этом. Биопсия еще раз подтвердила диагноз, и я согласилась на операцию.

Помню, как долго и тяжело отходила от наркоза. Потом мне назначили химиотерапию. Я все ждала и ждала Андрея, но он так и не пришел. Видно, уехал на свою Чусовую. Я тяжело переносила физическую и особенно душевную боль. В эти страшные дни меня поддерживала только Мила.

Однажды дверь в палату широко распахнулась, и к нам вломились два огромных мордоворота. За ними следовал тип не менее устрашающего вида, в дорогом костюме и ботинках из настоящей крокодиловой кожи.

Я сразу догадалась, что пожаловал не кто иной, как шеф моей новой знакомой. Один из мордоворотов встал у окна, другой замер у входа. Шеф поставил на тумбочку роскошную корзину ярко-красных роз и расплылся в улыбке. Мила слегка приподнялась и улыбнулась в ответ:

— Марат Владимирович, очень рада вас видеть. Спасибо, что не забываете меня.

— Да разве тебя можно забыть! — Шеф сверкнул недобрым взглядом на меня и присел на краешек кровати. — Как самочувствие? Готовишься к выписке?

— До выписки еще далеко, но я не теряю оптимизма, верю — все будет хорошо.

— Это правильно. Оптимизм в наше время — самое главное. У тебя появился румянец. Я смотрю, новая соседка появилась, — заметил он, окинув меня заинтересованным взглядом.

Я слегка заерзала на кровати и испуганно опустила глаза. Раньше мне не приходилось видеть королей криминального бизнеса, тем более так близко.

— Это Виктория, — сказала Мила. — Совсем недавно ей сделали операцию.

Шеф сочувственно вздохнул и пробурчал под нос:

— Диагноз не спрашиваю. В этом мрачном заведении диагноз у всех один.

Минут через десять шеф Милы вежливо попрощался и удалился вместе со своими гренадерами. Мила уткнулась в подушку и расплакалась. Я с трудом встала с кровати и подошла к ней.

— Ты что? Ты же так хорошо держалась... — погладила я ее по голове. — Посмотри, какие роскошные цветы он тебе принес. Сразу видно, что он к тебе неравнодушен.

— Да ни хрена он обо мне не заботится! Пришел ко мне из жалости! — Соседка заревела еще громче.

— А разве у таких бывает чувство жалости? Мне кажется, что оно им вообще незнакомо...

Мила подняла голову и растерянно посмотрела на меня.

— Он пришел, чтобы дать мне понять, что больше не нуждается в моих услугах. Понимаешь, не нуждается, и все. Ни в охранных, ни в сексуальных. Скорее всего, он уже успел меня уволить и взять на мое место другую. Возможно, она не так красива, как я, но она здорова... Только в этой гребаной больнице начинаешь понимать, что красота не самое главное. Самое главное — здоровье.

Неожиданно на пороге нашей палаты появился ослепительно красивый мужчина, похожий на зарубежного киноактера. Его белоснежный костюм был безупречен. Казалось, незнакомец просто ошибся адресом, перепутал нашу больницу с каким-нибудь дорогим рестораном, где должен состояться грандиозный банкет. Шагнув в палату, он вдруг уронил на пол букет свежих роз и уставился на нас.

— Простите... А где мой сын? Он, что, умер?

Заметив, как бледность заливает его лицо, я не смогла произнести ни слова.

— Он жив, — торопливо привстала Мила. — Вы просто перепутали палату. Ваш мальчик лежит точно в такой же палате, только в другом крыле. Больница построена в виде круглой башни, поэтому тут легко запутаться.

— Костя жив? — Мужчина смотрел на Милу так умоляюще, что нам с ней стало не по себе.

— Конечно... — твердо сказала Мила.

Мужчина наклонился и трясущимися руками собрал цветы.

— Извините, ради бога, — пробормотал он и вышел.

— Сразу видно, породистый мужичок. Богачи все породистые, даже если и родословной никакой нет. У него тут сын лежит. Совсем молоденький, лет двадцати, не больше. Поговаривают, что протянет немного.

— Он должен умереть?

— К сожалению. Рак крови. Он уже, бедный, весь высох... Прямо труп.

— Вот горе-то какое, — вздохнула я и закрыла глаза.

Представилось детство и ласковая мама, аккуратно расчесывающая мои волосы. Даже страшно подумать, что от химиотерапии волосы поредеют за считаные дни...

Я испытывала комплекс вины перед родителями за свою болезнь, за неустроенность. Они прожили вместе около тридцати лет и смогли сохранить тепло семейного очага. Все эти годы я чувствовала огромную родительскую любовь и заботу. Мне хотелось сделать для них что-то приятное, как-то отблагодарить за любовь и поддержку. Я стала мечтать, что, когда выкарабкаюсь, обязательно заработаю денег и куплю дом где-нибудь на берегу Черного моря. Мама и папа будут отдыхать там целый год и наслаждаться красотами Крыма. А я буду смотреть, как они купаются, и украдкой вытирать слезы радости. Я просто как живой увидела этот домик. Каменистые ступеньки спускались к самому морю. Дом будет просто утопать в зелени — самый настоящий райский уголок. Во дворе станет шнырять моя любимая собака Зоська и лаять на соседских котов. Сын будет кататься на водном мотоцикле и весело махать мне рукой...

Все это будет, все это обязательно будет. Только сначала нужно выкарабкаться, сначала нужно выжить...

ГЛАВА 3

Проснувшись, я пересилила головокружение и встала с кровати. Мила сладко спала и даже немного похрапывала. Вдохнув аромат цветов, я улыбнулась и вдруг подумала — начался новый день, пусть унылый, будничный, но совсем новый, еще не прожитый. Химиотерапия давала о себе знать. Ужасно выматывали постоянные приступы тошноты. Правда, некоторым назначали препараты, которые снимали приступы рвоты, но это стоило очень дорого — от тридцати до сорока долларов одна ампула. На курс лечения требовались вполне приличные деньги. Если приходила гуманитарная помощь, она просто расходилась по служащим больницы, которые, не стесняясь, торговали потом этими ампулами. У них они стоили немного дешевле, чем в аптеке. Такова реальность, и от этого никуда не денешься.

Я вышла в коридор. Стены были тоскливого грязноватого бледно-зеленого цвета. Эту больницу и так называют домом смертников, а тут еще такие ужасные стены! Словно склеп, в котором заболевших людей заживо похоронили. В конце коридора я увидела открытую балконную дверь. На балконе в удобном кресле сидел молодой парнишка.

— Я вам не помешаю? — нерешительно спросила я.

Молодой человек обернулся, но ничего не ответил. Он как-то странно посмотрел на меня, даже показалось, будто он меня не видит.

— Ты хочешь жить? — неожиданно спросил он.

— Хочу... — растерялась я.

— Я тоже... Но мне осталось совсем немного. Может быть, не больше месяца.

— Ты это брось. Такой молодой, а уже помирать собрался, — дежурно подбодрила его я.

— У меня рак крови, — сказал парень. — Это не лечится. А так хочется еще хоть немного пожить. Хотя бы самую малость...

— Тебя зовут Костя?

— Да, а откуда ты знаешь?

— Твой отец перепутал палату и пришел к нам. У тебя очень красивый отец. Он артист?

— Артист? Вовсе нет. Он очень богатый человек, денег полно, а сына вылечить не может.

Я стала успокаивать его. Голос у меня дрожал, я очень нервничала. Новый знакомый взял меня за руку и с отчаянием заговорил:

— Послушай меня внимательно. Мне осталось жить считаные дни, а может быть, даже часы. Месяц — в идеале. Понимаешь? Это очень серьезно. Вчера я у ординаторской подслушал разговор отца с лечащим врачом. Они скрывают от меня правду, думают, что я ничего не знаю. Мне требуется твоя помощь.

— Моя? — опешила я.

— Ты должна мне помочь. Сама знаешь, просьба умирающего — закон.

Я сжала его ладонь:

— А где гарантия, что я умру от старости? Может, от меня тоже что-то скрывают. Ведь ты совсем меня не знаешь.

— Ты выздоровеешь. Я это чувствую. У тебя все будет хорошо. У меня есть деньги. Узнав о своей болезни, я положил их в шкатулку и закопал на даче отца. Как только выпишешься, поезжай на дачу и отыщи шкатулку. В ней ровно сто пятьдесят тысяч долларов. Двадцать из них твои. Адрес дачи вот на этом листочке, — он протянул мне бумажку. — Смотри не потеряй. — Парень тяжело откинулся на спинку кресла, силы покинули его. — Только будь осторожна. Отец ничего не должен знать. На даче он бывает редко, в основном по выходным. Лучше копать ночью, чтобы не увидели соседи. В нашем саду есть одна-единственная яблоня. Копай рядом с ней, не ошибешься.

— Господи, да что ты такое говоришь?! — воскликнула я.

— Знаю, что говорю, можешь не сомневаться. Я еще в здравом уме и твердой памяти. Спрячь листок. Выкопаешь шкатулку, двадцать тысяч возьмешь себе, а остальные деньги отвезешь моей любимой женщине.

— Любимой женщине?

— Ты считаешь, что у меня не может быть любимой?

— Нет, ну почему? Только при чем тут я? Ты мог бы ей позвонить, рассказать про деньги. Она бы их сама забрала. Так проще и намного надежнее.

— Может быть, но я так не сделаю.

— Почему?

— Потому что она не возьмет эти деньги.

— А с чего ты взял, что она их возьмет от меня?

— Потому что меня уже не будет на этом свете.

Казалось, все это просто дурной сон. Какой-то нелепый, абсолютно нереальный... Хотелось только одного — чтобы он поскорее закончился. Сердце болезненно сжалось.

— Я предлагаю тебе хорошие деньги за эту услугу, и ты должна согласиться. Понимаешь, она любовница моего отца, но была близка и со мной. Нам было очень хорошо вместе. Мы встречались тайно несколько месяцев. Отец ничего не знал. А затем произошла небольшая ссора. Она назвала меня сопляком и сказала, что я никто и зовут меня никак. Мол, я живу только за счет отца, а сам ни на что не способен. Она поставила точку на наших встречах и стала меня избегать. С тех пор, как я заболел, ни разу не навестила меня. Мне всегда хотелось доказать, что я на многое способен и у меня могут быть собственные деньги. Я пошел на подлость и обокрал отца. Понимаю, что это аморально, но у меня не было другого выхода. Я выкрал деньги из сейфа. Ты даже не представляешь, какого труда мне это стоило. Отец пришел в дикую ярость, перетряс весь обслуживающий персонал, а я остался вне подозрений. В конце концов, я его сын. Понимаешь, сын! Я не виноват, что мы полюбили одну и ту же женщину. Разница в том, что я полюбил ее по-настоящему, а отец... так, просто пользуется ее красивым телом, покладистым характером.

—Она старше тебя?

—Да, на пятнадцать лет. При чем тут возраст, если приходит настоящее чувство? Мне необходимо доказать, что она ошибалась. Я знаю, отец дает ей какие-то жалкие подачки, а я хочу сделать для нее намного больше. Я мечтаю сделать ее богатой. Я хочу, чтобы она вспоминала обо мне с сожалением.

—Ты сам откопаешь эти деньги, как только выпишешься из больницы, — перебила я его.

Костя не обратил внимания на мои слова и, достав второй листок бумаги, положил его мне на колени.

—Это ее адрес. Передашь ей, что я очень ее любил, что эти деньги я заработал. Заработал ради нее. Чтобы она смогла расстаться с моим отцом и начать новую жизнь. Она обязательно встретит любовь, родит красивого мальчика и назовет его моим именем.

—Но почему ты мне доверяешь?

—Не знаю. Интуиция.

Мы помолчали. Я украдкой смахнула слезы и наконец решилась заговорить снова:

— Я хочу быть с тобой откровенна. Я тяжело больна. В глубине души я надеюсь победить, но все же понимаю, что могу и не выйти из этой больницы...

Голос мой прервался, я почувствовала, что вот-вот разрыдаюсь.

— Ты будешь жить. Вот увидишь, — уверен сказал Костя.

— А если вдруг...

— Если вдруг ты почувствуешь, что у тебя закончились силы для борьбы, передашь мою просьбу тому, кому доверяешь, кто будет здоров.

На балкон заглянула медсестра и позвала меня на процедуры. Я не могла просто так встать и уйти. Я должна была как-то поддержать Костю.

— Ты не сдавайся, — сказала я. — Ты только держись. У тебя есть ради чего бороться за жизнь. У тебя есть любовь. Понимаешь, любовь. Ради нее стоит бороться. У меня этого нет. Это исчезло вместе с моей болезнью. Мне всегда казалось, что любовь вынесет любые испытания, даже болезнь. А она, сука, оказывается, такая непостоянная, такая коварная... Прямо как дешевая девка. Я всегда думала, что мои проблемы — это проблемы и моего мужа. Оказывается, все не так. В этой жизни можно надеяться только на себя. Очень тяжело, когда понимание приходит в этих стенах.

— Тебя бросил муж?

— Да. Человек, с которым меня связывает несколько лет жизни и ребенок.

— Тут всех бросают... Вернее, почти всех... Ты не сказала мне свое имя.

— Виктория. Вика.

— Это значит победа...

Я с трудом улыбнулась и пошла вслед за медсестрой.

Вернувшись в палату, я увидела, что Миле совсем плохо. Такой растерянной и удрученной она еще не была.

— Знаешь, к черту эту гробницу, — решительно сказала я. — Сейчас позвоню маме, она принесет нам новые шторы, махровые коврики, кучу плакатов... В палате станет красиво, уютно, совсем по-домашнему. Я надену яркий халат и пушистые тапочки... — Я посмотрела на лежащую соседку и замолчала.

Молчала и Мила.

— Ведь мы же еще живые... — робко попыталась продолжить я. — Ведь нам тоже хочется тепла и домашнего уюта... Будь моя воля, я бы все эти гробовые стены выкрасила в какой-нибудь розовый цвет.

— А что от этого изменится? — безразлично произнесла Мила.

— Ты о чем?

— О том, что, если тут будет уют, нам не станет лучше... У меня не вырастет грудь, а результаты твоей крови не станут лучше.

— Ну нет, ты не права. Чтобы выздороветь, нужно не раскисать, не давать душе впадать в уныние.

— Откуда в тебе появилось столько оптимизма?

— А откуда в тебе появилось столько пессимизма?

— Не знаю. Я смотрю на эту корзину роз и понимаю, что она прощальная.

— Не говори ерунды! — рассердилась я.

Решив не поддаваться настроению соседки, я направилась к телефону. Меня ужасно штормило, ноги просто отказывались слушаться. Из какой-то палаты послышался то ли стон, то ли молитва. Я почувствовала, что силы оставляют меня. «Нет, — сказала я себе. — Не сдамся — я должна вылечиться. Всем смертям и диагнозам назло. Я очень сильная. Я такая сильна, что даже трудно себе представить. Я буду разговаривать со своей болезнью на „ты“ и заставлю ее встать на колени... Она отступит. Она испугается, ведь она очень трусливая... Ой, какая же она трусливая... Это только кажется, что она всемогущая, а на самом деле она боится тех, у кого есть воля... Я выйду из больницы, поеду на дачу, откопаю шкатулку с долларами, возьму положенную мне часть и куплю дом для своих родителей. Он будет сделан из белого камня и стоять на самом берегу моря. Я привезу туда родителей, посмотрю им в глаза и скажу: „Вот видите, я победила... Я это сделала. Надо просто захотеть. Надо просто захотеть жить... Надо просто поверить в себя. Я поверила, потому что у меня есть вы, сын Санька и маленькая собачка Зося. Я знала, как я вам нужна, как необходима. Мы должны быть вместе, ведь мы — настоящая семья, и никто нам больше не нужен... Ну нет у меня мужа — и не надо. Главное — здоровье. Видимо, не всем выпадает шанс иметь рядом преданного человека. Это же как карточная игра, а я всегда проигрывала в карты».

Обливаясь потом, я добрела до телефона и позвонила маме. Поговорив совсем недолго, я повесила трубку и, опершись о стену, медленно съехала на пол. Перед глазами плыло, я поняла, что больше не смогу ступить ни шагу. «Я сильная», — стала твердить я себе и попыталась встать. Когда мне это удалось, я рухнула на пол и потеряла сознание. Очнулась я в палате, к правой руке была подключена капельница, рядом сидела Мила.

— Что произошло? — спросила я.

— Ничего, не считая того, что ты упала в обморок. Ходишь по больнице, как будто здоровая. Могла бы сказать, что хочешь спуститься к телефону, я бы помогла, вдвоем мы бы спокойненько доплелись. И что тебя понесло?

— Я звонила маме насчет ковриков и шторок...

Мила удивилась и, запинаясь, произнесла:

— Послушай, а ты в своем... уме?

— Ты же сама говорила, что здесь все сумасшедшие. Давай уж будем сумасшедшими до самого конца. Умирать — так с музыкой. В уютных апартаментах.

На следующий день наша палата перестала напоминать гробницу. Ярко-розовые шторы, розовый тюль, ворсистый ковер и куча незамысловатых плакатов сделали свое дело. Я надела халат с желтыми подсолнухами и старалась победно улыбаться. На меня заглядывались и больные, и лечащие врачи. Наверное, от меня исходила какая-то невиданная здесь свежесть, я воплощала пусть мнимое, но все же благополучие.

Наступил тихий час. Больные разошлись по палатам. Неожиданно тишину нарушил отчаянный крик. Мы с Милой переглянулись и выбежали из палаты. Посреди коридора сидел бледно-зеленый Константин и кричал:

— Помогите, я умираю! Вы слышите, я умираю! Сделайте что-нибудь! Я хочу жить! Господи, хочу жить! Цените жизнь, люди! Слышите, цените! Она одна. Падла, как жалко, что она одна! Берегите каждое мгновенье, потому что однажды оно может станет последним! — Он вцепился в халат подбежавшей к нему сестры и снова закричал задыхаясь: — Родная, помоги! Хотя бы еще один день... хотя бы мгновенье, только не сейчас... Сделай укол или дай таблетку... У меня есть деньги. У меня их много. У меня и у моего отца. Я отдам все, только помоги... Умоляю, слышишь, я хорошо заплачу... Я не хочу умирать, я молод... Я еще ничего не видел... Почему именно я?! Я хочу жить!..

Костя рухнул на пол. Через несколько секунд появились санитары с каталкой. Они накрыли тело простыней и увезли. Я с ужасом посмотрела на пару каталок, стоящих в холле. Кто же будет следующим? Странно... Мы еще живы, ходим по больнице, смотрим телевизор, обедаем, а посреди отделения стоит дежурная каталка для очередного покойника. Видно, кто-то заботится о том, чтобы мы знали свое место, чтобы не забывали, кто мы такие, и не надеялись на лучшее.

Больные разбрелись по палатам. Тихий час еще не закончился. Я бросилась к каталке, схватила ее за поручни и повезла прочь из своего отделения. Увидев это, санитар велел немедленно прекратить самодеятельность.

— Не прекращу! — зло бросила я. — Мы живые! Мы еще живые, и не надо напоминать нам о смерти!

Я успокоилась только в палате. Достав пару листков, которые мне дал Костя, я внимательно прочитала их. Нет, не зря меня назвали Викторией. Я обязательно выкарабкаюсь. Я выполню его просьбу.

— Жалко его, совсем молоденький, — растерянно сказала Мила. — Ему бы жить да жить... Господи, да что ни говори, а жить хочется в любом возрасте. И молодым, и пожилым.

ГЛАВА 4

Дни тянулись томительно долго. Я уже потеряла счет времени. Порою мне казалось, что я стала чувствовать себя лучше, да и результаты анализов все больше укрепляли надежду на выздоровление.

В один совершенно непримечательный день в палату вошел мой муж и посмотрел на меня так, словно я уже давно умерла. Мила сразу все поняла и ушла в коридор. Он просто пришел. Ни цветочка, ни яблока, ничего. И никакого сочувствия в глазах...

— Ну как, не надоело здесь лежать? — с непонятной усмешкой спросил он, присаживаясь на краешек кровати.

Я опустила глаза.

— Врачи говорят, что я иду на поправку. Странно, тут все мрут как мухи, а я поправляюсь...

— Оно и понятно. Такие, как ты, не умирают. Могла бы поехать со мной, когда я звал.

— Андрей, если бы я поехала, то уже давно бы загнулась. — Я отвернулась, чтобы скрыть выступившие слезы. — Ты сейчас где живешь? — еле слышно спросила я.

— Когда как. Иногда дома, иногда на съемной квартире, — равнодушно бросил он.

— Ты с кем-нибудь встречаешься?

— Ты же знаешь, я никогда не был обделен женским вниманием.

— Тебе кто-нибудь говорил, что ты отъявленная сволочь?

— Никто, кроме тебя, — в голосе Андрея послышалась издевка. — Мы отдалились друг от друга в последнее время... — Он тяжело вздохнул. — Это все твоя мнимая болезнь. Если бы ты хоть немного меня любила, то в первую очередь думала бы о наших отношениях...

— У меня рак. Неужели ты не можешь понять?

— Уж на раковую больную ты похожа меньше всего, — усмехнулся Андрей. — Слишком хорошо выглядишь для умирающей, прямо расцвела.

Я поняла, что больше не в состоянии продолжать этот бессмысленный и в то же время до глубины души обидный разговор.

— Пошел вон... — собрав в кулак волю, сквозь зубы процедила я.

— Что ты сказала? — злобно переспросил Андрей и побагровел.

— Что слышал! Убирайся к чертовой матери и не смей больше сюда приходить!

— А я вообще не собирался... Просто проходил мимо и вдруг вспомнил, что ты загораешь на этом курорте.

Он резко встал и вышел из палаты. Я не верила, что он может так просто уйти. Думала, вот сейчас он обязательно обернется, извинится, наговорит мне кучу ласковых слов... Но этого не произошло. Он даже не обернулся. Хлопнув дверью, он исчез. Я не устроила истерику, не стала рвать на себе последние волосы. Я просто закрыла глаза и отчетливо поняла, что иллюзия под названием «семейное счастье», которую я вынашивала все эти годы, рухнула. Говорят, что очень трудно скрывать равнодушие, но Андрею это удавалось довольно долго. Надлом наших отношений произошел намного раньше, моя болезнь тут совсем ни при чем. Я уже давно не могла объяснить, как это может быть — наличие и отсутствие человека одновременно. Любовь исчезла уже давно, а моя болезнь — лишь повод для окончательного разрыва. Так больно... Душа выворачивается наизнанку, а сердце ноет... Очень страшно думать, что семьи больше нет. Я почувствовала, что растерялась.

В палату вернулась Мила. Оценив мое состояние, она подошла к окну и раздвинула занавески.

—На улице погодка — закачаешься. Я все не могла дождаться, когда свалит этот козел. Хоть бы какую-нибудь затрапезную розочку принес, сволочь. Я вот только не могу понять, почему такие скоты никогда и ничем не болеют. Почему все шишки падают именно на нас, ни в чем не повинных женщин...

—Я его выгнала, — сказала я, не слыша собственного голоса.

—Вот это ты правильно сделала. На хрен ему сюда ходить и тебя расстраивать. Нормальный мужик должен сидеть и днем и ночью у твоей кровати и держать тебя за руку.

—Таких мужиков в природе не бывает. Они нас здоровыми-то толком не любят, а больные мы тем более никому не нужны.

Я постаралась взять себя в руки и хоть немного успокоиться. Что ж, если судьбе угодно преподнести мне столько испытаний, я обязательно с ними справлюсь. Я попробую начать все сначала. Вычеркнуть из памяти свое замужество. Самое ужасное, что я живу прошлым. Но, с другой стороны, ущемленное женское самолюбие способно на многое. Я теперь понимаю, часто браки распадаются не потому, что появляется третий или третья, и даже не из-за какого-то потрясения вроде моей болезни. Просто живущие под одной крышей люди почему-то отдаляются, перестают друг друга понимать. Наступает одиночество вдвоем. Я казню себя за прошлое. Вспоминаю какие-то моменты, прокручиваю свою семейную жизнь назад... Это удел всех потерявших. Иногда корю за недальновидность себя, иногда обвиняю Андрея. Говорят, со временем невыносимая боль отпускает, и мне хочется в это верить. Я обязательно встречу новую любовь, ведь без нее нет смысла жить, только она спасает нас от смерти.

— Хватит себя мучить, — послышался голос моей соседки.

— Я в порядке. Мне кажется, что еще немного, и я буду в полном порядке.

Я подошла к окну и с завистью смотрела на мир, в котором жили люди за пределами нашей жуткой больницы.

Наутро при обходе врач торжественно похлопал меня по плечу и поздравил с выздоровлением. Это было невероятно.

Я хорошо помню тот день, когда смогла покинуть стены страшной больницы. Меня не беспокоила ни моя неестественная бледность, ни то, что на голове осталась лишь малая часть моих роскошных волос. Я благодарила Бога, что осталась жива, выкарабкалась и теперь могу быть рядом со своими близкими и друзьями.

Мы обменялись с Милой телефонами и присели на дорожку.

— Ты только не пропадай, — возбужденно говорила подруга, вытирая слезы, — звони. Мы же все-таки теперь не чужие, столько пережили вместе. Завтра и меня выписывают.

Я поцеловала Милу в щечку.

— Главное, чтобы и ты не пропадала. Тоже звони, я буду ждать. Очухаешься, придешь в себя, снова выйдешь на работу. Думаю, босс к тебе все-таки неравнодушен.

Мила глубоко вздохнула:

— Если бы все было так, как ты говоришь! Уверена, он уволил меня к чертовой матери и взял какую-нибудь здоровенькую старлетку.

— Не придумывай! Пока ничего не известно, — прикрикнула я.

Внизу меня ждали родители. Понять, что чувствовали мы, глядя в глаза друг другу, может только тот, кто пережил нечто подобное. Мама обняла меня за плечи и зарыдала. Папа протянул роскошный букет и погладил по голове.

ГЛАВА 5

Дома меня ждал удар. За время моей болезни Андрей увез из нашей квартиры почти все вещи. Я окинула безразличным взглядом полупустую квартиру и присела на стоящий посреди комнаты стул.

— Понимаешь, доченька, мы не хотели тебя расстраивать, — неуверенно начала мама. — Андрей заказал машину и все вывез сразу, как только вернулся со сплава. — Голос мамы заметно дрожал, она готова была расплакаться. — У него никогда не было совести. Даже вещи сына зачем-то забрал. Чтоб они ему поперек горла встали.

— Да ладно, бог с ним со всем, наживем, — отрешенно произнесла я. — Заработаем. Лишь бы больше не потерять, например здоровье.

Когда родители ушли, я принялась разглядывать себя в зеркало. Выпирающие скулы, осунувшееся лицо, словно я вернулась не из больницы, а из концлагеря. Ничего, самое страшное уже позади. Я победила болезнь, я смогла, я справилась, я оказалась сильнее.

Побродив по дому, я достала из сумочки аккуратно сложенный листок с адресом дачи Костиного отца. Сердце сжалось. Так жалко этого мальчика! Господи, как же страшно умирать в таком возрасте. Он хотел жить, он цеплялся за жизнь... Он любил... Наверное, это была его первая, еще юношеская, но уже такая глубокая любовь. Ради любимой он украл деньги... Он хотел ей доказать... Стоп! Вспомнив о закопанных деньгах, я почувствовала странное возбуждение. Деньги... Денежки бы мне пригодились, ведь мне так хочется подарить родителям домик. Двадцать тысяч долларов — приличная сумма, на нее я смогла бы что-нибудь подыскать. Остальные сто тридцать нужно отдать Костиной женщине. Мне чужого не надо.

На другой день с утра я поехала в магазин и купила вполне удачный парик. Пока отрастут свои, пройдет немало времени, поэтому иного выхода не было. Немного косметики — и лицо стало более привлекательным. Исчез противный бледно-зеленый оттенок. За время болезни я ужасно похудела, почти высохла. Пришлось немного обновить гардероб. Ничего, скоро я обрету прежнюю форму и буду вызывать восхищение мужчин и откровенную зависть женщин. Все обязательно будет, нужно только подождать.

Вернувшись из магазина, я еще в прихожей услышала телефонный звонок.

— Привет.

— Тебя выписали? — обрадовалась я звонку Милы.

— Как и обещали. Даже не верится, что нам с тобой эти гребаные больничные каталки не пригодились.

Мила замолчала, а я подумала, что этот черный юмор можем понять только мы, те, кто был в нескольких шагах от смерти, кто каждый день боялся и ждал ее приближения.

— Как твой Челноков? — Вопрос прозвучал немного осторожно, даже, можно сказать, нерешительно.

— А что ему сделается... Вывез все домашнее добро. Дай бог, чтобы это ему на пользу пошло. Даже вещи сына подрезал. Не понимаю, на черта они ему сдались, у них ведь совсем разный размерчик.

— Может, на барахолке загонит?

— Может, и загонит. Эта сволочь ничем не побрезгует.

— Вот и выходи замуж. — Мила немного помолчала. — Никогда в жизни не выйду замуж по любви, только за деньги. Уж лучше жить с пухлым кошельком и ни в чем себе не отказывать, чем выйти за какого-нибудь выродка, терпеть его скотскую любовь и ждать, пока он окончательно уйдет налево, не забыв при этом обчистить квартиру.

— Тебе проще. У тебя есть кандидатура.

— Какая?

— Твой шеф. Возможно, он расчувствуется и возьмет тебя под свое мясистое крылышко.

Я бросила взгляд на свою сумочку, в которой лежали Костины записочки. Мне не хотелось действовать в одиночку, напарница в ранге самого настоящего телохранителя мне бы совсем не помешала. Вдвоем веселее и как-то сподручнее.

— Послушай, Мила, а ты себя как чувствуешь?

— Если сравнивать с тем, как я себя чувствовала в больнице, то просто восхитительно.

— Хорошо. Пройдет совсем немного времени, и мы будем вспоминать наши с тобой страдания как страшный сон. Знаешь, мне нужна твоя помощь.

— Я всегда рада тебе помочь, говори, что надо?

— Мне нужно съездить на дачу к одному человеку и выкопать на его дачном участке шкатулку.

— Шкатулку? — от удивления Мила громко присвистнула. — Странно! А какого черта он ее закопал? Люди на своих огородах помидоры да огурцы сажают, а этот придурок какие-то шкатулки.

— Долгая история. Я расскажу тебе позже. Так ты со мной едешь?

— Поеду, если это для тебя так важно.

— Ты даже не представляешь, насколько важно. Только это немного опасно. Мы должны приехать ночью и выкопать шкатулку так, чтобы никто не увидел.

— А может, мы лучше сделаем это днем? Ночью ведь копать неудобно. Мы же не кроты.

— При свете нельзя. Я же тебе говорю, мы должны сделать все незаметно.

— Как скажешь ... Только я лопатой не очень хорошо орудую.

— За это не переживай. Лопатой буду орудовать я. Ты же профессиональный телохранитель. Так занимайся своим делом.

— Ты хочешь сказать, что я должна тебя охранять?

— Вот именно. Будешь стоять рядом со мной и смотреть по сторонам, наблюдать за тем, чтобы не было ни одного лишнего шороха.

— Это для меня пара пустяков.

— Словно я твой босс...

— Мой босс шкатулки на огородах не сажает, — развеселилась Мила.

— Тогда приезжай ближе к вечеру, все и сделаем.

Положив трубку, я отправилась к родителям, чтобы повидать сына. Со вчерашнего вечера я уже успела соскучиться. Сашка сидел за компьютером и играл в какую-то замысловатую игру. Мы просидели с ним около двух часов, потом я вернулась к себе. К моему великому удивлению, ключи от машины оказались на месте. Челноков никогда не умел водить машину, может быть, поэтому пока еще не прихватил ее. Я сварила кофе, мечтательно закрыла глаза и вновь представила очаровательный домик на берегу. Мои мечтания прервал пронзительный звонок в дверь. Андрей? Я вскочила. Может быть, он одумался и пришел попросить прощения? Господи, какие же мы, бабы, дуры... Даже после стольких гадостей верим в лучшее, ищем хоть какое-нибудь оправдание.

Открыв дверь, я облегченно вздохнула: передо мной стояла похорошевшая Мила.

— Это я — Челноков, пришел для того, чтобы забрать у тебя последнее. Я забыл забрать свой старенький диван, на котором сидел и портил воздух столько лет, — весело пробасила она и чмокнула меня в щеку.

— Забирай свой вонючий диван и уматывай к чертовой матери, — подыграла я подруге и впустила ее в квартиру.

Мила быстро прошла по всем комнатам и покачала головой:

— У тебя тут словно военные действия прошли недавно.

— Челноков постарался. Даже стиральный порошок и хозяйственное мыло уволок.

— Может, он этим мылом будет свое хозяйство промывать.

— Было бы хозяйство, а то так, какое-то недоразумение.

— Так он у тебя и в постели был парень хреновенький?

— Хреновенький — слишком мягко сказано. У него член толщиной со спичку, ей-богу.

— Ну ты, подруга, попала, — Мила хихикнула. — Он у тебя, оказывается, и для этого дела не очень приспособлен! И как он только умудряется с бабами гулять?

— Это тайна, покрытая мраком. Я когда с ним первый раз переспала, решила, он мне вообще девственником достался. Сделал два неловких движения и кончил, прямо напасть какая-то.

Вдоволь позлословив и навеселившись, мы отправились на дело. Когда сели в машину, Мила достала пистолет и помахала им перед моим носом. Я уставилась на него как завороженная, на лбу у меня выступила испарина.

— Он что, и вправду настоящий? — испуганно спросила я.

— Ну ясное дело, не игрушечный. У меня есть разрешение на ношение боевого оружия, я же профессиональный телохранитель.

— Я настоящий пистолет вблизи никогда не видела. А зачем ты его взяла?

— Как это — зачем? Ты же сказала, что будешь орудовать лопатой, а я должна тебя охранять.

— Думаешь, что пистолет может пригодиться?

— Я же не знаю, что у тебя там за дачный участок, на котором шкатулки закапывают. Я сейчас словно на работу еду, а на работе я всегда с оружием.

Сегодня понедельник, рабочий день — значит, дача должна быть пустой. Мила сидела, закинув ногу на ногу, и разглагольствовала:

— Вот если бы я вышла замуж за своего шефа, я бы тебя на Кипр свозила. Здоровья бы поднабрались, от больничных воспоминаний отошли, нормальных мужичков склеили. Если бы он на мне женился... Проклятая болезнь! Ведь я уверена, что он ко мне что-то чувствовал. Я же с ним в каких только передрягах не была... А наш первый сексуальный контакт до сих пор мне по ночам снится. Он тогда в командировку летал, ну, естественно, и меня с собой прихватил. Это в гостиничных апартаментах произошло. Он подвыпивший был, ну я и не растерялась. Думаю, нужно брать быка за рога, пока он тепленький. Короче, сама к нему в постель прыгнула. Если честно, не ожидала, что он окажется нормальным любовником. С этой ночи у нас с ним все и пошло. Работа и секс. Секс и работа. Я поначалу его ревновала страшно. А потом подумала: глупо ревновать то, что тебе не принадлежит. У него ведь власть, связи, деньги. В конце концов, он мой работодатель. Кормилец, одним словом. Он ведь и с разными женщинами встречался. Случалось, даже проституток заказывал.

—А ты как на это реагировала?

—А как я должна реагировать? Я всегда знала свое место и довольствовалась тем, что мне перепадало.

Мила глубоко вздохнула и с грустью уставилась в окно:

—Правильно, видно, говорят, что не надо хватать звезд с неба и не стоит спать со своими начальниками. От этого одни разочарования и головная боль. На хрен ему на ком-то жениться, если он за деньги черта лысого купит.

—Мы уже почти у цели, — сказала я и испуганно посмотрела на Милу.

—Ты что, боишься, что ли? — удивилась она.

—Не знаю. Просто я никогда раньше по чужим дачам не лазила.

—Я тоже, но что не сделаешь ради любимой подруги.

—Давай оставим машину в начале улицы, а сами пойдем пешком. Так безопаснее. Никто не догадается, на чью дачу мы приехали.

—Как скажешь, — согласилась Мила и вышла из машины.

—Пока никаких подозрительных субъектов не наблюдаю, — сообщила она, оглядевшись по сторонам.

Я взяла ее за руку, и мы пошли по освещенной улице вдоль симпатичных дачных домиков. Сердце колотилось в грудную клетку. Оно и понятно. Раскапывать клад на чужой даче — занятие малоприятное и, скажем прямо, рискованное. Но я не могла отказаться от денег, не могла не исполнить последнюю просьбу умирающего. Если Костя хотел доказать своей любимой, что он что-то из себя представляет, пусть так оно и будет.

—Послушай, а чем мы будем копать? — неожиданно спохватилась Мила.

— На любой даче должны быть орудия садового производства, — неуверенно сказала я.

— А что мы будем делать, если хозяин этой дачи не заядлый огородник?

— Тогда придется одолжить лопату у соседей! — нервно засмеялась я. — Выкрутимся как-нибудь. Думаю, тот, кто закапывал эту шкатулку, не вез лопату с собой, а взял ее здесь.

Увидев на воротах нужный номер, я перевела дыхание и постаралась взять себя в руки. В соседнем доме горел свет, значит, мы приехали слишком рано.

— Соседи не спят, — словно прочитала мои мысли Мила. — Как ты относишься к лишним свидетелям?

— Отрицательно. Свидетели нам совсем не нужны.

— Тогда, может, посидим в машине?

— Нет. Просто мы будем действовать осторожно. Нужно осмотреть дом.

Калитка открылась беспрепятственно. Пройдя по узенькой, выложенной разноцветными булыжниками дорожке, мы подошли к беседке и огляделись по сторонам. На даче никого не было. Взглянув еще раз на Костину схему, я быстро сориентировалась и увидела яблоню, под которой следовало копать.

— Копать нужно там, — показала я Миле.

— Копать по твоей части, а мое дело тебя охранять. Для начала не мешало бы найти лопату, — заметила она.

Покосившись на светившееся соседское окно, я решительно направилась к дому. Попытка открыть дверь, естественно, оказалась безуспешной. Осмотревшись, я поняла, что не смогу попасть в дом и через его окна.

— Прямо не дом, а какая-то крепость, — проворчала я.

Неожиданно мой взгляд остановился на висящем над дверью ключе. Он висел на гвозде над дверным проемом.

— Неужели это ключ от дачи?

— Похоже на то, — кивнула Мила.

— Первый раз вижу, чтобы ключ так запросто висел. А если бы пришли воры...

— Может, там и брать нечего. А вообще, это умное решение. Многие делают так, чтобы какие-нибудь мародеры не били окна и не взламывали двери. Зашел, взял, что хотел, и ушел с миром.

Сунув ключ в замочную скважину, я легко открыла дверь и вошла в прихожую. Даже в темноте сразу стало ясно, что обстановка дома была самая что ни на есть обычная. Никакой роскоши, никаких излишеств. Это было довольно странно. Такой дорогой, представительный мужчина, как Костин отец, мог бы прикупить себе домик поприличнее.

— Я так поняла, что свет включать нельзя, — донесся Милин голос.

— Нам нужен фонарик, — сказала я.

— По-моему, сейчас все едино: что лопата, что фонарик... Я вообще не понимаю, как в такой темноте можно что-то найти. — Мила была явно огорчена, и напрасно. Все оказалось довольно просто: рабочий инвентарь стоял в коридоре.

— А вот и лопата, — обрадовалась я, словно мне удалось обнаружить слиток золота.

— Масть поперла, — облегченно вздохнула Мила. — А ты везучая.

— Должно же мне хоть в чем-то везти, а то ни в любви, ни в личной жизни...

Через несколько минут я уже старательно ковыряла плотную землю. Свет в соседском окошке погас, видно, нежелательные свидетели легли спать. Интересно, как глубоко Костя закопал шкатулку... Не могу же я до утра рыть эту яму!

Вдруг за забором послышался шум подъезжающей машины. Я растерянно взглянула на подругу.

— По-моему, везение нас покинуло. Неужели пожаловали незваные гости?

— И время уже вроде не детское, — прошептала подруга и жестом показала мне, чтобы я пригнулась. — Давай присядем за кустом смородины. Может, они не задержатся долго.

Мы уселись на землю и навострили уши. Это Костин отец? И чего ему понадобилось здесь в такое время? Нормальные люди давно дрыхнут и видят сны. Сегодня рабочий день, а Костя говорил, что отец наведывается на дачу только в выходные...

На мощеной дорожке показались двое мужчин. Незнакомцы вошли в дом и пробыли там не больше минуты.

— Хозяин есть? — прошептала мне на ухо Мила.

— Нет, этих типов я вижу в первый раз.

Как только мужчины вышли из дома, мы снова замерли.

— Послушай, я что-то не пойму, — недовольно сказал один из них. — Лопата стояла у входа.

— Да сразу видно, что в доме кто-то был, — пробасил второй. — Кому могла понадобиться лопата? Ни хрена непонятно!

— Надо же, лопату подрезали! Что теперь делать-то будем? Не можем же мы этого жмурика руками закапывать.

— Может, граблями?

— Никогда не видел, чтобы граблями копали

— Я как чувствовал, что заморочки начнутся! Предлагал же тебе, давай скинем его в воду, и дело с концом. Нет, ты уперся: давай его в землю закопаем, и все тут! С этой ямой одной возни сколько! А так и удобно, и быстро. Мы же хорошее дело делаем, корм рыбкам подбрасываем.

— Ладно, давай сделаем по-твоему, обойдемся без лопаты.

Они сели в машину и быстро отъехали. Я вытерла пот со лба и спросила невозмутимую подругу:

— Ты слышала?

— Слышала, не глухая.

— У них в машине был труп.

— Это я сразу поняла. Хорошо, что у них не хватило ума искать лопату во дворе.

— Господи, они ведь кого-то убили, — никак не могла успокоиться я. — Нелюди какие-то.

— На бытовуху не похоже, — тоном знатока сказала Мила. — Обыкновенные криминальные разборки.

Я вспомнила Костиного отца. Конечно, он вполне мог быть связан с криминальными структурами, ему бы подошла роль мозгового центра какого-нибудь преступного клана.

— Ладно, время идет. Давай копать дальше, — перебила мои размышления подруга. — Считай, что нам повезло. Незваные гости хотели только лопату. В принципе, тут нет ничего удивительного. Одни возят трупы и думают, как от них избавиться, другие выкапывают непонятные шкатулки на чужих дачах. Каждый занят своей работой.

Встав с земли, я вновь взяла лопату и с досадой в голосе произнесла:

— Мы никого не убиваем. И вообще мы занимаемся гуманным делом. А в этой шкатулке лежат деньги, которые я обязана передать одному человеку.

— А почему этот человек сам не хочет их выкопать?

— Потому что этот человек даже не подозревает об их существовании.

— Тогда лучше бы и дальше держать его в неведении, эти деньги и нам не помешают.

— Нет. То, что я сейчас делаю, очень важно. Я выполняю предсмертную просьбу одного человека. Я должна сдержать обещание.

— А от чего он умер?

— От онкологического заболевания.

— От рака?!

— Да. Ты так удивилась, будто не знаешь, что от рака умирают. Не все же такие живучие, как мы с тобой.

Признаться честно, я никогда не копала раньше, поэтому каждый взмах лопаты давался мне с огромным трудом. Яма постепенно становилась глубже, но шкатулка так и не появлялась.

— Копаешь ты здорово, — откровенно зевнула Мила, — только проку от этого мало. Может, там вообще никакой шкатулки нет.

— Должна быть. А вдруг я не с той стороны копать начала? Может, лучше с другой зайти?

— Зайди с другой. Прямо фантастика какая-то. Сидим на чужой даче и пытаемся найти шкатулку с деньгами...

— Допустим, не мы, а я пытаюсь. От тебя помощи никакой. Могла бы тоже поработать.

— Ты же просила охранять тебя. Этим я и занимаюсь.

— Я же не знала, что тут охранять не от кого.

— Я бы этого не сказала. Только с виду все безопасно. В любой момент может что-нибудь произойти. Тут некоторые товарищи трупы возят.

Я поняла, что от подруги мне так и не дождаться помощи, и стала уповать только на собственные силы. Костя не мог меня обмануть. Больные вообще не умеют обманывать... Уж кому-кому, а мне это известно. В тот момент, когда моя лопата наткнулась на какой-то предмет, к дому подъехала та же самая злосчастная машина.

— Только этого не хватало, — прошептала Мила и легла на землю. — Интересно, зачем они на этот раз пожаловали, за граблями, что ли?

— Кажется вот она, шкатулочка, — возбужденно сообщила я, сунув руку в яму по самый локоть.

— Лежи, ненормальная, и не двигайся, — одернула Мила, но остановить меня было просто невозможно.

Я попыталась нащупать шкатулку и чуть было не разревелась, когда поняла, что наткнулась на обыкновенный камень.

— Ну и где твоя шкатулка, будь она неладна, — еле слышно прошептала подруга. — Я же тебе говорю, что тут ее вообще нет.

— Есть, — настаивала я, — просто нужно копать еще глубже. Только дурак мог закопать шкатулку, набитую долларами, недостаточно глубоко.

Услышав скрип калитки, я замолчала. Мужчины подошли к крану, который находился посреди участка и, по всей вероятности, предназначался для полива. В свете уличного фонаря мне удалось разглядеть обоих. Им было не больше тридцати. Обычные тренировочные костюмы и грязные, сношенные кроссовки... Они открыли кран и стали мыть руки.

— Я и не знал, что в этой сволочи окажется столько крови, — пробубнил тот, что был повыше ростом.

— Всю тачку гад ползучий измазал, — поддержал его напарник. — Ночью двигаться нельзя. Любой мусор может нас остановить и заглянуть в багажник. Повяжут не разговаривая. Потом эту кашу замучаемся расхлебывать. Останемся здесь до утра и поедем, когда на улице будет полно транспорта. Машину сразу пацанам в химчистку загоним, они ее приведут в божеский вид.

— Это ты дело говоришь, щас нам дергаться не стоит, — согласился высокий.

Мужчины закурили и, переговариваясь, направились к дому.

— У меня весь костюм кровью запачкан. Жалко, совсем новый. На нем даже муха не сидела. Теперь не отстираешь.

— Да ладно тебе. Главное, что дело удачно сделали, не запороли. Бабок теперь!.. Подымим нормально. Побольше бы таких заказов, глядишь, из нищеты вылезем.

— Господи, если бы ты знала, как мне страшно, — испуганно прошептала я. — Мы что, теперь до утра под этим кустом валяться будем?!

— До утра не будем. А сейчас лежи, не дергайся. Они спать лягут, и мы отсюда выкарабкаемся.

— А шкатулка?

— Сейчас не до шкатулки. Главное — ноги унести. В следующий раз разберешься со своей шкатулкой, если она вообще существует.

— Можешь не сомневаться, — пробубнила я себе под нос и вновь прижалась к земле.

Как только мужчины вошли в дом, Мила толкнула меня в бок:

— Они сейчас водку жрать будут. Когда уснут, одному богу известно. Давай мелкими перебежками прямо до калитки.

— Ты что, сдурела? А вдруг они нас в окно засекут?

— Не засекут.

— Может, лучше дождемся, пока они уснут?

— А вдруг они до утра не лягут?

— Быть такого не может, — замотала я головой. — Они должны сильно устать. Как-никак, а на мокрое дело ходили.

— Для них это семечки. Делай, что говорю. Давай, перебежками к калитке. Там до машины рукой подать.

Не став перечить подруге, я бросилась к калитке. Мила побежала рядом, не забыв пистолет. Не могу передать, какой чудовищный страх охватил меня. Сердце колотилось с такой бешеной скоростью, что, казалось, выскочит из груди. Мы уже были за калиткой, когда из дома вышел мужчина и бросился следом за нами.

— Серега, быстрее сюда, — крикнул он. — Тут какие-то девки!

— Стоять! — послышалось за моей спиной.

Мила резко остановилась, бросилась на незнакомца, свалила с ног и прицелилась в голову.

— Ты что, идиот? Какого хрена к нам прицепился? Нам эта дача даром не нужна. Разорался, как резаный, чуть было соседей не разбудил. Придурок!

— Руку отпусти, больно, — простонал мужчина.

— Я тебе сейчас еще голову откручу, — пообещала Мила.

Я стояла как вкопанная и восторженно смотрела на Милу. Здорово иметь такую подругу! Неожиданно калитка распахнулась и перед нами предстал второй тип. Он был вооружен.

— Брось пушку, девочка, а то я вышибу тебе мозги.

Он направил пистолет на Милу. Она, придерживая завернутую за спину руку первого, в свою очередь прицелилась в него и процедила сквозь зубы:

— Стреляй. Давай посмотрим, у кого быстрее получится.

— Я сказал, брось пушку, придурочная.

— Сам такой. Если вздумаешь стрелять, разбудишь соседей.

— У меня пушка с глушителем.

— Надо же, какой предусмотрительный.

Даже мне было заметно, что Мила нервничала. На лбу блестела испарина, от прежней уверенности не осталось и следа.

— Ладно, ребята, я думаю, мы сможем договориться, — неуверенно произнесла моя подруга. — Прячем пистолеты и разбегаемся. Мы вас не видели и не знаем, а вы, в свою очередь, — нас.

Тут вскочил первый. Он свалил меня с ног и придавил к земле.

— Серега, одна уже готова! — крикнул он. — Разберись со второй. Не спрячет пистолет, стреляй в нее, и дело с концом. Эта сука каким-то боевым искусством владеет. Дерется как мужик, ей-богу. Меня с ног в секунду сбила.

Он завел мне руки за спину так сильно, что я застонала от боли, из глаз хлынули слезы.

— Пусти... Мне очень больно...

— Щас будет еще больнее. Я тебе руки вместе с лопатками повыкручиваю, если ты не скажешь своей подруге, чтобы она спрятала пушку.

— Мила, ради бога, убери пистолет! Я больше не могу терпеть! Не могу!

— Если я уберу пистолет, у нас не будет шанса унести ноги из этого дома.

Мужчина сжал меня еще сильнее. Я завыла. Еще немного, и этот тип порвет мне мышцы и я потеряю сознание.

— Мила, больше не могу терпеть, — взмолилась я. — Сделай хоть что-нибудь.

Мила опустила пистолет.

— Ладно, Викуля, будь что будет, — донесся до меня ее расстроенный голос.

Мужчина слегка ослабил хватку, и я почувствовала облегчение, хотя руки онемели так, что я их совсем не чувствовала.

— Дай сюда оружие, — сказал Сергей.

— Зачем? — отступила на шаг подруга.

— Делай, что тебе говорят.

— Не могу. Мне без этого пистолета все равно что без головы ходить. Он зарегистрирован, у меня на него разрешение есть.

— Плевать я хотел на твое разрешение.

— Мальчики, отпустите нас домой, — не сдавалась Мила. — Мы ничего не видели, ничего не знаем. Мы вообще люди случайные. Нам уже ехать пора...

— Заткнись и дай пистолет. Моему терпению приходит конец. Сейчас пущу пулю в лоб и вышибу тебе мозги.

Немного помявшись, Мила протянула пистолет Сергею и пробурчала:

— Нельзя мне без оружия, никак нельзя.

— Это мы позже решим, без чего тебе можно, а без чего нельзя. Сейчас пойдем в дом, и не дай бог кто-нибудь пикнет.

— В дом?! — воскликнули мы одновременно.

— В дом. А что тут непонятного?

— Зачем?

— Затем, что мы хотим вам задать несколько вопросов.

— Так задавайте прямо здесь, — сказала я, поднявшись с земли и потирая затекшие руки.

— Я в последний раз повторяю — марш в дом, — мрачно сказал высокий.

Я нервно повела плечом и посмотрела на Милу. У нас просто нет другого выхода. Перспектива быть убитой какими-то подонками меня совсем не прельщала. Они уже замочили какого-то незнакомца и хладнокровно избавились от трупа. Где гарантия, что они не расправятся с нами. Похоже, моя подруга думала так же.

Мы зашли в дом. Нас усадили на стулья, мужчины ухмылялись. Сергей поигрывал пистолетом.

— Ну что, девочки, будем знакомиться? — наконец заговорил он.

— Нам домой нужно, — произнесла я жалобно.

— Тут всем домой нужно. Мы вот тоже думали, что сегодня будем спать в своих постелях, да ничего не вышло. Говорите, какого хрена вы забыли на этой даче?

— Ничего мы на ней не забыли, — ответила Мила. — Мы просто зашли яблок нарвать. Яблоки тут у вас такие красивые, красные... Думаем, сорвем несколько яблок, и все. Мы же не знали, чем это закончится. Лучше бы мы их на базаре купили. Дешевле вышло бы.

— Ага, так я тебе и поверил, — вмешался высокий. — Разыгрываешь тут из себя невинную овечку, а дерешься покруче любого мужика. Мало того что дерешься, так еще и с пистолетом ходишь. Откуда у тебя оружие?

Сергей подошел к Миле вплотную и взял за подбородок.

— Это мой пистолет, вы обязаны его мне отдать, — стараясь скрыть растерянность, сказала Мила.

— Нам хотелось бы знать, где ты его взяла?

— Мне его одолжил один товарищ...

— И для каких целей?

— Для того, чтобы от таких, как вы, защищаться.

— Хватит врать! Еще недавно ты заявила, что у тебя есть разрешение на ношение огнестрельного оружия. Я хочу на него посмотреть.

Мила достала ламинированный листок. Мужчины уткнулись в бумажку и принялись тщательно изучать ее.

— Глянь, Санек, оказывается, эта сучка работает в частном детективном агентстве. Ни хрена себе. Теперь понятно, почему она так хорошо ногами машет.

— Выходит, она профессиональный телохранитель? Мир сошел с ума. Серега, ты когда-нибудь видел, чтобы бабы телохранителями работали и оружие носили?

— Вживую не видел, но в какой-то газете читал. Ну и бабы пошли.

— Красавица, что ж тебе дома не сидится? Сидела бы, ждала мужа к обеду, вязала, квартиру убирала.

— Я не замужем, — пробурчала Мила.

— Оно и понятно. На хрен такая жена нужна, которая может убить посреди ночи или дать ногой в челюсть, если что не понравится. Я бы с такой даже трахаться не стал, не говоря уже о чем-то серьезном.

Санек вернул Миле лицензию, и они все внимание переключили на меня.

— Ты тоже, стало быть, в агентстве работаешь? — ухмыльнулся тот, которого Сергей назвал Саньком.

— Я нигде не работаю.

— И оружия у тебя нет?

— Я даже стрелять толком не умею. Так, несколько раз в тире пробовала и все.

— Значит, охранник из тебя никудышный.

— Никудышный, — кивнула я.

— Ладно, девочки, все с вами ясно. Пока придется вам посидеть в этом доме.

— Зачем?! — вскочили мы.

— Затем, что нам необходимо установить, кто вы такие и какого хрена вам на этой даче понадобилось.

— И как вы собираетесь это сделать? — спросила я, не узнавая своего безжизненного голоса.

— Приедет шеф и решит, что с вами делать. Даром, что ли, вы по нашей даче с пистолетом гарцуете?

ГЛАВА 6

Нас запихнули в кладовку без окон. Было сыро и холодно, жутко воняло тухлятиной. От этого запаха у меня закружилась голова и потемнело в глазах. Я села на пол, уперлась ногами в заплесневелую стену и, пытаясь сосредоточиться, нервно застучала пальцами.

— Это что, мыши? — тихо спросила Мила.

— Это я стучу.

— Темнота, хоть глаз выколи.

— Хотела бы я знать, когда нас отсюда выпустят.

— Между прочим, мы попали сюда по твоей вине. Это ты скулить начала: «Больно, больно!» Могла бы и потерпеть. Ни черта бы с тобой не случилось. Он ведь тоже не дурак, не стал бы тебе посреди дачного поселка руки ломать. Из-за тебя мне пришлось и пистолет отдать. Не отдавала бы, так мы уже давно пили бы дома шампанское, а не сидели в этой дыре.

Моему возмущению не было предела. Я испытала такую сумасшедшую боль, я столько выстрадала... я чуть было сознание не потеряла... Я почувствовала, что еще немного, и могу сорваться, перейти на крик.

— Давай не будем говорить, по чьей вине мы тут оказались. Лучше подумаем, как отсюда выбраться, — мирно проговорила я, взяв себя в руки.

Подруга тяжело вздохнула.

— Ты же телохранитель.

— И что?

— Должна уметь выбраться из любого помещения.

— Но я все-таки женщина, — Мила замолчала.

Я вдруг почувствовала, что мы обязательно отсюда выберемся, мы умеем бороться за жизнь. Потому что знаем ей настоящую цену... Бывало и пострашнее. Совсем недавно над нами висела угроза смерти, я даже чувствовала ее дыхание... Оно какое-то особенное и даже нежное... Странно — нежное дыхание смерти... Я решительно затрясла головой, чтобы избавиться от этих воспоминаний. Все это в прошлом, чтобы жить, надо действовать. Я поправила свой парик, подошла к двери и попробовала ее толкнуть.

— Можешь не стараться, — грустно заметила Мила. — Нас закрыли на ключ.

— Но ведь нельзя же сидеть просто так, нужно хоть что-нибудь предпринять!

— Ума не приложу, что тут можно предпринять...

— Предлагаешь сидеть сложа руки?

— Ты лучше сообрази, что будет, если эти двое найдут яму, которую мы выкопали, да еще их лопатой.

— Соображай не соображай — все равно. Не могу же я выйти из этой кладовки и закопать яму.

— Тогда подумай о том, что начальник этих недоумков может быть в тысячу раз башковитее, чем они. Придурки даже не потрудились тебя обыскать.

— А что меня обыскивать-то... У меня оружия нет.

— У тебя есть схема дачи. Если этот листок найдут, то и дураку будет понятно, что мы с тобой на эту проклятую дачу не за дармовыми яблоками пришли.

— Ой, я об этом совсем не подумала! — Достав из кармана листок, я разорвала его на мелкие клочки.

— Можешь эти обрывки съесть, надежнее будет, — посоветовала подруга.

— У меня желудок может засориться, — возразила я. — Я их очень мелко порвала, не прочтут. Господи, и как я сразу об этом листке не вспомнила...

Расправившись с листком, я почувствовала, что больше не могу сидеть на месте. Это вообще было не в моих правилах — пребывать в неведении и не знать, что будет дальше. Я стала метаться по кладовке, как бешеный зверь, и бить ногой по грязным стенам.

— Что тебе не сидится! — донесся до меня раздраженный голос подруги.

— Не могу просто так сидеть. Меня то в холод, то в жар бросает. Даже голова под париком вспотела.

— Тогда сними этом парик к чертовой матери! Сейчас он тебе меньше всего нужен.

— Как это я без парика, если у меня еще волосы не отросли? Это все равно что загорать без лифчика на пляже.

— Скажешь тоже, — отмахнулась подруга.

Я снова ударила ногой в стену и почувствовала, что провалилась в какое-то пространство. Не удержав равновесие, я грохнулась на пол.

— Тебя что, уже ноги не держат?

— Держат, только тут стена не совсем в порядке, тут есть какой-то ход.

Потерев ушибленную коленку, я поднялась и принялась ощупывать стену. В стене оказалась дверца. Видимо, махая ногами, я нечаянно открыла ее.

— Милка, тут дверь, — задыхаясь, проговорила я.

— Да ты что?!

— Кончай рассиживаться, вставай, вместе посмотрим. Ты же у нас дерешься, как Рембо, значит, и вперед должна идти ты.

— Нашла крайнюю, — проворчала подруга, но все же поднялась и подошла ко мне.

— Прямо чертовщина какая-то. Не нравится мне все это... — Она ухватилась за мою руку.

— А мне даже очень нравится. Может, через эту дверь мы и выберемся.

— А вдруг там тупик?

— Ну хотя бы попробовать надо!

Как я и предполагала, бесстрашная Мила полезла первой. Дверца была не больше окошка, поэтому лезть приходилось на четвереньках, согнувшись в три погибели. Мы очутились в темной комнате.

— Был бы у нас фонарик... — прошептала я.

— У нас бы не только фонарик был, но и пистолет, если бы ты себя нормально вела, — сердито отозвалась подруга. — Не хата, а какой-то склеп. С виду нормальная дачка, вполне рабоче-крестьянская... А внутри сплошные лабиринты.

Я медленно шла рядом с Милой, не выпуская ее руку, и чувствовала, как сжимается мое сердце.

— Тебе страшно? — подавляя собственный страх, спросила я.

— Конечно. Ты думаешь, мне никогда не бывает страшно?

— Не знаю... У тебя такая работа...

— Это не играет никакой роли. Любому бывает страшно. У меня вообще психика расшатана. Я почти каждый день под пулями. Рискую своей жизнью ради совершенно чужого человека, который иногда так из себя выведет, что хочется заехать ему в ухо.

— Я думала, ты вообще ничего не боишься.

— Я мышей боюсь и крыс тоже. Сердцем чувствую, что их здесь полно. Повсюду скрип зубов слышится.

Скоро мы убедились, что комната не имеет другого выхода. Пахло здесь еще более скверно. Я с трудом сдерживала приступы тошноты.

— Если мы сейчас отсюда не уйдем, я не выдержу. Пошли отсюда поскорее.

— Тут где-то покойник, — не обращая внимания на мою жалобу, сказала Мила. — Это трупный запах, я не могу ошибиться.

— Какой это запах?

— Трупный. Глухая, что ли?

— Ты хочешь сказать, что где-то тут труп?

— Не знаю. Но в помещении трупный запах.

И тут мы наткнулись на что-то лежащее у самой стены.

— Мила, что это? — заикаясь, спросила я.

Сев на корточки, она потрогала странный предмет.

— Это покойник.

— Что?

— Кажется, женщина.

Мне показалось, что я схожу с ума. Еще немного, и я просто потеряю сознание.

— Это труп женщины, — повторила перепуганная не меньше, чем я, подруга.

— А откуда ты знаешь, что это женщина?

— На ней юбка.

— Юбка?!

— Да, только она совсем истлела.

— Матерь божья...

Схватившись за голову, я заорала и бросилась вон. Я пролезла в первую комнату, упала на пол и заревела. Следом за мной вползла Мила. Плотно закрыв потайную дверь, она села рядом со мной и погладила по плечу:

— Давай заканчивай реветь. Ты что, трупов никогда не видела? Я мертвых не боюсь. Бояться нужно живых, а не мертвых. Жизнь научила меня сдерживать эмоции. Раньше я такой же размазней была. Помню, когда мать умерла, я испугалась, совершенно не знала, что делать. Стою посреди улицы, реву. Люди проходят, бросают в мою сторону безразличные взгляды, ни одна сволочь не подошла, никто не спросил, что у меня случилось. Понимаешь, никому нет никакого дела. У каждого свои проблемы. А я ведь осталась совсем одна, отец еще раньше скончался. В кармане ни гроша, а в пустую квартиру даже зайти страшно. Я ведь тогда специально на улицу вышла... Думаю, вокруг люди. Они поймут и помогут. Мне ведь не много нужно было. Обыкновенное человеческое участие, и только. Хотелось, чтобы кто-то за плечи обнял, сказал доброе слово... Я тогда пошла куда глаза глядят и поняла одну простую истину — в этой жизни мне надеяться не на кого, кроме себя самой. Теперь ни одна собака не узнает, что творится у меня на душе. Ни одна... А покойников ты зря боишься. Это я тебе говорю. В нашей школе телохранителей знаешь сколько народу погибло... Работа у нас такая — за других своей жизнью рисковать. Я не одного друга и не одну подругу похоронила... Так что я с мертвыми на «ты».

Мила замолчала. Я немного успокоилась и спросила:

— Слушай, а кто убил эту женщину? Почему она тут находится?

— Ну ты спросила! Откуда я знаю?

— Просто в голову пришло, почему ее в землю не закопали или в реку не скинули? Опыт у этих сволочей имеется... Почему от одних трупов избавляются, а другие прячут прямо там, где живут.

— Это и в самом деле странно. Зачем мертвую женщину в подвале держать, ведь такой запах... — Мила встала и сделала несколько кругов по комнате. — Ну и поездочка у нас с тобой получилась. Пистолета нет, время пропало даром и еще неизвестно, чем все это закончится. И какого черта я пошла на эту авантюру...

— Ты жалеешь?

— Ну, а ты как думаешь?

— Значит, жалеешь. Но я ведь не знала, что так получится. Думала, выкопаем шкатулку — и все. Эта дача принадлежит Костиному отцу...

Я рассказала Миле обо всем, что произошло между мной и Костей на больничном балконе. Мила дослушала меня до конца и ни разу не перебила. Когда я закончила свой сумбурный рассказ, она встала и ударила кулаком в стену.

— Ну почему ты мне сразу не рассказала?

— А что это могло изменить?

— А ты что, сразу не могла догадаться, к чему может привести эта поездка?!

— Не могла, — растерянно повела я плечами.

— Ну ты даешь! Я думала, ты хоть немного сообразительнее. Я с первого взгляда поняла, что Костин отец — законченный мафиози, к таким, как он, доверия нет. По нему сразу все видно: холеный гусь, морда хитрая, а что у него на уме, одному Богу известно. Если бы я знала, откуда ветер дует, никогда бы не согласилась на эту авантюру.

— Но откуда я могла знать, что на этой даче трупы валяются да убийцы шастают?

— А тут и знать нечего. Если бы ты рассказала мне эту историю сразу, то я бы тебе спокойненько объяснила, что никакой шкатулки тут нет.

— Как это нет?

— Молча. Нет и никогда не было.

— И с чего ты так решила?

— С того! Костя тебе это говорил почти при смерти. У него боли были страшные. Он на стуле не мог и пяти минут посидеть. Его папашка таскал сильные наркотики и давал медсестрам, чтобы они ему кололи. Наркотики примет, начинаются галлюцинации. Вот у него приход пошел, планка съехала, он и стал придумывать про какую-то любовницу. Он все это придумал, понимаешь? Помнишь тот вечер, когда нам сильнодействующий наркотик вкололи? Мы с тобой тогда летающую тарелку увидели. Улавливаешь?

— Улавливаю... Ты хочешь сказать, что вся эта история не что иное, как болезненный бред Кости?

— Вот именно.

— Что-то мне в это с трудом верится. Мне кажется, что все, что говорил Костя, было самой настоящей правдой. Ты бы видела его глаза... Ты бы видела, каким он был искренним...

— Представляю. Только жалко, что ты не видела, сколько наркотиков ему перед этим вкололи. Господи, и в кого ты такая доверчивая!

Наступила пауза. Я достала платок, вытерла лицо и прислушалась. Конечно, я не верила, что покойники могут оживать и приносить какое-то зло, но сидеть в темноте, зная, что где-то рядом умершая женщина, дело, скажем прямо, просто отвратительное.

Тишина угнетала.

— Мила, а как ты думаешь, эту женщину убили или она сама умерла? — заговорила я.

Вопрос был нелепым, но я задала его потому, что мне было невыносимо сидеть в этой тишине, хотелось услышать спокойный голос подруги.

— Ее убили выстрелом в голову, — ответила Мила.

— Откуда ты знаешь?

— Во лбу пулевое отверстие. Она умерла сразу, даже не мучилась.

— Но ведь там темно. Как ты могла это увидеть?

— Элементарно, я случайно на него наткнулась!

— Ты трогала ее лоб?!

— Так получилось...

— Ты прикасалась к покойнице? — никак не могла успокоиться я.

— Я же тебе сказала, так получилось.

— Господи, тебе же нужно срочно помыть руки.

— Каким образом, если тут воды нет?! Что ты, в самом деле, запаниковала, словно маленькая девочка?

В этот момент дверь открылась и на пороге появился мужчина. Если не ошибаюсь, Сергей. На мое лицо упала полоска света, мои глаза заслезились — слишком долго мы находились в полной темноте.

— Ну что, еще живы? — грубо окликнул он нас.

— А с чего мы должны быть мертвыми, — как всегда спокойно ответила Мила.

— Так пошли на выход, ежели живые.

Как только мы вышли в коридор, я заметила, Сергей был совершенно пьян, он едва держался на ногах.

— Давай, красавица, нитками шевели, а то идешь, как в штаны наложила. — Он толкнул меня пистолетом в бок.

Мы очутились в небольшой, ничем не примечательной комнате. Посередине стоял стол с нехитрой закуской и полупустой литровой бутылкой водки. Через минуту в комнату вошел второй тип — Саня. Он был не менее пьян.

— Выпить хотите? — спросил Сергей.

— Мы не пьем, — покачала я головой.

— А курить?

— Мы не курим.

— А что вы тогда делаете? Только носитесь по чужим дачам с пистолетом и удостоверением частного охранника?

Ответа на заданный вопрос не последовало. Тогда Сергей подошел к столу и, не выпуская пистолета из рук, налил стакан водки и протянул его мне:

— На, хлебни маленько и расслабься.

— Я не пью водку, — с дрожью в голосе ответила я.

— Ну извини, шампанского у нас нет. Пей, говорят, а то я тебе сам в горло залью.

Я испугалась. Взяв стакан, я сделала несколько глотков и почувствовала чудовищный приступ рвоты. Прокашлявшись, я дотянулась до корочки хлеба и быстро поднесла ее к носу. Если не ошибаюсь, водку пьют именно так. Делают глоток и занюхивают корочкой хлеба. Перед глазами все поплыло, и чувство страха отступило. Что ж, в таком состоянии легче будет воспринимать происходящие события. Чужая дача, шкатулка, машина с трупом в багажнике, застреленная женщина в чулане... Если рассказать кому-нибудь — не поверят и отправят в психушку.

—Такая большая девочка вымахала, а водку пить не научилась.

Мужики заржали.

—Я вообще не пью крепкие напитки. Я крепче вина ничего не пробовала.

—Послушайте, молодые люди, — заговорила Мила. — Мало того что вы нас неизвестно где держите, так еще начинаете спаивать. Где ваш начальник?! Я хочу получить объяснения по поводу нашего задержания и требую вернуть мой пистолет.

—Так говоришь, будто адвоката требуешь, — захихикал Сергей, — Ты не в ментовке, а перед тобой не мусора. Сегодня начальства не будет. Начальству тоже отдыхать положено. На то оно и начальство, чтобы все его ждали. Придется потерпеть!

—Нам некогда ждать. Нам уже давным-давно пора быть дома. У нас мужья, дети.

—Ты чо здесь вздумала из себя семейную строить?! — разозлился Саня. — Семейные бабы дома сидят, а не шарятся по чужим дачам. Серега, меня эта овца уже утомила. А ну-ка налей ей выпить!

—Я не пью, — прошипела разозленная подруга.

—А тебя никто и не спрашивает.

—Повторяю, я не пью.

—А я повторяю, что тебя никто не спрашивает.

Сергей протянул Миле стакан. Мила взяла стакан и, не раздумывая, выплеснула ему прямо в лицо.

— Ты с первого раза вообще ничего не понимаешь?! — крикнула она. — Я не пью водку и никогда пить не буду!

— Ах ты сука охранная... — Сергей вытер лицо. — Ты чо, думаешь, ты самая борзая?

Он нажал на курок. Щелкнул выстрел. Щелчок, который уносит жизнь и приносит ни с чем не сравнимое горе. Я застыла как парализованная, не веря в реальность происходящего. Остатки моих волос встали дыбом под париком. Мила тихонько всхлипнула и припала к окну. На ее правом плече показалась алая струйка крови, увеличивающаяся каждую секунду. Мила побледнела как смерть, но продолжала улыбаться...

— Серега, ты чо наделал?! — растерянно воскликнул Саня. — На хрен тебе это мокрое дело?

— Эта сука сама выпросила. Я ей по-хорошему, а она артачится. Кто хочешь из себя выйдет. Жить будет, у нее просто плечо прострелено, зато теперь не будет выпендриваться.

Сергей взял бутылку, сделал несколько жадных глотков, потом швырнул ее в стену и захохотал. От этого чудовищного пьяного смеха я чуть не умерла от страха, но, заметив, что подруге стало хуже, я взяла себя в руки. Достав из кармана платок, я попыталась остановить кровь.

— Мила, господи, ты живая? Скажи, тебе больно? — бормотала я, тихонько всхлипывая.

— Мне нужно в больницу, — прохрипела подруга. — Пуля в плече, дышать тяжело. Так и загнуться можно...

— Вы слышали! — крикнула я, ударив кулаком по столу. — Вы слышали! Нужно срочно в больницу! Она теряет кровь! Ей нельзя! У нее организм ослаблен. Девушка на ваших глазах умирает, а вы водку жрете... Она ведь только что из больницы... Она такое пережила, что вам и не снилось. Она выжила чудом. Понимаете, чудом... Ее организм может не выдержать... Срочно в больницу... Это очень срочно!

— Какая, к черту, больница? — едва выговаривая слова, пробормотал Сергей. — В больнице сразу ментов вызовут, мусора понаедут. Мне в тюрягу совсем не хочется. Очухается твоя подруга, ни хрена с ней не будет. Пусть водки выпьет, сразу легче станет.

На столе появилась новая литровая бутылка водки.

Мила громко застонала. Она побледнела еще больше. Я отчетливо понимала, что жизнь подруги в опасности, что на счету каждая минута, а может, не только минута, но и секунда.

— Мила, ты только что-нибудь говори, не молчи. — Я заплакала навзрыд. — Ты скажи, что нужно сделать, я все сделаю. Давай я тебя перевяжу.

— Больно, — прошептала Мила и уронила голову на грудь.

— Где у вас бинты?! — закричала я. — Она же кровь теряет! Понимаете, кровь...

Саня был более трезвым и хоть немного понимал, что происходит. Он разыскал бинт, и я стала перевязывать Милино плечо. Она очнулась, прикусила нижнюю губу и стойко сносила эту процедуру.

— Я знаю, тебе тяжело терпеть, — бормотала я, задыхаясь от жалости и вида крови. — Ты говори, не молчи, только не молчи... Можешь поплакать, покричать... Легче будет, вот увидишь.

Но Мила не издала ни звука. От этого становилось еще страшнее. Наложив повязку, я перевела дыхание, поправила съехавший на бок парик и решила попытаться поговорить с нашими стражами.

— Мальчики, мне кажется, самое время отпустить нас домой. По-моему, вы и так натворили много глупостей. Миле помощь нужна. Пулю срочно достать надо, возможно заражение, с этим не шутят. Она только что из больницы вышла, оклемалась. А насчет вас мы никому не скажем. Вы не переживайте. Скажем, какой-то пьяный нас ночью в лесу встретил и выстрелил, а мы даже его лица не разглядели.

— Я хочу, чтобы эта сука выпила водки, — перебил меня Сергей.

— Она не пьет водку.

— А ты заткнись, тебя никто не спрашивает. Ты уже свою порцию выпила. Ты, охранница хренова, будешь пить со мной водку или тебе западло?!

Мила словно опомнилась от сна, подняла голову и пристально посмотрела на Сергея. Выражение ее лица не предвещало ничего хорошего. Испугавшись за подругу, я взяла ее руку и жалобно попросила:

— Мила, ну сделай глоточек. Пусть он отцепится. Ты же видишь, он в стельку пьяный, а с пьяными спорить бесполезно. Он невменяемый. Сделай глоток, от тебя не убудет.

— Я не пью водку, — замотала головой Мила. — А уж тем более с такими охломонами, как эти. Всегда ненавидела такое общество: дешевые мужики и дешевая водка.

Сергей в ярости вскочил и выстрелил Миле в плечо. Мила не успела даже вскрикнуть, закатила глаза и потеряла сознание. Я громко закричала.

— Серега, ты чо творишь? — засуетился Саня. — Она ведь сейчас на тот свет отправится. Тебе по пьяни вообще нельзя пистолет держать. Дай его сюда, а то ведь ты в натуре сейчас девку убьешь...

— Если она ещё хоть одно слово произнесет, я ее бошку прострелю. Упертая тварь! — промычал Сергей.

Я смотрела на еле дышащую подругу и понимала, что могу потерять ее навсегда... Она столько натерпелась в жизни, а теперь принимала такую тяжелую смерть... Мила очень рано осталась одна и научилась жить, не боясь одиночества... Наверное, нас сблизило то, что мы были похожи. Подобное притягивается подобным. Разница только в том, что за время замужества мне довелось испытать одиночество вдвоем. Я помнила звенящую тишину, когда приходилось ждать заблудшего мужа, свои одинокие рыдания на кухне в те часы, когда спал мой сын. Мила несла в себе какой-то необъяснимый свет, с ней было легко и надежно. Неожиданно она подняла голову.

— Мила, ты жива? — бросилась я к ней.

— Вроде бы да, — с трудом выговорила подруга.

— Если живая, то выпей водки, — усмехнулся в стельку пьяный, ничего не соображающий Сергей.

— Вика, ну почему этот идиот до сих пор не понял, что я не пью водку, — задыхаясь, произнесла Мила и вновь потеряла сознание.

— Потому что у него плохо с мозгами! Потому что его родители такие же алкоголики, как и он сам, потому что он редкостная сволочь! Просто не понимаю, как его земля носит! — застонала я.

— Будешь наезжать, щас и тебе достанется. — Сергей вперился в меня одуревшими от водки глазами и снял пистолет с предохранителя.

Ситуацию спас Саня. Он отобрал пистолет и спрятал в карман.

— Ты давай тут заканчивай палить по пьяной лавочке. Скоро шеф подъедет, он нам приказа на это мокрое дело не давал. Велено было запереть девок и ждать его приезда. И чего тебе неймется. Хотел девок подпоить и потрахаться? Тебе что, твоя баба не дает, что ли?!

— Мне-то моя дает. Она покладистее этой суки. А на приказы я плевал. Если она сейчас водки не выпьет, я ее замочу, меня даже ты не остановишь.

— Ты хоть понимаешь, что тебе за это будет? Тебе давно надо было зашиться. Забыл, как ты в прошлый раз по пьяни на машине рассекал и молодую девчонку на остановке сбил?! Короткая же у тебя память! Может тебе напомнить, как тебя главный из тюрьмы вытащил, как ты на коленях стоял и клялся, что больше никогда пить не будешь? Этой девчонке всего пятнадцать было.

— Я знаю, что делаю. Гордость не только у этой охранной шлюхи есть, у меня тоже.

— Но ведь мы даже не знаем, кого она охраняет! У нас проблем может быть выше крыши!

— Не будет у нас никаких проблем. — Сергей посмотрел на Милу, а затем перевел взгляд на меня. — Вообще никаких проблем не будет. Мы сейчас этих девок замочим и в реку скинем. Главному скажем, что мы их еще ночью проверили и отпустили. Мол, они к этой даче никакого отношения не имеют.

Сергей опустил голову на стол, похоже, задремал.

Надо было немедленно что-то предпринимать.

— Саня, — тихо заговорила я, — ты здесь единственный здравомыслящий человек, не смей слушать этого алкоголика. Нас нельзя убивать. Нам нужно помочь. Подруга может умереть. Она теряет слишком много крови. Давай отвезем ее в больницу. Ради всех святых, помоги. Если ты сейчас спасешь жизнь ни в чем не повинной девушки, то Бог отпустит тебе твои прошлые грехи.

Видимо, мои слова как-то подействовали на твердолобого Саню. Он почесал в затылке и задумался. Я решила продолжить свое наступление:

— Нельзя медлить ни минуты. Она может умереть в любой момент. А милиции тебе бояться нечего. Мы на эту дачу попали случайно. Никто не знает о том, что с нами здесь случилось. Я же тебе сказала, чтобы ты не думал о милиции. Никто ничего не узнает. Ты только помоги довезти ее до больницы.

— Ну Серега, ну и придурок, — покачал головой Саня. — Наломал дров, а мне теперь расхлебывать. Я что, крайний, что ли? Я уже замучился отвечать за твои пьяные проделки.

Сергей попытался приподнять пьяную голову, но это ему не удалось.

Я посмотрела на Милу и ужаснулась. Она совсем позеленела, стала похожа на покойницу. И все же дышала... Я не хотела ее потерять. Нас многое связывало, мы слишком многое пережили вместе. Она была единственным человеком, который знал, какую цену я заплатила за то, чтобы надеть парик, выйти на улицу и посмотреть на летнее солнышко... Подруга понимала меня, как никто другой... Она сама прошла через все круги ада и знает цену обыкновенной человеческой жизни. Вернее, необыкновенной, человеческая жизнь необыкновенная сама по себе. Встав, я схватила пустую бутылку и ударила Сергея по голове. Он рухнул на пол. Думаю, пьяные вообще ничего не чувствуют. Они как зомби.

— И бить-то как следует не умеешь, — усмехнулся Саня.

Я опустилась перед Саней на колени, схватила за руку и заголосила:

— Помоги мне донести ее до машины, пока этот придурок не очухался, помоги, пожалуйста, скорее!

— Между прочим этот придурок — мой друг, не забывай, — огрызнулся Саня.

— А эта истекающая кровью девушка — моя подруга.

— Я не могу, я вообще не знаю, что делать. Вот шеф приедет и все скажет. Я не могу принимать никаких самостоятельных решений. Не я же в нее стрелял.

— А когда он приедет?

— Может быть, утром, а может, и позже. Он сейчас с любовницей отдыхает, его тревожить нельзя.

— Но ведь бывают какие-то экстренные случаи?

— Это не тот случай, когда его можно тревожить.

— По-твоему, смерть человека совсем ничего не значит?

— Что ты ко мне прицепилась? Не могу я ему позвонить, он отключил свой мобильный.

— Тогда ты должен принять решение сам.

— Не могу, не имею на это права.

— Да что ты заладил, как попугай, — не могу да не могу?! Когда ты сможешь, будет поздно. Ладно, оставайся здесь. Я сама дотащу ее до машины. А с тобой мы никогда не виделись и друг друга не знаем.

— Я тебя не пущу.

— Почему?

— Потому что не могу.

— А что ты вообще можешь?! — Мила вновь застонала.

— Принеси еще бинты! Что ты сидишь, как истукан, делай, что говорю! — прикрикнула я, размазывая по щекам слезы.

Саня, не торопясь, вышел в другую комнату.

Мила открыла глаза и облизала пересохшие губы.

— Беги, быстрее беги. Ты еще можешь спастись.

— А ты? Я не могу тебя оставить, — покачала я головой.

— Мне уже ничего не поможет, а следом за мной они убьют и тебя. Это же конченые отморозки, разве ты не видишь...

— Ты только держись, ты должна жить, ведь ты же такая сильная, — заговорила я, глотая слезы. — Ты самая сильная, ты же сама это знаешь.

— Беги, — вновь прохрипела подруга. — Ты сможешь позвать на помощь. Ну, уходи, он сейчас вернется.

Мила вновь потеряла сознание.

— Милочка, родненькая, ты только держись. Я быстро, туда и обратно. Нам помогут. Нам обязательно помогут, — лихорадочно шептала я, поправляя парик.

Выбежав на веранду, я толкнула дверь и облегченно вздохнула — она была не заперта. В секунду я оказалась за калиткой. Мне хотелось кричать на весь дачный поселок, разбудить заспанных соседей, но я не стала этого делать. Я прекрасно понимала, что глубокой ночью мало кто решится выйти из дома. Сейчас время такое — почти все живут по принципу: моя хата с краю, ничего не знаю. Да и что могут сделать безоружные люди против двух головорезов с пистолетом? Ответ напрашивался сам — ничего.

Добежав до своей машины, я села за руль и быстро завела мотор. Перед глазами стояла умирающая Мила. Я должна была ей помочь любой ценой, но я не знала, успею ли я это сделать. На переднем сиденье лежала ее открытая сумочка, из которой виднелась тоненькая записная книжечка. Я быстро нашла телефон ее шефа, понимая, что это единственный человек, который может сейчас выручить нас. Мне нужно доехать до ближайшего автомата и слезно молить о помощи. А может быть, позвонить в милицию? Это тоже вариант, хотя я никогда не доверяла нашим правоохранительным органам.

Машина неслась по пустынной дороге. Крепко вцепившись в руль, я смотрела вперед и спрашивала себя: почему в тяжелых испытаниях одни становятся свиньями, а другие святыми? Почему одни сеют вокруг себя гнев и злобу, а другие дарят тепло, отдают всю душу? Почему одни пытаются согнуть мир под себя, а другие меняют свое отношение к происходящему?

На противоположной стороне дороги я увидела джип моего любимого ярко-красного цвета и притормозила. В салоне горел свет, за рулем дремал какой-то мужчина. «Если есть джип, значит, должен быть и сотовый телефон», — пронеслось у меня в голове. Сейчас с сотовыми телефонами даже в трамваях ездят, а уж на таком джипе... Выключив мотор, я выскочила из машины, не забыв прихватить Милину записную книжку, и побежала через дорогу. Я постучала в окно джипа, но ответа не последовало. По всей вероятности, мужчина очень крепко спал. Постучав сильнее, я сжала кулаки и громко закричала:

— Будьте добры, позвольте воспользоваться вашим сотовым телефоном! Я недолго, буквально минуту!

Мужчина поднял голову и удивленно посмотрел на меня. Я ахнула — его шея была замотана окровавленным полотенцем. Он был очень красив и очень бледен. Приоткрыв окно, он дыхнул на меня сильным перегаром и еле слышно спросил:

— Что тебе надо?

От неожиданности я уронила записную книжку, нагнулась, чтобы ее поднять, и парик свалился с моей головы.

— Мне нужен сотовый телефон, — сказала я, пристраивая парик на голову. — Надеюсь, он у вас есть...

— Зачем тебе парик? — Мужчина словно не услышал мой вопрос.

— Затем, что я тяжело болела и волосы выпали.

— Ты и без парика красивая.

— Я знаю, только я пока без парика ходить не могу. — Не отрывая глаз от окровавленного полотенца на мощной шее мужчины, я несмело сказала: — Вижу, у вас неприятности... У меня тоже... Понимаете, мне необходимо воспользоваться вашим сотовым телефоном. Я бы могла заплатить за связь...

— У тебя что, денег много?

— Нет. У меня сейчас вообще с деньгами напряженка... Но мне очень нужно, и срочно, я тороплюсь.

— Я тоже торопился, только, как видишь, никуда не доехал.

Мужчина полез в карман и протянул мне телефон.

— Вы даже не представляете, как я вам благодарна, — уже намного увереннее сказала я, набирая номер Миīлиного босса. — Я как чувствовала, что мне рядом с вашим джипом остановиться нужно. Не может же мужчина на такой красивой машине не иметь мобильника.

Телефон глухо молчал.

— Послушайте, что вы мне голову морочите? Вообще никаких гудков нет. Может, он у вас как-то по-особому включается?

Мужчина взял трубку и стал нажимать на кнопки. Затем бросил телефон на заднее сиденье и злобно проговорил:

— Вот черт, деньги закончились. Думал, на счету хоть что-то осталось, а оказывается, ни хрена.

— Досадно, — в сердцах произнесла я. — Нужно телефон оплачивать вовремя, тогда и проблем не будет.

— Откуда я знал, что у меня на лицевом счету пусто? — как бы оправдываясь, произнес мужчина.

— Заглядывать нужно в лицевой счет. Хоть иногда прозванивать. — Я почувствовала, как на глаза наворачиваются слезы. — Быть может, вам помощь нужна? — спросила я, глядя на окровавленное полотенце.

— А чем ты можешь помочь? Ты же не врач.

— Да так, кое-какие перевязки делать умею.

— С минуты на минуту должны Кабан и Малыш подъехать.

— Кто?

— Кабан и Малыш, — прохрипел мужчина.

— Это что, клички, что ли?

— Можно сказать, что клички.

— Странные клички...

— Не вижу ничего странного. Малыша так прозвали потому, что рост у него под два метра и в плечах метра полтора, а Кабана потому, что на охоте с ним один забавный случай произошел. Вот с тех пор все его Кабаном и зовут.

Вновь подумав о Миле, я тяжело вздохнула, поправила парик и глухо произнесла:

— Ладно, не буду вас задерживать. Я очень тороплюсь. Мне телефон позарез нужен.

— Да ты, собственно, меня и не задерживаешь...

— У меня с подругой несчастье. Мне торопиться нужно, — сказала я, глотая слезы.

— Что с подругой-то?

— Да так. Хорошего мало. Вы не подскажете, где тут ближайший телефон?

— До города нужно ехать.

— Ладно, приятно было познакомиться.

— Постой, — окликнул меня мужчина.

Я остановилась.

— Ты бы не торопилась. С минуты на минуту мои пацаны подскочат. У них мобильные есть. Звони сколько нужно. Это будет намного быстрее, чем ехать до города.

— А когда они приедут?

— Я же сказал, с минуты на минуту.

— У меня каждая минута на счету. Я могу потерять подругу, если уже не потеряла. — Как только я произнесла последние слова, я не выдержала и заплакала.

Мужчина слегка опешил:

— Ладно, заканчивай реветь. Сейчас уже пацаны приедут.

— А вдруг у них тоже на лицевом счету пусто? Вдруг у них мобильные не работают?

— У них всегда все работает. Что приключилось с твоей подругой?

— Она тут на даче недалеко сидит, а может, уже лежит, — затараторила я. — В нее дважды стреляли. Она потеряла много крови. Там два пьяных мужика. Одного я бутылкой по голове вырубила, другой с пистолетом. Вернее, у них два пистолета. Второй они у моей подруги отобрали. Пока один за бинтами пошел, я успела убежать. Мила уже совсем плохая была. Зеленая вся, словно покойница. И без сознания. Может, ее уже и в живых-то нет, а я тут перед тобой распинаюсь. — Нервы мои не выдержали, я сорвалась и закричала: — Чтоб у тебя этот мобильник всю жизнь молчал! Чтоб у тебя всегда на лицевом счету пусто было! Чтоб тебя налоговая инспекция схавала! Я из-за тебя могу подругу потерять! Я не предательница и никогда ею не была. Я ее не бросала, я просто уехала за помощью.

— Ты что орешь?! — остановил меня незнакомец. — Что я тебе плохого сделал?

— А какого хрена ты так обнищал, что за телефон платить нечем? — кричала я, перемешивая крик с рыданием. — Такой здоровый, а пустой, как турецкий барабан!

Мужчина покрутил пальцем у виска:

— Придурошная. У меня с деньгами все нормально, просто я с делами запарился и недоглядел.

— Так надень очки. Не доглядел он! — Я топнула ногой, поправила парик и направилась к своей машине. Сев за руль, я вытерла слезы и, включая мотор, бубнила себе под нос: — Ну, Костя, спасибо тебе, удружил. Мало того что сам умер, так еще и других за собой в могилу тащишь. Будь проклята эта шкатулка вместе со всеми деньгами, если, конечно, она и в самом деле существует. Человеческая жизнь дороже...

ГЛАВА 7

К ярко-красному джипу подъехала иномарка, из которой вышли два здоровенных мордоворота. Я выключила мотор, выскочила из машины и направилась к джипу. Малыш и Кабан, на счету которых никогда не бывает пусто, хлопотали около своего друга и не обратили на меня никакого внимания.

— Вот это я попал, — говорил тот, у которого вокруг шеи было обмотано окровавленное полотенце. — Ехал к себе на дачу, да тут неподалеку колесо проколол. Даже не знаю, на что напоролся. Пока достал домкрат и начал с колесом возиться, изрядно стемнело. Короче, рядом со мной останавливается старый «Форд». Из него выходят двое мужиков. Слово за слово, спросили, не требуется ли помощь, зажигалку стрельнули. Они вроде как обратно к своей машине собрались, а я к колесу нагнулся. Вдруг они сзади подбежали и стали меня моей же золотой цепью душить. Я за цепь руками схватился, но мой бриллиантовый крест врезался в шею. Еще немного, и артерию бы перерезал. Был бы я уже тогда на том свете. Короче, они цепь все-таки сняли и быстро уехали. Я сначала сознание потерял, а когда очнулся, смотрю — кровища.

Полотенце из бардачка достал и быстро шею перетянул. Чувствую, ехать не могу, голова мутная. Ну я сразу вам и позвонил. По-моему, там с шеей серьезно. Говорить трудно, да и воздуху не хватает.

— А ты номера запомнил? — спросил один из приехавших.

— Нет. Я же говорю, что темно было, а они фары не включили.

— Кроме цепи с крестом, что-нибудь отобрали?

— Борсетку подрезали с документами и бумажником.

— Плохо дело.

— Да хрен с ней, с борсеткой. Главное, что жив остался. Денег там не густо, а документы восстановятся.

— Но ты хоть морды запомнил?

— Вроде бы. Короче, если они мне попадутся, я их узнаю.

Я переминалась с ноги на ногу. Терпение подходило к концу. Мужчины то ли и в самом деле меня не замечали, то ли делали вид, что им безразлично мое присутствие. Не выдержав, я набралась смелости и влезла в разговор:

— Простите, дайте, пожалуйста, сотовый телефон.

— Юрец, кто это?

— Да так, одна сумасшедшая привязалась.

— Я не сумасшедшая, я нормальная, мне срочно нужен сотовый телефон.

— Малыш, дай ей сотовый, а то она не отвяжется. Один из приехавших достал из кармана телефон и протянул мне.

— Спасибо, — обрадовалась я, но трубку никто не брал. — Возьми трубку, сволочь... — в отчаянии бормотала я, слушая бесконечные длинные гудки.

Мужчины молчали и с любопытством рассматривали меня.

— Если ты, сукин сын, не возьмешь трубку, я позвоню в милицию.

— Эй, ни в какую милицию звонить не надо, — донеслось до моих ушей. — Нам мусора не нужны.

— А я их, между прочим, не для вас, а для себя вызову.

— Вот отъезжай на дальнее расстояние и вызывай.

— С сотовым телефоном?

— Нет. Телефон осади на место.

— А как же я тогда буду звонить? — удивилась я.

— С городского аппарата.

— Так до города же далеко!

— А мне какое дело, — не унимался тип по прозвищу Малыш. — С моего телефона в мусорню звонить не надо. У них там везде определители стоят. Мне лишние проблемы ни к чему.

— А какие у вас могут быть проблемы? Скажете, что незнакомая девушка попросила у вас телефон... — И тут я услышала в трубке сонный мужской голос. Задохнувшись от неожиданности, я затараторила: — Здравствуйте, Марат, к моему великому стыду забыла ваше отчество, я Милина подруга.

— Кто это? — Голос Милиного шефа был полон раздражения и не предвещал ничего хорошего.

— Я же вам говорю, я подруга Милы. Мы с ней вместе в больнице лежали, а вы ее навещали. Я вас хорошо запомнила.

— Вы, наверное, не туда попали, и вообще, кто дал вам этот телефон?

— Мне его никто не давал. У меня Милина записная книжка. Я ее сама взяла. Мила в беде, понимаете, в беде.

— О ком вы говорите?

— Скажите, у вас была телохранитель по имени Мила? У вас была телохранитель женщина?

— Да.

— Ее звали Мила?

— И что?

— Так вот. Ее похитили. У нее два пулевых ранения. Вы должны срочно ей помочь. Приезжайте. Я назову вам адрес. Если не можете приехать сами, то пришлите кого-нибудь из своих людей.

— Вы ошиблись.

Послышались короткие гудки. От бессилия я чуть было не заревела, как бешеный зверь. Набрав тот же номер, я принялась ждать, но ответа не было. Я не сомневалась — этот гад отключил телефон. Протянув трубку Малышу, я посмотрела на мужчин.

— Не хочет помочь, — сказала я печально, возвращая трубку хозяину. — Наверное, никто и не поможет, кроме милиции. Пока я доеду до ближайшего телефона-автомата, моя подруга уже умрет.

— По-моему, у девчонки серьезные проблемы, — сказал мужчина с перевязанной шеей.

— А может, вы мне поможете? — с надеждой спросила я. — Это недалеко. Тут и дел-то немного. Нужно заехать на дачу, уложить парочку отморозков и увезти мою подругу в больницу.

— Только и всего? — усмехнулся Кабан.

— Ну да, — нерешительно подтвердила я.

— Ну поехали, посмотрим, что там у тебя случилось, — сказал хозяин красного джипа.

— Юрец, ты куда собрался? Тебе срочно в больничку нужно. Ты же весь зеленый, столько крови потерял!

— Успею я в больницу. Нужно посмотреть, что там случилось...

— Да какое тебе до этого дело?

— Не нужно человека отговаривать. — Я молитвенно сложила руки на груди. — Если он хочет посмотреть, что у меня случилось, пусть смотрит. Только помочь он вряд ли сможет, сам еле на ногах стоит, а вот вы бы точно смогли. — Я окинула Малыша оценивающим взглядом и обратилась именно к нему: — А с твоей комплекцией там дел вообще на пять минут. Ты двух алкашей одной левой уложишь.

—Ладно, поехали, — решительно сказал Юрец.

—Ты хоть за руль не садись, — попытался остановить его Кабан. — И вообще, зря ты во все это ввязываешься. С каких пор мы стали такими благородными рыцарями?

—Поехали, — повторил Юрец, не реагируя на замечания товарища.

—У вас хоть оружие есть? — спросила я.

—Разберемся. Ты лучше давай показывай, где дача.

Я поспешила к своей машине. За мной развернулись ярко-красный джип и черная иномарка. Я давила на газ и по-прежнему думала о Миле. О ней и о ее шефе... Странно, она так преданно отпахала на него несколько лет, а он даже не захотел вникнуть в суть дела. И ведь она его любила... Я просто уверена в том, что она очень его любила... Господи, почему я говорю о ней как о мертвой? Ведь она живая. Она живая, и я смогу ей помочь. Странная штука все-таки любовь... Ой, какая же она странная... Мила и ее босс... Может, и вправду говорят, что обоюдной любви не бывает. Просто один любит по-настоящему, а другой позволяет себя любить. Так и у Милы. Так же и у меня. Нет, не время думать о ее взаимоотношениях с боссом, сейчас нужно молить Бога только о том, чтобы она осталась жива. Слезы застилали глаза. Я слишком много плакала в последнее время. Слишком много. Тяжелая болезнь, похождения мужа, его предательство, чудовищное одиночество, а затем эта история с проклятой шкатулкой со всеми вытекающими последствиями.

Подъехав к даче Костиного отца, я обнаружила, что иномарка с испачканным кровью багажником отсутствует. Меня охватил ужас. Выскочив из машины, я бросилась навстречу следовавшим за мной мужчинам и замахала руками:

— Сюда!

Пока они выходили из машин, я старалась унять нарастающую дрожь в коленях и хоть немного успокоиться.

— Это та дача, про которую я говорила. Только вот здесь, за забором, машина стояла, а теперь ее нет. Может, эти отморозки уехали? Если они уехали, то вряд ли взяли с собой мою подругу. Она в очень тяжелом состоянии. По всей вероятности, ее бросили в доме.

— Не трандычи, уже башка от тебя болит, — перебил меня Малыш и достал из кармана пистолет. Он обернулся и посмотрел на Юрца. — Юрец, ты бы в машине остался, а то в любой момент свалиться можешь. Сейчас мы с этой идиоткой разберемся и в больничку поедем.

Видимо, Юрцу и в самом деле было очень плохо. Смахнув выступивший на лбу пот, он направился к своему джипу какой-то странной пошатывающейся походкой. Я постаралась не обращать внимания на то, что меня обозвали идиоткой. Наверно, сейчас я и в самом деле выгляжу как самая настоящая идиотка. Прицепилась посреди ночи к незнакомым браткам, притащила их на дачу и пугаю вооруженными отморозками.

— Показывай, куда идти.

— Конечно. — Я кивнула.

Двое таких молодчиков, как Малыш и Кабан, с пистолетами в руках вызывали чувство защищенности и надежду на удачный исход дела.

Первым пошел Малыш. Толкнув дверь, он влетел на веранду, держа при этом пистолет в вытянутой руке. За ним вошел Кабан. Он стал рыскать из комнаты в комнату, не выпуская оружия из рук. Я застыла на пороге. Я поняла, что дом пуст, но никак не хотела в это верить. В комнате валялись осколки разбитой бутылки. У окна виднелась небольшая лужица крови —

след ранения Милы. Нехитрая закуска на столе... Но самое страшное то, что дом был пуст, словно все испарились.

—Тут никого нет, — с облегчением сказал Малыш. — В доме пусто.

—Прямо мистика какая-то, — прошептала я.

Тяжело дыша и придерживая на шее полотенце, появился Юрец.

—Тут никого нет, — повторил Малыш и сунул пистолет в карман. — Девчонка детективов начиталась или вообще — того. — Он покрутил у виска пальцем. — Может, ей в дурку надо?

Я подскочила к столу и изо всех сил ударила по нему кулаком:

—Кому это в дурку надо?! Мне, что ли? Я не сумасшедшая! Я нормальная! Вот, посмотрите на этот стол. На нем закуска, которую ели эти выродки.

Мои слова не произвели никакого впечатления.

—А это осколки бутылки, даже двух. Я их разбила о голову одного отморозка! — снова крикнула я.

Никакой реакции не последовало. Я растерянно оглядела комнату и указала пальцем на лужу крови.

—Это кровь моей подруги. У нее было два пулевых ранения. Она отказывалась пить водку, и этот гад выстрелил в нее. Я и представить себе не могла, что за это стреляют. Сегодня я убедилась, что застрелить можно за что угодно.

Мужчины переглянулись и равнодушно пожали плечами.

—Ладно, нам пора, — сухо сказал Юрец и поправил на шее полотенце. — Будь здорова.

—Вы что, собрались уезжать?

—А что ж, мы здесь до утра должны сидеть?

—А как же моя подруга?

—Какая подруга?

—Но ведь ей помощь нужна...

— Что-то я здесь никого не замечаю, кому нужна помощь.

— Но кровь же вы видели.

— И что?

— Это кровь моей подруги.

— Возможно. А возможно, и нет. Может, тут какая-нибудь пьяная разборка была и алкаши передрались.

Я беспомощно посмотрела на Юрца и заговорила, даже не надеясь, что меня слушают:

— Когда я сбежала, она была без сознания. Она потеряла слишком много крови. Скорее всего, она умерла. Два пулевых ранения... Для хрупкой девушки, которая совсем недавно оправилась от страшной болезни, это слишком много. Если она умерла, они положили труп в багажник и увезли куда-нибудь в лес, чтобы скинуть в реку. Для них это в порядке вещей. Они запросто избавляются от трупов. Это звери, в них не осталось ничего человеческого. Мы долго стояли на трассе, машин не было. Значит, к этому дачному поселку есть еще один подъезд. Они уехали в противоположную сторону...

— По-моему, у девчонки с мозгами не все в порядке, — сделал окончательный вывод Кабан. — Ее бы тоже не мешало в больничку, только в другое отделение.

Я заплакала.

— Не верите... Говорите, я все придумала... Не верите, и не надо. Я уже устала доказывать, что черное — это черное, но никак не белое. — Вдруг я вспомнила ту страшную комнату, где лежал полуразложившийся труп женщины. Если Мила умерла, ее могли унести в эту комнату. Какая им разница. Одним трупом меньше, одним больше. — В этом доме есть комната для хранения трупов, — вызывающе произнесла я. — Могу показать.

— Она в натуре шизанутая, — рассердился Малыш. — Юрец, поехали. Ты вот-вот свалишься. Мы дом прошмонали. Тут чисто.

— Ничего тут не чисто, — попыталась возразить я. — Дача напичкана трупами. Пойдемте, я вам докажу.

— Малыш, сходи с ней, и отчаливаем, — прохрипел Юрец.

— Этот не пройдет, — покачала я головой, — сильно большой. Там крошечная дверца. У Малыша плечи застрянут. Боюсь, потом не вытащим. С такими габаритами не в каждую дверь войдешь, а уж в эту... Вот он должен пройти, — показала я на Кабана. — По крайней мере, можно попытаться.

Кабан достал из куртки фонарик и пошел следом за мной. Как только я обнаружила дверцу нужной комнаты, я резко толкнула ее и поняла, что она заперта.

— Нужно попытаться открыть, — обернулась я к Кабану.

Кабан надавил на дверь. Несмотря на его комплекцию и добросовестные усилия, дверь никак не хотела открываться.

— Тут замок здоровый, не выбьешь. Да и дверь капитальная.

— Придумай что-нибудь, — взмолилась я. — Ведь недавно она была открыта.

— По твоим рассказам, в этом доме еще совсем недавно лежала умирающая подруга и сидела парочка вооруженных головорезов.

— Все так и было, но ты не веришь.

— Какое это имеет значение — верю я тебе или нет, — усмехнулся Кабан. — Если замок взламывать, тут возни часа на два, не меньше. У нас друг тоже кровь теряет. Ему нужно шею зашить.

— Ты что, и правда не можешь открыть эту дверь? — удивилась я.

— Я же сказал, что нет.

— А как же домушники? Они любую дверь за пять минут открывают.

— Я не домушник и никогда им не был.

Кабан развернулся на сто восемьдесят градусов и пошел обратно. Мне ничего не оставалось, как поплестись следом. На веранде уже никого не было. Мужчины стояли во дворе и курили.

— Ну что там, до хрена трупов валяется? — язвительно спросил Малыш.

— Дверь на замок закрыта. Замок прочный, просто так не откроешь.

Поняв, что надеяться на помощь этой троицы больше не приходится, я бросилась к яблоне, подняла с земли лопату и принялась закапывать яму. Если сюда приедет Костин отец, он не должен видеть, что здесь кто-то копал. Я почему-то искренне верила, что шкатулка существует на самом деле. Я верила, что человек, чувствующий приближение смерти, говорит только правду. Ему незачем врать.

Подняв голову, я увидела, что неподалеку стоит Юрец и наблюдает за моими действиями.

— Да я так, решила вот немного обкопать... — пробурчала я, как бы оправдываясь.

Я и не сомневалась, что мужчина из джипа принимает меня за чокнутую. Застав меня за столь необычным занятием, Юрец окончательно решит, что у меня не все дома, что я нафантазировала историю про раненую и умирающую Милу.

— Ты, это, копай, а мы поехали, — немного запинаясь, произнес ошарашенный Юрец. — Мне в больничку нужно. Тут огород большой, тебе до утра работы хватит.

— А мне весь огород не нужен, огородом пусть хозяин занимается. И вообще я уже закончила, — переведя дыхание, я тяжело вздохнула.

Не обращая внимания на открывшего рот Юрца, я продефилировала мимо него с невозмутимым видом и вошла в дом, чтобы поставить лопату на место. Когда я вышла на улицу, мужчины уже садились по своим машинам. Направляясь к своей машине, я посмотрела на Юрца и выдавила из себя наподобие улыбки.

— Не попадай больше в неприятные истории, — прохрипел Юрец.

— Я в них не попадаю. Они сами ко мне цепляются.

Увидев, что я села за руль, Юрец подошел, наклонился к водительскому окну и закашлялся:

— Вот черт, голос совсем пропал. Ты что, уже собралась отчаливать?

— А что мне тут делать? Ведь никто из вас не поверил в то, что я вам говорила. Считаете меня чокнутой.

— А ты и в самом деле чокнутая. Я в этом убедился, когда увидел, что ты копаешься в чужом саду.

— Меня, между прочим, Викой зовут, — с обидой сказала я.

— Послушай, Вика. У меня к тебе небольшая просьба.

— Просьба?!

— Ну да. Я же кое-что для тебя сделал, во всяком случае, попытался. Понимаешь, я ехал на дачу... Я точно знаю, сегодня там моя жена ночует с любовником. Она мне сказала, что поехала к подруге в Питер, но я-то знаю, что это не так. Съезди в соседний дачный городок, к тридцатому участку, посмотри, там должен стоять ее «Опель». Будь другом, запиши номер и марку второй машины. Я хочу знать, кого она каждую неделю на дачу таскает. Думал, приеду, обоих выгоню, а ее прямо с вещами. Да вот неувязочка вышла. Сам я уже вряд ли туда доеду, а если и доеду, то в таком состоянии учинить скандал не смогу. Пацанов просить стыдно.

— Я поняла. Давай адрес дачи.

— Тут недалеко. Километров пятнадцать. — Юрец достал из кармана листок и записал адрес.

— А это номер моего мобильного. Как все узнаешь, сразу звони. Я буду ждать.

— Зачем ты даешь номер своего мобильного, если у тебя на лицевом счету пусто, — злобно пробубнила я.

— Точно, совсем забыл. Утром оплачу.

— Оплати, если есть чем.

— Есть, не переживай. Вот мой домашний, а вот на всякий случай телефон Кабана. Ну что, выручишь?

— Выручу, а почему бы и нет! Ты ж меня выручил, просто в доме никого не оказалось.

— Ну, спасибо.

Он сел в свой джип и помигал мне фарами. Следом за ним отъехала иномарка. Я осталась совсем одна. Мне хотелось громко кричать и биться в истерике, но я лишь тихонько всхлипнула. Мало того, что я потеряла подругу, так еще вынуждена ехать черт знает куда и разоблачать неверную жену. Господи, ну что же это такое! В одной семье неверный муж, а в другой — неверная жена. В глубине души я чувствовала, что делаю что-то не то. Нормальная женская солидарность. Мне совсем не хотелось разоблачать незнакомую женщину, а уж тем более докладывать мужу о ее грехе. Любовь — странная штука. Сегодня она есть, а завтра может запросто уйти без причины. Она может жить всего один день, может неделю, может год, а может и вообще всю жизнь. Правда, я никогда не верила в вечную любовь. Никогда...

Я и сама не заметила, как быстро доехала до нужного поселка. Остановившись у довольно приличного двухэтажного дома, я вышла и за кованым забором сразу увидела машину Юриной жены. Неподалеку красовался серебристый «Мерседес», который, по всей вероятности, принадлежал ее любовнику.

В доме было темно. Видимо, двое влюбленных сладко спали после бурных любовных утех, не подозревая о предстоящих неприятностях. И я вдруг подумала, что эта кошмарная ночь полна неприятностей только для меня и тех людей, которые были рядом. А для кого-то она стала ночью бурной и всепоглощающей страсти. Если эти двое встречаются, значит, им хорошо вместе, они нашли то, чего не могли найти в своих семьях. Две блестящие, полированные машины во дворе и два любящих, умиротворенных сердца в доме... Даже не верится, что всего несколько часов назад этот храм любви мог рухнуть, появись тут Юрец. Я никогда не предавала любовь. Ни свою, ни чужую... Я не сделаю этого и сейчас. Вернувшись в машину, я залезла в бардачок, достала ручку и бумагу. Положив листок на панель, я глубоко вдохнула и стала писать крупным и размашистым почерком.

«Я не знаю, как вас зовут, да, наверное, это не имеет особого значения. Просто мне хочется вас предостеречь от неприятностей, которые могут с вами случиться в ближайшее время. Ваш муж знает о ваших встречах на стороне и собирается вывести вас на чистую воду. Сегодня он не смог к вам приехать совершенно случайно: спустило колесо, и в этот момент у него возникли кое-какие проблемы, о которых вы узнаете завтра дома. Будьте осторожны и внимательны. Постарайтесь перенести место встреч и разубедить мужа в вашей неверности. Желаю вам мудрости и спокойствия. С уважением.

Ваш доброжелатель».

По-моему, получилось очень даже неплохо. Подойдя к калитке, я тихонько вошла во двор, сунула листок в дверную щель и удовлетворенно потерла руки.

Домой я добралась только под утро и сразу же позвонила Юрцу. Трубку он снял моментально, буквально с первого гудка. Юрец сидел у телефона и ждал моего звонка.

— Ты не спишь? — спросила я голосом прилежной ученицы.

— Нет. Жду результата.

— Какого еще результата?

— Ну, твоего звонка, — замялся Юрец.

— А как твоя шея?

— Да что с ней будет! Зашили. Теперь нужно наблюдаться у специалиста по голосовым связкам. В общем, все обошлось. Сказали, что жить буду. Ну, что там с моей женой?

Немного помолчав, я стала врать напропалую:

— За свою жену можешь не переживать. Она в полном порядке. Во дворе дачи стояла только ее машина. Больше никого не было. Так что никакого любовника у нее нет, я не могла ошибиться. И как только у тебя хватает наглости обвинять ни в чем не повинную женщину в неверности? И вообще, я считаю, что в браке нужно друг другу доверять. Иначе на кой черт такой брак нужен.

После минутной паузы в трубке вновь послышался голос Юрца:

— Вот когда побудешь замужем, тогда начнешь рассуждать по-другому. Если я в чем-то подозреваю свою жену, значит, имею на это довольно веские основания.

— Я уже замужем побывала. Больше я туда не пойду ни за какие коврижки.

— От сумы и тюрьмы не зарекайся.

— А я и не зарекаюсь. Просто после нескольких лет брака я сделала для себя соответствующие выводы. Ладно, в данный момент мне меньше всего хочется обсуждать эту тему. Я твою просьбу выполнила. Приятно было познакомиться.

— Подожди, не клади трубку. Ты уверена, что не перепутала мою дачу?

— Уверена. Я грамоту хорошо знаю и в нумерации домов разбираюсь. Двухэтажный кирпичный дом с зеленой черепицей.

— Правильно. Я специально заказал зеленую черепицу, чтобы мой дом хоть чем-то отличался от других. Весь дачный поселок с красной, а у меня зеленая. — Юрец немного помолчал. Когда он снова заговорил, в голосе его слышалась угроза. — Получается, моя жена беспредел учинила. Стала выкатывать любовника на своей машине.

— Твоя жена приехала на дачу одна. Я видела ее в окно. Она мыла посуду на кухне. Никакого мужика там и близко не было.

— Какого хрена она мыла посуду ночью?

— Это ты у нее спроси. Что ты ко мне привязался? Может, у нее посуды много накопилось. — Я швырнула трубку и уставилась в одну точку.

Я чувствовала полнейшее опустошение и не знала, что делать дальше. Точно я стою на краю обрыва и не могу решить — прыгнуть мне или нет. Я должна найти свою подругу, должна разобраться в своих проблемах, но мне не на кого рассчитывать, неоткуда ждать помощи. Я подумала о своей маме. Если бы она только могла представить, какие трудности снова уготовила мне судьба. Мама сделала из меня очаровательную девушку с хорошими манерами и покладистым характером. Она научила меня быть романтичной, загадочной. И, конечно же, заботливой. Благодаря ей я умею вкусно готовить, делать тысячи важных вещей и писать стихи. Мне всегда казалось, что я умею общаться с людьми, дарить им хорошее настроение, заставлять их улыбаться. От меня никогда не исходили флюиды зла. У меня есть все для того, чтобы быть счастливой. Наверное, в этом мире счастлив лишь тот, кто хамоват, груб и нагловат. И вот сейчас я словно застыла над пропастью и вокруг нет ни единого человека, который протянул бы мне руку помощи.

Я вспомнила те минуты, когда я жалела о том, что не умерла. Но, видно, кто-то наверху заставлял меня бороться с жизненными передрягами и не позволял умереть. Наступит момент, когда я сожгу свое прошлое вместе со всеми ужасными воспоминаниями и обрету долгожданный покой...

Я подошла к телефону, со страхом и надеждой набрала номер Милы. Трубку никто не взял. Мертвые не слышат телефонных звонков и не могут брать трубки...

ГЛАВА 8

Не помню, удалось ли мне поспать в то утро. Я постоянно вздрагивала, поднималась и смотрела в окно. Снова ложилась, закрывала глаза и старалась уснуть. Меня мучили кошмары, рисовались жуткие картины того, что может происходить с моей подругой. Я включала свет и сидела на кровати в полнейшем оцепенении.

Днем я почувствовала себя значительно лучше. Надо было что-то предпринимать, и я попыталась придумать что-нибудь на свежую голову, если, конечно, ее можно было назвать свежей. Я решила встретиться с Милиным шефом и все объяснить ему. Если он не захотел говорить со мной по телефону, это еще ничего не значит. Он не сможет отказать в помощи, глядя мне в глаза. В конце концов, мне больше не к кому обратиться. Это единственный человек, которого Мила считала достаточно близким. Мила как-то сказала, что почти каждый день он обедает в ресторане гостиницы «Балчуг». Значит, есть реальная возможность с ним встретиться. Я буду искренне молить бога, чтобы сегодня этот человек не изменил своим привычкам.

Я надела одно из своих лучших платьев, расчесала слегка свалявшийся парик и стала пристраивать его на голове. Неожиданно раздался пронзительный звонок в дверь. Я вздрогнула. Осторожно заглянув в глазок, я облегченно вздохнула. Это был Челноков собственной персоной. Открыв дверь, я посмотрела на бывшего мужа с ненавистью и процедила сквозь зубы:

— Какого черта ты приперся?

Челноков оглядел меня с ног до головы, затем самым хамским образом отодвинул в сторону и вошел в квартиру.

— Какого хрена ты здесь забыл?

— Я здесь прописан, — невозмутимо произнес мой супруг.

— И что? Это дает тебе право входить в квартиру, когда вздумается? И вообще, сегодня же вызову слесаря и поменяю замки.

— Вызывай кого хочешь. Я тут прописан, значит, могу здесь жить, когда мне захочется. Если ты поменяешь замки, я просто взломаю дверь.

— Ну ты и сволочь!

— Надо было смотреть внимательнее, за кого выходишь замуж. — Остановив взгляд на откровенном вырезе моего платья, Челноков ухмыльнулся и сел. — Куда намарафетилась?

— Тебе какая разница?

— Оправилась от своей придуманной болезни и сразу побежала по мужикам! Мне кажется, ты слишком хорошо выглядишь для умирающей.

Моя голова была занята совсем другими мыслями, и мне меньше всего хотелось говорить с ним. Вот он сидит и смотрит на меня пожирающим взглядом... Стоит мне захотеть, и мы окажемся с ним в постели... Совсем недавно я отдала бы за эти мгновения полжизни, а возможно, и больше. Я готова умереть в объятиях любимого человека. Но сейчас я не пожертвую ради этого ничтожества ни одним мгновением, ни одним... Я научилась ценить жизнь и поменяла взгляды на многие вещи, в том числе и на свою неудавшуюся семейную жизнь. Болезнь сделала меня старше и мудрее.

— Ну, и куда ты так вырядилась?

— Какая тебе разница?! Выметайся отсюда! Мне некогда выяснять с тобой отношения!

Челноков закинул ногу на ногу и нервно закурил.

— Раньше ты никогда не поднимала на меня голос, — заметил он.

— «Раньше»... Раньше все было совсем по-другому...

— Может быть. Но я как был твоим мужем, так им и остался.

— Я потеряла мужа, когда узнала о своей болезни и загремела в больницу. Челноков, я тороплюсь. Говори, зачем пришел, и мотай на все четыре стороны.

— Я не могу найти свою куртку.

— Господи, какую еще куртку?! По-моему, ты не оставил здесь вообще никаких вещей.

— Но куртки я так и не нашел. Она зеленого цвета. Я в ней раньше всегда на сплав ездил.

— Какая может быть куртка в совершенно пустой квартире? Лучше повнимательнее посмотри вещи, которые ты отсюда стащил.

— Я ничего не стащил. Я взял лишь то, что принадлежит мне по праву.

— Ты воспользовался моей болезнью и обворовал квартиру, — отрезала я.

— Я не могу воровать в своем доме. Я тебе уже говорил, что я здесь прописан и никто не сможет мне запретить сюда приходить.

— Что за куртка? — спросила я, чтобы поскорее закончить наш разговор.

— Обыкновенная куртка. Зеленая ветровка из плащевой ткани.

— А что, на новую нет денег?

— А откуда им взяться, если я не могу устроиться на работу?

— Понятно. Тяжело устроиться на работу, когда ты не работал черт знает сколько лет.

Я вышла на балкон и стала рыться в сумке со старым, видавшим виды тряпьем. На самом дне лежала довольно выцветшая рваная куртка, которую еще до болезни я хотела выкинуть. Я показала ее Челнокову и недоуменно пожала плечами:

— Эта, что ли?

— Эта, — обрадовался Челноков. — Ее заштопать, и ей цены не будет. В любой поход можно надеть...

— Заштопай.

— А может, ты мне ее заштопаешь?

— Пусть тебе твои бабы штопают. Я уже свое отштопала, хватит.

— А ты сильно изменилась, — Челноков направился к выходу.

Как только за ним закрылась дверь, я бросилась к зеркалу, накрасила губы и убедилась, что выгляжу просто потрясающе. Это придавало мне определенную уверенность перед предстоящей встречей. Женщина должна нравиться сама себе, а если этого нет, то она не понравится никому. Побольше уверенности и шарма... Именно с такими неоценимыми качествами можно провернуть любое, даже самое неперспективное дельце. Ну что ж, еду в «Балчуг».

Я не стала садиться за руль, а поймала такси. Наверное, это решение возникло в голове оттого, что нервы сдавали и я могла потерять контроль над собой в любой момент. Хотелось хоть немного успокоиться, и я рассчитывала выпить бокал красного терпкого вина.

В холле гостиницы я огляделась по сторонам. На первом этаже был шведский стол, но я не думаю, чтобы Марат им пользовался. Пятьдесят долларов, и ешь, что угодно твоей душе. Это не для таких людей, как Марат, они привыкли к шику и уединению. Мила говорила, что Марат обедает на втором этаже, потому что там мало публики и баснословные цены.

Поправив парик, я поднялась на второй этаж и попала в небольшой уютный зал, выкрашенный в два цвета — нежно-персиковый и нежно-розовый. Сев на круглый диванчик, я посмотрела по сторонам. Публики не было, если не считать двух здоровенных мордоворотов с увесистыми цепями на шеях. Что ж, у меня есть время, и я намерена ждать, обеденные часы уже не за горами.

Заказав бокал красного вина, я сделала несколько глотков и почувствовала себя значительно лучше. Мордовороты приказали официантке унести все приборы и, громко смеясь, принялись есть руками. Это было поистине отталкивающее зрелище. Я отвернулась. Время шло, а Марат все не появлялся. Я допивала свое вино, когда он вошел в зал. Его сопровождали трое мужчин. Нетрудно было догадаться, что это профессиональные телохранители, готовые в любой момент броситься на защиту своего шефа. Марат сел один, вальяжно расположившись на нежно-розовом диванчике. Мужчины сели в стороне, но не сводили с него глаз. Я постаралась унять нарастающую дрожь в коленях. Чтобы скрыть свое волнение, я заказала бокал ирландского ликера «Бейлиз» и любимые конфеты «Ферреро Роше». Пригубив ликер, я пристально посмотрела на Марата. Марат моментально отреагировал на мой откровенный взгляд. В том, что он меня не узнал, я не сомневалась ни единой минуты. Да и как он мог меня узнать? Тогда, на больничной койке он видел жалкое, бледное, полуумирающее существо с бесцветными потухшими глазами... Марат улыбнулся и легким взмахом руки предложил сесть рядом с ним. Я нежно улыбнулась и мгновенно оказалась за его столиком.

—Чем я могу вас угостить? — произнес Марат галантно.

—Я бы не отказалась еще от бокала «Бейлиза». Если можно, со льдом.

Длинноногая молоденькая официантка поставила на стол бокал с тоненькой салатовой трубочкой и хотела было уйти, но Марат крепко схватил ее за руку и злобно прошипел:

—Какого черта ты принесла салатовую трубочку?! Ты что, первый день работаешь, что ли?!

—Нет, я тут уже почти год, — не на шутку перепугалась девушка.

—Если ты здесь уже год, то почему ты такая дура? Я терпеть не могу салатовый цвет!

—А какой вы любите? — спросила та с дрожью в голосе.

—Я люблю трубочки розового цвета! Тебе понятно?!

—Понятно, — быстро проговорила девушка, и через минуту в моем ликере появилась розовая трубочка.

Я растерянно посмотрела на Марата и удивленно пожала плечами:

—Скажите, это имеет какое-то значение?

—Для меня это очень важно. Я не люблю изменять своим привычкам. Знаете ли, я очень суеверный.

Марат медленно поглощал свой обед, а я держала во рту трубочку розового цвета и напряженно думала. Я не знала, что мне делать: то ли признаться сразу, кто я такая, и открыть свои карты, то ли подождать и попробовать всерьез заинтересовать его собой. Не знала, что лучше в данном случае — медлить или торопиться. Могу я еще спасти свою подругу или уже поздно?

—Как тебя зовут? — прервал мои размышления Марат.

—Вика.

—А меня Марат Владимирович, можно просто Марат. Не такой уж я и старый, чтобы обязательно по имени и отчеству.

—Вы очень даже молодо выглядите.

Марат положил вилку на стол и принялся сверлить меня неприятным взглядом:

— А мы встречались когда-нибудь раньше?

Я не знала что ответить, отвела глаза и увидела, как братки суют в рот клубнику величиной с кулак, предварительно обмакнув ее во взбитые сливки. Они напоминали грязных поросят, но, видно, у богатых свои причуды.

— Ты хочешь клубники? — спросил Марат.

— Хочу.

— Ты ее любишь?

— Люблю.

Подозвав все ту же перепуганную официантку, Марат велел принести самой лучшей клубники и полить ее сливками. Официантка не заставила себя ждать и подала клубнику буквально через минуту. Марат широко раздул ноздри и ударил кулаком по столу:

— Ну и что ты нам принесла?!

— Клубнику, — заикаясь, ответила девушка.

— И в чем ты ее подала?!

— В вазочке...

— Запомни, я никогда не покупаю вазочками то, что нравится моей девушке. Я не какой-нибудь студент или дешевый пижон!

— Что я должна сделать? — На глазах девушки показались слезы.

— Ты должна принести ей клубнику со сливками.

— В чем?

— Ну, понятное дело, что не в вазочке. В чем ты приносишь шампанское?

— В ведерке.

— Вот и неси клубнику в ведре для шампанского.

— Но это будет очень дорого стоить. Вы, пожалуйста, ознакомьтесь с ценами...

Марат побагровел от злости.

—Делай, что тебе говорят, и никогда не говори мне про цены! — рявкнул он.

Испуганная девушка забрала вазочку с клубникой и бросилась на кухню. Когда на нашем столике появилось ведерко клубники со сливками, я перевела дыхание и растерянно развела руками:

—Я не осилю столько, честное слово.

—А тебя никто и не заставляет съесть все. Съешь, сколько считаешь нужным.

Я опустила глаза и старалась не показать охватившее меня смятение. Мне еще никто не заказывал в ресторане целое ведро клубники со сливками. Сунув одну довольно большую клубнику в рот, я подняла глаза и внимательно посмотрела на Марата. Он продолжал мирно поглощать свой шикарный обед и с любопытством наблюдал за моей реакцией. Наверно, ему нравилось шокировать своих дам и сорить деньгами.

—Вкусно? — спросил он и обнажил в улыбке свои белоснежные зубы. — Послушай, и все-таки мне кажется, что мы где-то раньше встречались. Уж больно мне знакомо твое лицо. Ты ничего не можешь припомнить в этом плане? Может быть, ты мне просто кого-то напоминаешь?

—Мы встречались.

Я решила раскрыть карты и рассказать Марату, кто я такая.

Марат засунул в рот кусок отбивной и стал сверлить меня взглядом.

—И где? Вот видишь, интуиция меня не подводит. Напомни, в каком ресторане это было?

—Не в ресторане. В онкологической больнице.

—Где?

Лицо Милиного шефа вытянулось.

—В онкологической больнице. Я видела, как вы приезжали туда к одной девушке.

—Возможно. А ты там что делала?

Я опустила глаза и нервно застучала пальцами по столу:

— Навещала знакомую.

Марат облегченно вздохнул и достал из кармана пачку сигарет. Пустив колечко дыма, он почти прошептал:

— У меня заболела одна подруга. Я несколько раз ее навещал.

— А что с ней сейчас? — посмотрела я на Марата с надеждой.

— Она вылечилась. Слава богу, все обошлось.

— Это была любимая девушка?

— Любимая?! — Марат злобно усмехнулся и потушил тлеющую сигарету. — А что такое любовь?

— Любовь — это когда...

Я хотела было объяснить, но замолчала. Я и сама не знала, что такое любовь. Все мои любовные истории были обречены на провал. И мой брак по любви закончился печально, не оставив ничего, кроме боли и разочарования.

— Зачем я тебе буду объяснять, что такое любовь, если ты и так все знаешь? У каждого на этот счет свое мнение, — перешла я на «ты».

— У меня вообще нет никакого мнения на этот счет.

— Значит, девушка, к которой ты приезжал в больницу, не была любимой...

— Значит, не была.

— Жаль, а она очень сильно тебя любила.

— Ты ее знала? — Глаза Марата быстро забегали, а взгляд стал еще более холодным. — Говори, не молчи. Терпеть не могу, когда меня водят за нос.

— Я не вожу за нос. Я могу запросто ответить на твой вопрос. Я познакомилась с твоей девушкой в больнице и очень много о тебе слышала. Она тебя любила и надеялась выйти замуж.

— Замуж?

— Да. Только не утверждай, что ты этого не знал.

— Вот это для меня настоящая новость!

— Почему?

— Потому что я никогда бы не женился на обслуге.

— Как это? — опешила я.

— Ну, на слугах, если тебе непонятно. Как можно жениться на женщине, которая на тебя работает и ты ей платишь?

— Но ведь вы были близки! — В моем голосе прозвучало отчаяние.

Мне было обидно за подругу и хотелось наговорить этому жирному борову кучу гадостей. Но я не могла, не имела на это права, потому что Марат был единственным человеком, который мог бы мне реально помочь разыскать и, если не поздно, спасти Милу.

— Я смотрю, ты хорошо осведомлена, а я не люблю, когда посторонние люди знают про меня слишком много. — Голос Марата не предвещал ничего хорошего. — Я хочу знать, кто ты такая и что тебе от меня нужно.

— Я та самая девушка, которая звонила вам сегодня ночью, — призналась я. — Я Милина подруга. Мы лежали в одной палате. Тогда я ужасно выглядела, поэтому ты не узнал меня.

Я стянула с себя парик, чтобы продемонстрировать свои поредевшие волосы. Охранники, сидевшие за соседним столом, открыли рты. Натянув парик, я почувствовала, что по моему лицу катятся слезы.

— Думаю, что у тебя нет необходимости сомневаться в правдивости моих слов, — прошептала я.

Марат побледнел:

— Я тебя вспомнил. Ты очень сильно изменилась.

— Болезнь всех меняет.

— Я бы никогда не подумал, что на твоей голове парик...

— Качество хорошее.

— Откуда ты узнала, что я обедаю именно в этом ресторане?

— От Милы. У нас было очень много времени, чтобы узнать друг друга. Мы разговаривали ночи напролет. Она говорила только о тебе. Почему ты отказался ей помочь, ведь она отработала на тебя столько лет!

— У меня такая жизнь... Меня могут подставить в любой момент. Иногда мне кажется, что я боюсь даже собственной тени. Я никогда не срываюсь по первому зову, потому что этот зов может оказаться игрой моих недоброжелателей.

— Получается, что ты не поверил моему звонку?

— Я не поверил в то, что этот звонок правдив. — Во мне шевельнулась надежда, и я сделала довольно приличный глоток ликера.

— Значит, ты мне поможешь?

— Не знаю, смогу ли я тебе помочь, но я хотел бы услышать, что произошло с моей бывшей сотрудницей.

Поставив бокал, я начала свой рассказ. По понятным причинам я опустила подробности и не сказала, по какому поводу мы приехали на чужую дачу — просто решили сорвать чужие яблоки и напоролись на неприятности. Марат внимательно меня слушал. Когда я закончила, он тяжело вздохнул и уставился на меня с подозрением.

— Какого черта вы делали на чужой даче?

— Я же сказала, хотели нарвать яблок.

— Ночью?

— А почему бы и нет. Обычно днем на дачах кто-то бывает. Или хозяева, или соседи. Мы ехали на дачу к моему другу и по дороге, когда увидели красивую яблоню, остановились.

— А зачем Мила взяла с собой пистолет?

— Но ведь она же всегда ходит с пистолетом...

— Не всегда. Она ходит с ним только на работе, а в повседневной жизни она таскает маленькую дамскую сумочку, в которой лежит губнушка и подводка для глаз.

—Не знаю. Это нужно спросить у нее, — я замолчала и потупила взгляд. — Конечно, если она жива. — Я взяла Марата за руку и крепко ее сжала. — Помоги. Ты должен мне помочь. Мне больше не на кого надеяться.

—Все, чем я могу помочь, это выделить двух своих людей, да и то на пару дней.

—И все?

—И все. А что ты еще от меня хотела?

—Ничего. Я думала, что мы будем действовать вместе.

—Извини, но у меня уже не тот возраст, чтобы бегать по дачам и искать каких-то преступников. У меня своих дел по горло. Тем более это какая-то запутанная история. Даже не знаешь, с какого конца подойти. Вроде бы все понятно, а вроде бы ничего...

—Как ты думаешь, Мила жива? — Я прикусила губу с такой силой, что казалось, еще немного, и пойдет кровь.

—Думаю, нет. — Слова Марата прозвучали словно пощечина.

—Как это нет?

—Если в нее всадили две пули, как ты говоришь, думаю, ее уже давно нет в живых. Я сомневаюсь, чтобы убийца отвез ее в больницу.

—Ты хочешь сказать, что ее уже давно скинули в реку или закопали в какую-нибудь яму?!

—Я просто высказал свои предположения.

—Но нам необходимо ее найти!

—Боюсь, что вряд ли это получится. Мне кажется, что слишком поздно.

Неожиданно Марат встал из-за стола и поправил галстук. Я встала следом за ним и, словно ребенок, которого хотят оторвать от матери, схватила его за руку:

—Ты мне поможешь? Ты обещал, ты не можешь мне отказать.

—Я даю тебе двух своих людей на два дня. Только на два, не больше. Желаю удачи.

—И все?

—Все, — резко ответил Марат и вырвал свою руку.

Меня охватило отчаяние, по телу пробежала дрожь.

—Подожди, но ведь мы можем искать ее вместе, — лихорадочно, словно в бреду, заговорила я. — Ведь она тебя так любила... Она готова была отдать свою жизнь только за то, чтобы ты жил... Она...

—Все мои телохранители готовы отдать за меня жизнь в любой момент, — перебил меня Марат. — Я плачу им отличные деньги. Такая у них работа. Рискованная и денежная.

—Но ведь она мечтала выйти за тебя замуж!

—Я не женюсь на служанках.

Послышался звонок сотового телефона. Пока Марат говорил, я стояла ни жива ни мертва. Закончив разговор, он кинул несколько стодолларовых купюр на стол и посмотрел на меня сверху вниз:

—Я не могу дать тебе двух людей. Только одного. У меня изменились обстоятельства.

Он подозвал одного из охранников.

—Это Антон, — представил его Марат. — Хороший, спокойный парень. Правда, спокойный до поры до времени. Советую его не злить. Он в твоем распоряжении ровно два дня.

Оглядев шкафообразного Антона, вызывавшего ужас уже одними своими габаритами, я растерянно пожала плечами:

—А что я с ним буду делать?

—Делай что захочешь. Можешь отвезти его на дачу, а можешь хорошенько трахнуть.

Марат противно заржал и направился к выходу.

— Спасибо за помощь, — бросила я ему вслед и вновь посмотрела на Антона.

— И что мы будем делать эти два дня? — игриво поинтересовался мой новый знакомый.

— Понятное дело, не трахаться.

Пока я спускалась в бар, Антон старался не отставать от меня ни на шаг. Я заказала себе все тот же ирландский ликер, устроилась на крутящемся стуле и стала медленно потягивать напиток через тоненькую трубочку. Она была зеленого цвета и совсем не гармонировала с нежно-персиковым тоном интерьера бара. Я вспомнила реакцию Марата и представила себе, что было бы, попадись ему эта трубочка во второй раз. Несмотря на весь драматизм моего положения, я чуть не рассмеялась.

Антон сел рядом и огляделся по сторонам.

— А ты не хочешь выпить? — поинтересовалась я.

— Я не пью на работе.

— А сейчас ты тоже на работе?

— Я работаю каждый день. У меня почти нет выходных.

— Получается, что эти два дня ты тоже работаешь?

— Конечно.

— Значит, эти два дня твоей хозяйкой являюсь я...

Антон нахмурился и окинул меня недовольным взглядом.

— Я что-то не так сказала?

— Я не собака, и у меня нет хозяина. У меня есть человек, на которого я работаю. Это Марат Владимирович.

— Марат Владимирович сказал мне, что эти два дня ты будешь находиться в моем полном распоряжении.

— Что я должен делать?

— Сейчас подумаю... — Я отодвинула бокал и задумалась. — Я и сама не знаю, что ты должен делать, — растерянно сказала я. — У меня пропала подруга, и мне необходимо ее найти.

— Но ведь я же не детектив, а всего-навсего телохранитель. Я не сыщик, а охранник.

— Наверное, ты знавал мою подругу, ее звали Мила. Она работала на Марата.

— Я о ней слышал, но не видел. Я новенький, работаю всего неделю.

Во мне по-прежнему теплилась надежда, что Мила жива. Порой казалось, что та кошмарная ночь была сном, страшным и отвратительным. Я решила заехать к Миле домой. Мы быстро поймали такси и вскоре стояли у ее двери. Я нажала на звонок.

— Кто тут живет? — спросил Антон.

— Моя подруга. Я даже не знаю, как правильно — живет или жила.

За дверью квартиры стояла полная тишина.

— Если я не ошибаюсь, в квартире никого нет.

— Господи! — с отчаянием воскликнула я. — Даже не знаю, где ее искать. Не осталось никаких концов. Никаких...

Антон сочувственно похлопал меня по плечу и спокойно сказал:

— Послушай, давай сядем в машину и ты мне все расскажешь. Как я могу искать твою подругу, если не знаю, что с ней произошло.

Из соседней квартиры вышла дама лет сорока пяти. Запирая дверь, она с любопытством поглядывала в нашу сторону.

— Вы к Миле? — Дама сунула ключ в карман и повесила сумку через плечо. — Она ушла полчаса назад, так что можете не звонить понапрасну.

Сердце мое замерло, казалось, что еще несколько секунд — и я свалюсь в обморок. Бросившись следом за женщиной, я преградила ей дорогу и, задыхаясь, произнесла:

— Простите, я не поняла, кого вы видели полчаса назад?

— Милу, кого ж еще? Я выносила ведро, а она выходила из своей квартиры, — немного растерялась женщина.

— Вы уверены?

— В чем?

— Ну в том, что это была Мила.

— Я похожа на идиотку?! — Женщина постаралась меня отодвинуть и пройти дальше, но я стояла как вкопанная.

— Вы не ошибаетесь?

— Нет.

— А вы не могли перепутать? Может быть, вы выносили ведро вчера или неделю назад?

Женщина моментально изменилась в лице:

— Послушай, девушка, дай пройти, а то я сейчас участкового позову. Он этажом ниже живет.

Не обратив на ее угрозы внимания, я продолжала свои расспросы:

— Простите, мне очень нужно знать, в тот момент, когда Мила выходила из квартиры, она была нормальная?

— Она всегда нормальная. А какая же она должна быть?

— Может, вы заметили что-нибудь подозрительное?

— Ничего подозрительного не было! — резко ответила терявшая терпение женщина.

— А повязка на ней была?

— Никаких повязок.

— А она была одна?

— Она почти всегда одна. У нее очень редко бывают гости.

Наконец женщине удалось меня отодвинуть.

— Вы уверены, что вы видели Милу?! — громко крикнула я ей вслед.

— Дура чокнутая, — услышала я в ответ.

Женщина вышла из подъезда.

— Ты слышал, что сказала соседка? — растерянно спросила я Антона.

— Слышал, не глухой.

— Как ты думаешь, она сумасшедшая?

— По-моему, сумасшедшей она посчитала тебя. Вполне приличная дама в здравом уме и твердой памяти.

— Тогда я круглая идиотка.

Мы поехали на такси ко мне домой, я, взглянув с опаской на шофера, наклонилась к Антону и зашептала:

— Какая-то странная история. В последний раз я видела Милу в бессознательном состоянии с двумя пулевыми ранениями. Это было прошедшей ночью. Теперь соседка говорит, что подруга жива-здоровехонька выходила из своей квартиры. Просто бред какой-то...

Антон закрыл мне рот огромной ладонью и еле слышно произнес:

— Помолчи до дома.

Оттолкнув его руку, я поправила парик и возмущенно фыркнула:

— Не смей ко мне прикасаться, понял?

— А я и не прикасался, я просто хотел, чтобы ты замолчала.

Войдя в квартиру, Антон огляделся и с недоумением спросил:

— Ремонт собралась делать?

— Для полного счастья мне не хватает именно ремонта.

— Я просто так спросил. Тут имущества раз-два и обчелся.

— Имущество муж вывез. Оставил только то, что не мог унести.

— Развелись?

— Что-то вроде этого.

Сейчас мне не хотелось обсуждать Челнокова. Голова была занята Милой.

—Так что там у тебя с подругой? — перешел к делу Антон.

—Я и сама не знаю. Совсем недавно я была уверена, что уже ничем не могу ей помочь, что она мертва, а сейчас даже не знаю, что и думать.

Я снова начала рассказывать свою печальную историю об исчезновении подруги. Антон сидел, скрестив руки на своей могучей груди, и молчал.

—Ты хоть слышал, о чем я сейчас говорила?

—Слышал, не глухой.

—А почему сидишь как парализованный?

—А что я, по-твоему, должен делать? Прыгать?

—Ну не прыгать... Ну хотя бы как-то реагировать...

—Я реагирую.

Усевшись на подоконник, я вытянула ноги и пыталась удержать сваливающиеся тапочки.

—Ты мне не веришь? — не выдержав молчания Антона, спросила я.

Антон кашлянул.

—Я этого не сказал. Но твоя история так неправдоподобна и запутанна... Я бы хотел задать тебе один вопрос.

—Задавай.

—Почему вас занесло глубокой ночью на чужую дачу?

Этого вопроса я остерегалась больше всего и совсем не хотела говорить правду.

—Это имеет какое-то значение?

—Это очень важный момент, и мне нужно его знать.

—Мы хотели нарвать яблок, — ответила я с самым невозмутимым видом.

—Яблок?!

—Ну, понятное дело, не персиков.

—Ты меня держишь за придурка?!

—Я этого не сказала.

—Вы поехали в такую даль для того, чтобы нарвать яблок?! Может, ты все-таки скажешь мне правду?

—Есть вещи, которые тебе не обязательно знать.

—Ну что ж, если ты не хочешь говорить, я не буду настаивать. Придется поехать на дачу. Мне бы хотелось увидеть все своими глазами.

Спрыгнув с подоконника, я подскочила к Антону.

—Думаешь, от нашей поездки будет какой-нибудь толк?! — с иронией спросила я.

—А почему бы и нет?

—Но ведь ты всего-навсего охранник и к частному сыску не имеешь никакого отношения.

—Но в глубине души мне всегда хотелось поиграть в детектива, — признался Антон.

—Сейчас не до игр. Все слишком серьезно. Соседка сказала, что Мила жива, здорова и хорошо выглядит. Но она не может хорошо выглядеть и выходить из своей квартиры! Если бы она была жива-здорова, она бы первым делом поехала ко мне или уж позвонила на худой конец.

Антон взял меня за плечи и тихонько прижал к себе:

—Успокойся. Я тебе верю. Нам нужно поехать на дачу и все хорошенько обследовать. У тебя есть машина?

—Да.

—Ну вот и замечательно. По крайней мере хотя бы колеса у нас уже есть.

Я пристально посмотрела на Антона и залилась густой алой краской, словно застеснявшаяся школьница. От него исходила притягательная сила. Мне показалось, что я не целовалась с мужчиной тысячу лет... В последний раз с мужем, но это было так давно... В начале нашей совместной жизни. А затем — семейный секс, в котором обычно отсутствовали поцелуи... Все это осталось в прошлом и будто происходило не со мной. Я привыкла воспринимать всех мужчин как подобие мужа. Я думала, что хорошо изучила их. Но, глядя в глаза Антона, я поняла, что ошибалась... Мужчина! С ним можно встречать утро, обедать, ложиться в одну кровать и предаваться любовным утехам... С ним можно откладывать деньги для того, чтобы отправиться в какую-нибудь поездку, но его невозможно понять и уж тем более понять его душу. Если, конечно, таковая имеется. Мне вновь вспомнился мой муж. Едва заметные веснушки вокруг глаз, широкий нос и широкие скулы... Почему я вышла за него замуж? Да разве кто-нибудь сможет ответить на этот вопрос? Просто подоспело время, и просто я устала от одинокой постели, а может, я просто увидела в нем то, чего раньше не замечала в мужчинах.

— Тебя всю трясет как в лихорадке, — донесся до меня голос Антона. — Ты боишься?

— Боюсь, — призналась я и положила голову ему на грудь.

— Не бойся, я же рядом.

— Ты рядом ровно на два дня, а дальше я опять буду одна.

Антон поцеловал меня в лоб:

— Все зависит от тебя. Если захочешь, мы могли бы встречаться хоть каждый день.

Я посмотрела на Антона глазами, полными слез:

— Что ты сказал?

— Я сказал, что наши отношения могу продлиться столько, сколько тебе захочется. Ты очень красивая!

Я растерянно уткнулась Антону в грудь. Вновь подумав о Миле, я всхлипнула:

— Ничего не могу с собой поделать. Я не верю, что Мила жива. Она была слишком слаба, представляю, как страшно встретиться со смертью один на один. Я с ней встречалась. Знаешь, когда я болела, я очень ясно представляла чистилище. Это очень долгое и томительное ожидание. Бесконечная очередь и ожидание... Я хотела посмотреть, что же там, по ту сторону черты. Меня знобило от ужаса, но мне было приятно, и я ждала мгновения, когда перейду в мир иной, избавлюсь от мук и испытаю умиротворение.

— Чем ты болела?

— Тем же, чем и подруга.

Антон обнял меня и поцеловал. Я хотела его оттолкнуть, но почувствовала, что совсем этого не хочется. Неодолимое влечение охватило меня, я поняла, что не в состоянии сопротивляться. Антон взял меня на руки и перенес в спальню. Кровать была единственным предметом, который оставил мне муж.

— Ты божественная, — прошептал он и нежно поцеловал мочку моего уха.

До этого момента мне казалось, что во мне умерли все надежды и стремления. Я не выносила сочувствующих взглядов людей и стала избегать их... Я была очень одинока. А сейчас... Я словно родилась заново. Я почувствовала себя красивой и даже желанной... Антон был рядом. Он помог мне снять платье и поцеловал в грудь. Соски напряглись. Я тихонько вскрикнула.

— Тебе больно?

— Мне хорошо! — Я стянула с Антона футболку.

Все, что произошло дальше, захлестнуло меня. Это был не тихий, безрадостный семейный секс, а настоящая страсть. Антон был необычайно ласков и неутомим. Его красивое, накачанное тело сводило с ума. Он был чертовски сексуальным любовником, а его мощное мужское орудие приводило в восторг. Антон слегка приподнялся и прошептал:

— Я хочу, чтобы ты его поцеловала.

Я припала к нему. Даже не помню, сколько раз мне удалось испытать оргазм. Когда я почувствовала долгожданное облегчение, Антон погладил меня по плечу и еле слышно спросил:

— Тебе было хорошо?

— Мне было здорово, — прошептала я, не открывая глаз.

— Ты хоть кончила?

— Я кончила миллион раз.

— Так уж и миллион?

— Представь себе. Именно миллион.

Антон засмеялся и ущипнул меня за сосок.

— Послушай, ты спать, что ли, собралась? — Я моментально открыла глаза.

— Мне нельзя спать, — я вскочила с кровати. — Надо ехать. Марат одолжил мне тебя ровно на два дня. У нас слишком мало времени.

Антону явно не понравился мой ответ, я не сомневалась в том, что он очень обиделся.

— Меня никто не одалживал. Я работаю на Марата. А с тобой мы можем продолжить наши отношения. Если, конечно, тебе этого хочется...

Я никак не отреагировала на слова Антона и, поглядывая на часы, продолжала лихорадочно одеваться. Антон попытался меня остановить. Я резко оттолкнула его руки.

— Послушай, у нас слишком мало времени, и мне не хочется терять его понапрасну. У нас ровно два дня, а это очень мало для того, чтобы найти мою подругу.

— Ты хочешь сказать, что то, чем мы сейчас занимались, потерянное время?

Я не ответила.

— А я и не знал, что ты такая вредная. Я уже говорил, что мы могли бы и дальше встречаться.

— Тебя Марат Владимирович с работы уволит.

— Не уволит.

— Не храбрись. Такую хлебную работу будет очень тяжело найти. Телохранителей нынче много, а вот с новыми русскими напряженка. Поэтому держись за свое место и не строй иллюзий.

— Я никогда не держусь за свое место, — резко перебил меня Антон. — Я работаю в солидном охранном агентстве и имею вполне приличные рекомендации. В нашем агентстве всегда найдется хорошо оплачиваемая работа.

ГЛАВА 9

Мы сели в мою машину. Антон наклонился и поцеловал меня.

— А тебе не кажется, что ты позволяешь себе слишком много вольностей, — сказала я, чтобы скрыть смущение.

— По-моему, некоторое время назад я позволял себе намного больше.

— Это была обыкновенная прихоть.

— Ты уверена?

— В чем?

— В том, что говоришь.

Я не успела ответить. К дому направлялись родители. Я никогда еще не видела их в таком состоянии. Лицо мамы было белым как мел, отец поддерживал ее под руку. Казалось, она вот-вот упадет. «Что-то случилось», — пронеслось у меня в голове. Выскочив из машины, я бросилась к родителям:

— Господи, что случилось?! Говорите быстрее, только не молчите! Я умоляю!

Мама затуманенно посмотрела на меня:

— Пропал Саша.

— Как это — пропал? — опешила я.

— Он исчез.

— Куда?

— Мы не знаем. Ушли в магазин и оставили его дома. Видимо, кто-то позвонил и он открыл дверь.

— Но ведь Сашка никогда не открывал дверь! У вас есть глазок! Мы ведь его тысячу раз учили не открывать дверь незнакомым людям.

— Не знаю. Когда мы пришли, его уже не было. Я почувствовала, что задыхаюсь.

— Может быть, он просто пошел с мальчишками погулять... — растерянно пробормотала я.

— Его украли, — глухо произнес отец.

— Давайте пройдем в квартиру и все обсудим, — вмешался Антон.

Он взял меня за руку и повел к подъезду. Родители, всхлипывая, плелись сзади.

— А я и не знал, что у тебя есть сын. — Антон сжал мою руку.

— Ты еще многого про меня не знаешь.

— Я бы хотел знать о тебе все.

— Зачем? — Я горестно покачала головой. — Сначала пропала Мила, теперь сын. Прямо чертовщина какая-то...

Я передвигалась с огромным трудом. Ноги были словно ватные и отказывались подчиняться. Руки дрожали, и я сунула их в карманы. Сидящие на лавочке соседки с любопытством смотрели на нас и о чем-то шептались. Я никак не могла сосредоточиться. Почему-то думалось о том, как хорошо было бы, чтобы светило яркое солнышко, чтобы рядом были все мои близкие. И сын, и родители, и Мила, которая уже успела стать родной... И Антон... Господи, но почему именно Антон, ведь это совершенно посторонний человек, которого мне одолжили на два дня. А может быть, он не посторонний? Хорошо, если бы так. Неужели это когда-нибудь будет — и жизнь без кошмаров, без тревог. Я усадила маму и дала ей таблетку валидола.

— Это Антон, — представила я своего знакомого, — мой очень хороший друг. Ему можно доверять. Он нам поможет.

Антон посмотрел на меня благодарно.

— Я Андрею позвонила, — сказала мама и заплакала.

— Андрею? Зачем?

Видеть Челнокова я просто не могла.

— Но ведь он не посторонний человек. Он отец. Может, что-нибудь подскажет.

— Господи, да что он может подсказать? Может только обокрасть свою семью!

В комнате повисло молчание. Наконец мне удалось собраться с силами.

— Расскажи по порядку, как все произошло, — попросила я маму.

— Я же говорю, мы оставили Сашеньку дома и пошли в магазин. Пришли, а его нет.

— Но почему вы решили, что его украли?

— Потому что нам позвонили по телефону. Какой-то мужчина сказал, что наш внук находится в его руках. Он дал трубку Саше. Саша попросил, чтобы мы быстрее забрали его домой.

— Это был точно Сашин голос?

— Конечно! Неужели ты думаешь, что я не узнаю голос родного внука! — воскликнула мама и запричитала: — Господи, только бы он остался жив, только бы все обошлось. Если этот изверг с ним что-нибудь сделает, я задушу его собственными руками!

— Что хочет похититель?

— Он сказал, что хочет поговорить с тобой.

— Со мной?!

— Ну да, он назвал твое имя, он сказал, что в ближайшее время перезвонит, вот мы и пошли за тобой. Доченька, может, у тебя есть какие-нибудь враги? — Мама судорожно теребила платок.

— У меня нет никаких врагов. Я так долго болела... Давным-давно ни с кем не встречалась.

Мне и в голову не приходило связывать похищение сына с исчезновением Милы. Я была уверена, что все, что сейчас произошло, нелепая случайность или детская выходка. Возможно, Санька решил меня немного позлить за то, что я уделяю ему слишком мало внимания.

В дверь настойчиво позвонили. Я вздрогнула и посмотрела на Антона. Антон заметно напрягся и, положив руку на кобуру, спросил:

— Мы кого-нибудь ждем?

— Наверное, это Андрей, — ответила немного успокоившаяся мать.

— Только его еще не хватало, — раздраженно заметила я и направилась к входной двери. Антон преградил мне дорогу.

— Не вздумай сразу открывать, посмотри в глазок.

Кивнув, я подошла к двери. На лестничной площадке стоял Челноков и переминался с ноги на ногу.

— Расслабься, это мой муж, — обернулась я к Антону.

— Совсем недавно ты говорила, что вы разошлись.

— Я и не отрицаю. Не я его сюда пригласила, а мои родители. Постараюсь, чтобы он тут долго не задержался.

Я открыла дверь, и Андрей по-хозяйски вошел в квартиру, хотя заметно нервничал и выглядел не самым лучшим образом. Я невольно перевела взгляд с него на Антона. Какие они разные! Челноков — такой изворотливый и такой хитрый, а Антон — открытый, доброжелательный. И такой красивый. Челноков достал сигарету, закурил и уставился на Антона:

— Похоже, это кандидат в мужья? Свято место пусто не бывает...

Я с трудом удержалась, чтобы не отвесить ему пощечину.

— Насколько я понимаю, тут собрались близкие люди. Какого черта ты притащила сюда постороннего человека? Мы сами можем разобраться со своими проблемами.

— Я не посторонний, — Антон встал рядом со мной и обнял за плечи.

Челноков поморщился. Выдержав паузу, обратился ко мне:

— Если не ошибаюсь, у меня пропал сын...

— У меня тоже пропал сын, — поправила я его. — А у моих родителей пропал внук. Это не только твое горе.

— Вы сообщили в милицию?

— Похититель сказал, что, если мы заявим в милицию, больше никогда не увидим Саньку живым, — испуганно прошептала мама.

В этот момент зазвонил телефон. Я вздрогнула и невольно прижалась к Антону.

— Возьми трубку и говори так, как будто ничего не случилось, — спокойно сказал он. — Ты молодец, у тебя все получится.

Тяжело вздохнув, я сняла телефонную трубку. В трубке послышался грубый мужской голос с ярко выраженным кавказским акцентом.

— Вика, ты хочешь увидеть сына живым? — донеслось до моего помутившегося сознания.

— Да, конечно. Что надо сделать?

— Ты должна поехать за город. Деревенька называется Раченко. Это в сторону Санкт-Петербурга. Неподалеку от деревни течет речка, на берегу стоит старый сарай. Увидишь оцинкованное дырявое ведро. Тебе необходимо положить под это ведро ровно пятнадцать тысяч долларов.

— Сколько?

— Пятнадцать тонн зеленых. Это не такая уж большая сумма.

— Где же мне взять такие деньги?

— Попроси у родственников, пошарь в собственных карманах. Ты работала в туристической компании, уверен, от прошлого бизнеса у тебя остались кое-какие сбережения.

— Но ведь я только что вышла из больницы, все мои деньги ушли на лечение. Я чудом осталась жива...

— Это твои личные проблемы. Короче, если хочешь увидеть ребенка живым, завтра до восьми утра деньги должны быть на месте. Если денег не будет, в половине девятого твоему сыну перережут горло. Сунешься к ментам, забудешь, как выглядит твой ребенок.

— Он в порядке? — с дрожью в голосе спросила я.

— Держится молодцом. Правда, иногда срывается и плачет. Говорит, что хочет к маме. Дальнейшее зависит от тебя самой. Хочешь, чтобы твой ребенок остался жив, не дури. Запомни, деревня Раченко. Река сразу за местным кладбищем. На машине туда не проедешь, придется идти пешком. Если сделаешь все по уму, завтра к обеду твой ребенок будет у бабушки.

Послышались короткие гудки. Я положила трубку и пересказала услышанное. Мама схватилась за сердце. Папа оперся о стену и расстегнул верхние пуговицы рубашки. Челноков нервно постукивал пальцами по подоконнику.

— Допрыгалась, — злобно произнес он.

— Я допрыгалась?!

— Конечно, а кто же еще!

— Господи, а я-то тут при чем?

— Как это при чем? Надо меньше шляться где попало! Дошлялась... Потеряла собственного сына. Покопайся в своих дружках. Не сомневаюсь, это подстроил кто-то из них.

— Заткнись! — крикнула я и сжала руку Антона. — Закрой свой поганый рот, а то я вышвырну тебя из квартиры!

Челноков прищурился и прошипел как змея:

— Не нужно на меня орать. Похититель ясно дал понять, что во всем виновата только ты и твой бизнес.

— Этот бизнес кормил нашу семью несколько лет! Этот бизнес дал тебе возможность валяться на диване и целыми днями щелкать телевизионным пультом! Я пахала сутками, как прокаженная, а ты сидел дома, да еще требовал деликатесов! Не смей поднимать на меня голос! Я уже не твоя жена!

— Прекратите ругаться. Сейчас не время, — послышался голос отца. — Надо решить, будем заявлять в милицию или нет. Дорога каждая минута.

— Только не в милицию, — тихонько всхлипнула мама. — Пока милиция будет искать Саньку, его уже убьют. Нужно найти деньги.

— Господи, где же их взять? — Я готова была провалиться сквозь землю от собственной беспомощности. — Разве с таким мужем-иждивенцем что-нибудь накопишь? С ним только по миру пойдешь.

Мелькнула мысль о Костиной шкатулке с долларами. Можно было взять Антона и еще покопать, но, боюсь, это может оказаться пустой тратой времени. А время не терпит...

— У нас с отцом есть пять тысяч долларов, — вытерев слезы, сказала мама.

— Но этого мало.

— Я найду еще десять, — Антон взглянул на часы. — Я перехвачу.

— Ты хочешь взять в долг? — искренне удивилась я.

— Я хочу взять в долг.

— Но ведь долги нужно возвращать!

— Я выкручусь. Ты, главное, не переживай. Мы обязательно найдем твоего сына. — Он погладил меня по щеке.

— Спасибо, — прошептала я.

— Я всегда знал, что ты выкрутишься из любой ситуации, — ехидно заметил Челноков. — Тебе не привыкать. Тебе всегда твои мужики помогут. У меня денег нет! Да и откуда они могут быть, если ты черт знает сколько тратила на свои шмотки!

Я не стала препираться с ним и посмотрела на родителей:

— Время уходит. Едем к вам домой.

— Я с вами, — заявил Челноков.

— Зачем?

— Я не посторонний и поеду вместе с вами в эту деревню.

— Куда?

— В деревню. Не притворяйся глухой.

— На черта ты там нужен?

— Я хочу увидеть своего сына живым.

— С каких пор ты стал так сильно переживать за сына? Когда я лежала в больнице, ты ни разу не заехал к родителям, чтобы повидать его. Ни разу! И сейчас ты не дал ни рубля, чтобы его спасти.

— Я уже сказал, у меня нет денег. Могу повторить еще раз.

— Вот и сиди дома, если у тебя нет денег!

— В деревню мы поедем вдвоем, — уверенно сказал Антон.

Челноков направился к выходу.

— Ну хорошо, если тебе так хочется, езжай с тем, кто тебя трахает. И не дай бог с моим сыном что-то случится! Прибью вас обоих!

— Ой какие же мы страшные! — бросила я ему вслед и захлопнула дверь.

Антон поцеловал меня в щеку и нежно прошептал:

— А ты умеешь быть решительной!

— Ты знаешь меня всего несколько часов...

— Правда. А мне кажется, что я знаю тебя всю свою жизнь.

Взяв у мамы пять тысяч, я расцеловала родителей и бегом вернулась к машине, села на водительское место и посмотрела на Антона:

— Ты уверен, что сможешь достать еще десять?

— Уверен. Нужно заехать в одно место.

— Ты хочешь перехватить денег у Марата?

— Нет. У меня есть надежные друзья, которые сумели сколотить кое-какой капиталец.

Спустя несколько минут мы остановились у невзрачной блочной многоэтажки. Антон ушел, а я осталась в машине. Мне казалось, что время бежит с фантастической скоростью. Болезненно сжималось сердце, глаза застилали слезы. Я вспомнила интонации говорившего по телефону мужчины. Ярко выраженный кавказский акцент. Среди моих знакомых нет и не было людей с Кавказа. Может быть, совсем не кавказец, а просто умеет изобразить акцент? Да и какое это имеет значение. Необходимо вызволить Саньку, а затем продолжить поиски Милы. По крайней мере теперь я не одна. У меня появился надежный друг, Господи, это здорово — иметь преданного друга, сильное мужское плечо. Может, и вправду в этой жизни все происходит по определенной схеме. Что-то теряешь, а что-то находишь. Я потеряла неверного мужа — приобрела Антона. Даже не верится, что мы познакомились всего несколько часов назад.

Появился Антон. Он сел рядом и протянул мне небольшой сверток.

— Возьми, тут десятка.

— У тебя не будет неприятностей из-за этих денег?

— О каких неприятностях ты говоришь, если дело касается твоего сына?

Я уткнулась Антону в плечо и разревелась.

— Прекрати, — ласково проговорил Антон. — Все будет хорошо. Ты теперь не одна. Нас двое.

— Ну почему мы так долго не могли найти друг друга? — прошептала я, всхлипывая.

— Я тоже об этом подумал. Возможно, нам надо было пройти много испытаний.

— А ты женат?

— Я разведен.

Довольно долго мы ехали молча.

— Послушай, а ты не знаешь, кому мог понадобиться твой сын? — задумчиво произнес Антон и закурил.

— Понятия не имею. Я вообще ни с кем никогда не конфликтовала.

— Твой муж говорил, что ты держала туристическую фирму.

— Да, но в мой бизнес никто из посторонних не лез.

— Но ведь у тебя были недоброжелатели?

— Конечно. Когда человек занимается бизнесом, у него всегда найдутся недоброжелатели. Ты хочешь сказать, что тот, кто похитил моего сына, явился из прошлых лет?

— Похоже на то.

Я слегка сбросила скорость и взглянула на Антона.

— А ты не думаешь, что пропажа подруги и похищение сына как-то связаны?

— Над этим тоже стоит подумать.

Через час мы с Антоном поменялись местами. Сев рядом с ним, я почувствовала, как устала. Незаметно наступили сумерки. Когда появился указатель с названием деревни, было уже совсем темно. Подъехав к кладбищу, Антон заглушил мотор.

— По-моему, приехали. Дальше придется идти пешком.

— Я боюсь, — призналась я. — Мне еще никогда не приходилось быть на кладбище ночью. Говорят, что ночью оживают покойники...

— Говорят, в Москве кур доят. Не глупи. Если хочешь, останься в машине. Я найду этот сарай, положу деньги и вернусь.

— Я с тобой! Одна в машине на ночной незнакомой трассе? От страха у меня разорвется сердце!

— Заблокируешь двери, и никто к тебе не проникнет.

— Можно разбить стекла. Я иду с тобой.

— Тогда постарайся успокоиться и взять себя в руки.

— Я в порядке.

Взяв руку Антона, я заглянула в его глаза и, наконец, задала тот вопрос, который мучил меня всю дорогу до деревни:

— Антон, скажи: а ты меня хоть немного любишь?

— Я тебя обожаю.

— Правда?

— Это любовь с первого взгляда. Неужели бы я доставал деньги и всячески тебе помогал, если бы ты была мне безразлична?

— Но ведь тебя послал Марат.

— Марат послал меня на два дня, но я собираюсь остаться с тобой намного дольше.

Я поднесла руку Антона к губам и поцеловала ее.

— Насколько ты со мной останешься?

— Пока не надоем.

— А если ты вообще мне никогда не надоешь?

— Тогда останусь с тобой навсегда.

Антон погладил меня по волосам и поцеловал их.

— Это парик?

— А как ты догадался? Его трудно отличить от настоящих волос.

— Я видел, как ты снимала его перед Маратом Без парика ты мне нравишься больше.

— Как только отрастут мои волосы, я его сниму.

— А что у тебя с волосами?

— Последствие химиотерапии.

Антон нежно поцеловал мой лоб.

— Господи, сколько тебе пришлось пережить, — ласково прошептал Антон. — Ну почему мы так поздно встретились?

ГЛАВА 10

Оказавшись среди покосившихся крестов, я вцепилась в Антона и прошептала:

— А кладбище можно обойти?

— Это займет много времени.

— Но ведь сейчас только без четверти двенадцать.

— Чем раньше мы принесем эти деньги, тем быстрее твой сын окажется на свободе.

— А ты уверен, что его отпустят? Они могут забрать деньги и убить Сашу.

— Обычно те, кто делает деньги на похищении людей, держат свое слово.

Я смотрела на безликие могилки с поминальными стаканчиками и кусочками хлеба, оставленными кем-то, и чувствовала, что каждый шаг дается мне с огромным трудом. Кладбище было большим. По всей вероятности, оно предназначалось сразу для нескольких близлежащих деревень.

— Скоро мы выйдем к реке, — успокаивая меня, сказал Антон. — Сарай должен быть совсем рядом.

— И почему они нас послали в такую глушь!

— Деньги всегда должны быть рядом с хозяином. Скорее всего, твоего сына держат именно в этой деревне.

— Ты в этом уверен?

— Не уверен, но думаю, что так оно и есть.

— Господи, если бы мы только знали, в каком доме его держат?

Неожиданно рядом с нами появилась странная сутулая фигура. В том, что это был бомж, я не сомневалась. От него несло перегаром и разило другими неприятными запахами.

— Ребята, там какие-то изверги совсем молоденькую девочку убивают, — прохрипел бомж.

— А мы тут при чем? — не на шутку перепугалась я.

— Я, конечно, понимаю, что вы ни при чем, но девочку жалко. Ей ведь лет пятнадцать, не больше. Какие-то пацанята резвятся. Я понимаю, от этих подростков лучше держаться подальше. Только убьют ведь пацанку просто так, из озорства.

Раздался девичий вопль.

— Сколько их? — достал Антон пистолет.

— Трое. Совсем зеленые гаденыши. Укололись, наверное, или накурились. По всей вероятности, местные.

— Антон, на кой черт нам это надо?! — взорвалась я. — Зачем лишние проблемы?! У нас и своих хватает.

— Но ведь может погибнуть ни в чем не повинный ребенок...

— Так уж и неповинный... Нормальные дети дома сидят. Чего она ночью поперлась на кладбище?

— В жизни может случиться всякое. А если бы на ее месте оказался твой сын?

— Сравнил! Зачем пистолет? Ты собрался перестрелять этих обкуренных детей?!

— Нет. Я просто их пугану.

Посмотрев на Антона, я поняла, что с ним бесполезно спорить. Его благородство, которое мне так приглянулось, вывело меня из себя.

— Нам нужно как можно быстрее найти сарай и положить деньги, — раздраженно заговорила я. — На счету каждая минута.

— Мы уже почти на месте. Думаю, мы ничего не потеряем, если спасем человеческую жизнь.

Антон пошел за бомжем. Я семенила следом. Неожиданно бомж остановился и посмотрел себе под ноги.

— Что там? — нервно спросил Антон.

— По-моему, тут лужа крови.

— Где?

В тот момент, когда Антон наклонился, откуда-то выскочили два верзилы и один из них ударил Антона по голове. Антон тихонько вскрикнул и упал.

— Максимыч, ударь его еще, чтобы до утра не очухался, — словно во сне донеслось до моих ушей.

Второй верзила похлопал бомжа по плечу и сунул ему в карман сторублевую бумажку.

— Молодец, на бутылку заработал. Так держать.

Бомж расплылся в улыбке, раскланялся и скрылся между могилами.

— Смотри-ка, а у этого кренделя даже пушка имеется. Настоящая, боевая. — Бандит поднял пистолет Антона. — Может, его пристрелить?

— Пусть живет. Все равно до утра не очухается, а очухается — ничего не вспомнит.

Верзила повертел пистолет в руках и несколько раз ударил им лежащего Антона. Мне показалось, что Антона убили. Я громко закричала и бросилась прочь, но тут же и налетела на могильную ограду. Один из бандитов схватил меня сзади за воротник.

— Коза, ты куда собралась бежать? — усмехнулся он.

Я вздрогнула, в шею уперлась холодная сталь ножа.

— Давай, шевели ногами.

Они подвели меня к небольшому склепу. То, что я увидела, не поддается никакому описанию. На стенах были намалеваны странные надписи и непонятные знаки. Посреди маленькой комнаты лежала обнаженная девушка. Она была привязана за руки и за ноги к двум доскам, скрепленным между собой крестом. Вокруг девушки стояли четверо в безразмерных балахонах и больших капюшонах. Мерцали свечи, освещающие мрачный ритуал предстоящего убийства. Один из верзил связал мне руки веревкой и посадил на пол.

— Сиди как мышь, — предупредил он. — Ты будешь следующей жертвой. Так что у тебя еще есть время насладиться этим зрелищем.

Он вышел из склепа, и я решила, что он хочет застрелить Антона, чтобы избавиться от свидетеля. Силы оставили меня. Как в бреду наблюдала я происходившее. Тип, стоящий в изголовье девушки, бормотал какие-то молитвы. Как только он замолчал, второй показал всем присутствующим живого голубя. Через несколько секунд он достал большой нож с острым лезвием и отрубил голубю голову. Кровью птицы он окропил тело девушки, нарисовав пальцем на ее животе кровавую пентаграмму.

Девушка безразлично смотрела на все, что происходит. Мне показалось, что она находится под действием сильнодействующих наркотиков. Один из этих страшных людей с явно больной психикой достал чашу с ритуальным напитком и, предварительно из нее отхлебнув, пустил ее по кругу. Все впали в транс и, отвязав девушку, начали чудовищную оргию.

Первым девушку изнасиловал тот, который стоял у изголовья и считался самым главным. Как только он кончил и зарычал от удовольствия, на нее набросились все остальные. Я затаила дыхание и боялась пошевелиться, прекрасно понимая, что меня ждет то же самое, и мысленно молила бога, чтобы меня поскорее убили и не глумились так, как над этой несчастной. Жуткая картина подействовала на меня отрезвляюще. Я уже могла чувствовать холодную мокрую стену у себя за спиной и начала соображать, как выпутаться из этой страшной истории. Оба верзилы были на улице. Возможно, они сторожили склеп, чтобы не вошел посторонний. Сектанты не обращали на меня внимания.

Неподалеку валялся старенький перочинный ножик. Я подползла к ножику и с трудом ухватила его. Перерезать тугую веревку оказалось довольно сложно, на это ушло около десяти минут. Я совсем обессилела. У меня кружилась голова, мучили приступы тошноты. Собрав последние силы, я встала и бросилась к выходу. Выскочив из склепа, я налетела на стоящего у входа верзилу. От неожиданности он покачнулся и выронил сигарету.

— Эй, овца, ты куда собралась?! — крикнул он.

Я даже не знаю, как мне удалось развить такую бешеную скорость. Крепко прижимая к груди свою сумку, которую я не забыла прихватить в склепе, я бежала, стараясь не упасть и не оглядываться назад.

Я не знаю, сколько времени мне пришлось петлять между могил. Кажется, целую вечность. Остановившись, я посмотрела назад — поблизости никого не было. Возможно, верзила затаился и ждет подходящего момента, чтобы на меня напасть. Глотнув воздуха, я собралась с силами и побежала дальше. На краю кладбища я встала, отдышалась и огляделась по сторонам. Посреди пустыря стоял вагончик, в котором мерцал тусклый свет. Подойдя к вагончику, я принялась стучать в закрытую дверь ногами. Наконец передо мной предстал заспанный сторож.

— Какого черта ты спишь, когда у тебя на кладбище творится черт знает что! Срочно звони в милицию! — закричала я. — Там, в склепе, орудуют сектанты! Они убили девушку! Их там человек восемь, не меньше! Между могил лежит парень! Ему разбили голову! Я даже не знаю, жив он или нет!

Сторож протер заспанные глаза и дыхнул на меня перегаром:

— Ты чо, пьяная? Какие еще сектанты? У нас такого отродясь не было...

— Сам ты пьяный! — оборвала я его. — У тебя телефон есть? Быстро звони в милицию!

Сторож покрутил пальцем у виска, но все же вернулся в вагончик и взял телефонную трубку. Набрав номер телефона милиции, он протянул трубку мне и зевнул:

— Сама говори, что там с тобой произошло.

Схватив трубку, я, запинаясь, принялась рассказывать обо всем, что увидела.

— Скоро они приедут? — спросила я, когда на том конце провода повесили трубку.

— Часа через полтора, не раньше.

— Как это — через полтора?!

— Молча. До райцентра далеко, раньше никто приехать не сможет.

— Ну у вас здесь и порядки! — вздохнула я и пошла к выходу.

— А ты куда собралась?

— Куда надо!

— Сиди вместе и жди, пока приедет милиция. Ты вызывала, ты и разбирайся.

— Сейчас, разбежалась! — огрызнулась я и громко хлопнула дверью.

Я прекрасно понимала, что, если патрульная машина прибудет только через полтора часа, в злосчастном склепе никого уже не будет. Сейчас нужно найти Антона. Это очень опасно, опаснее, чем можно предположить. Невдалеке виднелась река. Где-то там сарай, в котором стоит старое ведро. Нужно успеть положить туда деньги.

Добежав до реки, я остановилась. Мне показалось, что кто-то бежит следом за мной. Я затаила дыхание и внимательно вгляделась в кромешную темноту. Никого не было. И все же я не могла ошибиться. Я отчетливо слышала чьи-то шаги, которые доносились откуда-то сзади. Может быть, это эхо от моих собственных шагов? Конечно же, это эхо! И как я сразу не поняла... Я спустилась к самой воде и вновь прислушалась. Как только я встала, звук сразу замер. Я двинулась вправо, и шаги зазвучали опять. Я остановилась — и услышала тишину. От сумасшедшего страха сердце готово было выскочить из груди. Каждый следующий шаг давался мне с огромным трудом, я четко осознавала, что беспокоящий меня звук никак не может быть эхом моих шагов. Не выдержав, я резко остановилась и громко крикнула:

— Есть там кто-нибудь?!

Естественно, мне никто не ответил. Шаги невидимого преследователя сразу возобновились, как только я двинулась вперед. Я побежала. Стало неимоверно тихо. Я остановилась и сделала несколько медленных шагов вперед. Не было слышно ни звука. Почувствовав минутное облегчение, я крепче прижала сумку к груди и, стараясь хоть немного отдышаться, пошла в сторону сарая.

Тропинка была настолько узкой, что я с трудом удерживала равновесие и несколько раз падала. Наконец передо мной появился полуразвалившийся сарай с оцинкованным ведром. Если оно там, я у заветной цели. Нащупав дверь, я толкнула ее ногой и вошла. В сарае было совсем темно. Я прислушалась. Мне показалось, что в нескольких шагах от меня я слышу чье-то прерывистое дыхание. Неужели это тот, кто преследовал меня от кладбища до реки? Получается, он знал маршрут и успел меня опередить...

— Кто здесь?! — громко крикнула я. — Я принесла деньги. Ровно пятнадцать тысяч долларов. Я хочу выкупить своего сына.

Ответа не было. Сделав несколько шагов, я споткнулась о стоящее посреди сарая ведро и упала. От резкой боли я села прямо на землю. В тот момент, когда я открыла сумочку, чтобы достать деньги, на мою голову обрушилось что-то тяжелое. Я не помню, что было дальше, просто какие-то яркие вспышки света в глазах. Кто-то наносил мне удары ногой, но я не чувствовала боли. Только ощущала грубый мужской ботинок на толстой подошве... Потом я потеряла сознание...

Когда я очнулась, у меня раскалывалась голова и все плыло перед глазами. Господи, неужели я еще жива?! А может быть, я умерла? А может быть, смерть именно такая? Нет, я жива. Если я еще шевелюсь, значит, живая. У меня болит голова, меня бьет озноб. Мертвецы не должны этого чувствовать. Они вообще не могут ничего чувствовать.

С трудом открыв глаза, я попыталась подняться и вскрикнула. Рядом со мной был Антон.

— Очухалась? — спросил он и, достав носовой платок, вытер кровь с моего лица.

— Антон, ты?

— Я, конечно, кто ж еще...

— Господи, ты живой? — не верила я своим глазам.

— Живой. А ты-то как?

— Не знаю. Все болит.

— Это пройдет. Тебе хорошенько досталось.

Антон помог мне сесть. Все завертелось, закружилось перед глазами. Я снова потеряла сознание. А когда пришла в себя, то окончательно поверила, что осталась жива и что Антон рядом.

— Значит, мы не в аду? — все-таки спросила я.

— Нет. С чего ты взяла, что мы попадем в ад, когда умрем? Мы попадем в рай, это я тебе гарантирую. Только нам еще умирать рано. У нас с тобой вся жизнь впереди. — Антон помог мне подняться. Сделав несколько шагов, я попыталась нащупать ведро, но его нигде не было видно.

— Ведро валяется в конце сарая, — сказал Антон.

— А сумка?

— Сумки, естественно, нет. Ни сумки, ни денег.

— Как это?

— Я думаю, их забрал тот, кто тебя избил.

— О боже. — Я сплюнула скопившуюся во рту кровь.

— Когда я зашел в сарай, ты лежала без сознания. Ни сумки, ни денег не было. Ты хоть помнишь, кто на тебя напал?

— Нет. Я его не видела. Я только знаю, что он шел за мной от самого кладбища. Я это чувствовала... Я слышала его шаги... Господи, что же теперь будет с моим сыном?

— Я думаю, что тот, кто забрал деньги, избил тебя и украл твоего сына, — одно и то же лицо.

— Почему ты так думаешь?

— Не знаю. Наверное, интуиция. Если это один и тот же человек, то твой сын будет завтра дома.

— Тогда зачем ему было меня избивать? Я бы все равно положила деньги под ведро.

— Пока это загадка.

Антон взял меня под руку, мы пошли к реке. Несмотря на все пережитое, я ощущала ни с чем не сравнимое блаженство. Мы снова оказались вместе и знаем цену нашей случайной встрече. Мне было глубоко наплевать на то, что наше настоящее, а возможно, и будущее сулит огромные трудности. Я молила Бога только об одном: чтобы он дал нам силы чувствовать твердую почву под ногами и стоя не потерять свою любовь и гордость. Я поражалась преданности Антона. Чувствовала, что меня ждут изменения к лучшему в моей нескладной жизни. Я была влюблена, просто сходила с ума от его прекрасной улыбки, мужественного лица и этих безумных глаз, которые раздевают одним-единственным взглядом.

— Господи, как здорово, что ты остался жив, — вздохнула я. — Даже страшно подумать, что я могла тебя потерять...

— Я очнулся от воя милицейской сирены.

— Это я вызвала милицию. На моих глазах умирала девушка... Там были озверевшие сектанты. Мне чудом удалось бежать... Только я не рассчитывала, что милиция приедет так скоро. Ты не знаешь, им удалось хоть кого-нибудь взять?

— Не знаю. Я сразу пошел к сараю, чтобы найти тебя.

Я прижалась к Антону и закрыла глаза. Закончились страшные дни моего одиночества. Словно их никогда не было. Я всегда боялась одиночества. До своей болезни я любила бродить по улицам и смотреть на проходивших мимо людей. Я шла по какому-нибудь шумному проспекту, рассматривала светящиеся магазинные витрины... Мне нравилось теряться в человеческом потоке и ощущать себя частью толпы. Вспомнив об этом, я почувствовала какую-то горечь. Муж... Даже не верится, что когда-то я была готова идти за ним на край света. Все изменилось за считаные часы. Какая же все-таки странная штука — жизнь.

— О чем ты думаешь? — спросил Антон.

— О тебе, обо мне, о нас...

— Ты вся дрожишь. Пойдем.

— Ты хочешь, чтобы мы пошли через кладбище?

— Теперь можем его обойти, — улыбнулся Антон.

На трассе, к нашему удивлению, моей машины не оказалось. Я осмотрелась.

— Если я не ошибаюсь, мы оставили машину именно здесь.

— Ты не ошибаешься.

— Тогда где же она? Думаешь, ее угнали?

— Что-то вроде того.

— Кому она могла понадобиться? Была бы машина, а то ведь так... Она мне от отца досталась. Металлолом. Может, поэтому ее Челноков и не забрал. На чем же мы поедем домой?

— Сейчас трасса пустая. Придется заночевать в деревне. Нам нужно дождаться утра.

Мы направились в деревню.

— Утро вечера мудренее, — подбадривал меня Антон, — утром поищем машину, может, она где-то совсем недалеко, просто местная шпана решила на ней покататься. Доехали до ближайшей деревни и бросили к чертовой матери.

— Нет, Антон, я уверена, машину угнал тот человек, который ударил меня по голове, — возразила я.

В одном из домов горел свет.

— Ты как? — тихо спросил Антон.

— Нормально...

— Так уж и нормально. У тебя все лицо опухло и ухо совершенно синее.

— А у тебя на затылке запекшаяся кровь.

Дверь открыла заспанная бабулька и испуганно посмотрела на нас. Антон не стал дожидаться вопросов, улыбнулся и спокойно сказал:

— Мы проезжали мимо деревни. У нас спустило колесо. Пока я ставил запаску, напали бандиты и отобрали машину.

— Свят, свят. Да что же это делается? — запричитала бабулька и пустила нас в дом. — На дороге постоянно что-нибудь происходит. Тут целые банды орудуют. Разве можно по ночам ездить?

— Нам бы помыться и поспать, а утром поговорим.

Бабулька поставила греться воду, достала бутылку самогонки.

— Возьми, это лучшее лекарство от всех неприятностей, — сказала она Антону. — На кухне найдете соленые огурчики и вареную картошку. Я пошла спать. Мне вставать рано. Утром коровку нужно подоить, курочек покормить, да еще свинья захворала.

— Спасибо, бабушка, — Антон чмокнул ее в щеку.

Бабулька засмущалась.

— Целуешь как молодую, осторожнее надо, а то дед может проснуться, тогда нам обоим не поздоровится, — весело пробурчала она.

Когда вода согрелась, Антон взял полотенце, смочил его теплой водой и принялся вытирать запекшуюся кровь на моем лице. Я морщилась и тихо постанывала.

— Терпи. До свадьбы заживет, — ласково приговаривал Антон и старался делать все как можно более осторожно.

— А когда свадьба-то?

— Как скажешь, так и будет.

— Ты хочешь на мне жениться? — От изумления я вытаращила глаза.

— А почему бы и нет...

— Но ведь ты свяжешь себя с такой женщиной...

— С какой?

— Я взбалмошная.

— Это же замечательно.

— Я противная и нудная.

— Я всегда мечтал о такой.

— Я вредная и несносная...

— Это мои любимые качества.

Я замолчала и, уткнувшись в ладони, заплакала.

— О какой свадьбе можно говорить, если вокруг творится такое... Ничего не известно ни о сыне, ни о подруге. У тебя есть сотовый?

— Есть.

— Я хочу позвонить родителям.

— Не надо говорить им о том, что произошло. Твоя мать и так выглядит не самым лучшим образом. Так и до инфаркта недалеко. Ты должна ее хоть немножко пожалеть и дать ей поспать. Ты позвонишь им утром.

Я согласно кивнула и посмотрела на тазик. Вода была алого цвета. От увиденного у меня резко закружилась голова и вновь возникли приступы тошноты.

— Тебе плохо?

— Нет, все в порядке.

Я не хотела расстраивать Антона.

— Послушай, а ты не хочешь снять парик? На нем кровь.

Я схватилась руками за голову. Мне показалось, что вместе с париком окончательно исчезнет моя красота.

— Ты чего-то боишься?

— Нет. Просто не вижу необходимости снимать парик.

— Ты можешь это сделать ради меня?

— Ради тебя?

— Ну да.

Я сняла парик и удрученно положила его себе на колени. Антон погладил меня по слегка отросшим волосам и прошептал:

— Между прочим, тебе без парика намного лучше. Ты еще красивее. У тебя волосы уже отрастают.

— Не говори ерунды, — недовольно пробурчала я.

Как только Антон отмыл мне лицо, я принялась смывать кровь с головы Антона.

— Больно?

Антон не ответил.

— Ты говори — больно или нет. Не молчи.

— Терпимо.

— Так уж и терпимо. Я же вижу, как ты морщишься.

Потом мы уже сидели на кухне и пили самогонку, оставленную заботливой бабулькой. Сказать правду, раньше я никогда не пила самогонку. От первого же глотка голова у меня так закружилась, что я чуть было не свалилась под стол.

— Ты огурчиком закусывай, — смеялся Антон.

Он пил это страшное пойло с совершенно невозмутимым видом и даже не морщился.

— Господи, пьешь, как обычную воду! — опешила я.

— На то я и мужик. Мужик должен уметь зарабатывать деньги, пить самогонку, как воду, и при этом не пьянеть.

— Господи, и почему мы могли так долго жить друг без друга? — Я расплылась в пьяной улыбке.

ГЛАВА 11

Спать мы легли в небольшой комнатке, которую отвела нам бабулька. Я закрыла глаза и принялась ласкать Антона. Он лежал подо мной, постанывал и поглаживал мне спину. Это поглаживание приводило меня в восторг. Я была на вершине блаженства и знала, что сейчас необыкновенно хороша. По-моему, это происходит с любой женщиной, которая чувствует себя желанной. Я всегда любила свое восхитительное тело, свои длинные ноги с красивыми, тонкими изгибами. Я любовалась ладным загорелым телом Антона. Он принялся целовать мои соски. Они быстро поднялись и отвердели. Мне хотелось закричать, я с трудом сдержала себя. Я чувствовала, что мое терпение иссякает и мне хочется, чтобы он, наконец, вонзился в меня. Антон был опытным любовником и сразу уловил мое нетерпение. Как только я почувствовала Антона в себе, я громко застонала и стала извиваться словно змея.

— А я ведь и не думала, что так бывает, — едва выговорила я после долгих любовных утех.

— Как?

— Ну так, как у нас с тобой. Разве можно увидеть человека и сразу влюбиться без памяти?

— Выходит, что можно. У меня и самого такое в первый раз.

— Ты даже не представляешь, сколько лет я тебя искала. Спотыкалась, падала, но никогда не прекращала поиски. Я знала, что ты где-то есть. Я это чувствовала, только не знала где.

Антон тихонько засмеялся и поцеловал меня в лоб.

— Тебе кто-нибудь говорил, что ты сумасшедшая?

— Нет.

— Тогда я буду первым. Ты сумасшедшая, честное слово. Скажи правду, ты нашла то, что искала?

— Это ты о чем?

— О себе, — смутился Антон.

Я перекатилась на спину и уставилась в потолок.

— Я нашла то, что искала. Господи, и почему мои поиски продолжались столько времени...

Я приподнялась, села, благодарно посмотрела на Антона, меня переполняла любовь. Антон улыбнулся и погладил мою грудь. Она была мягкая и податливая. Застонав, я перекатилась на живот, демонстрируя Антону свою обнаженную спину и упругую попку. Антон не сдержался, лег сверху и попытался раздвинуть мои ноги сзади, чтобы протиснуться между бедер.

В этот момент послышался какой-то щелчок. Я не сразу поняла, что это такое. Словно что-то упало на пол.

— Антон, что это?

Антон не ответил. Я раздвинула ноги пошире, пытаясь почувствовать вошедший в меня член. Но член как-то обмяк и потерял упругость. Через несколько секунд я вообще перестала его ощущать.

— Антон, что с тобой? Тебе плохо? — встревожилась я. — Тебе перехотелось?

Антон по-прежнему молчал. Я сдвинула Антона и перевернулась на спину. То, что я увидела, повергло меня в шок. В затылке моего любимого виднелась маленькая, ровная дырочка, словно ее очертания нарисовали карандашом и помазали густой алой краской. Вскрикнув, я перевернула Антона на спину и заглянула ему в глаза. Они были пусты... Странно, но в человеке может молчать не только его голос, но и его глаза. Глаза могут говорить о многом... Они могут любить, смеяться, ненавидеть и заблуждаться... А еще они могут молчать... Именно такие молчаливые глаза были у Антона. В них была бездонная пустота. И все же в них оставалась любовь... Любовь, о которой столько пишут и столько говорят... Настоящая, живая, ни с чем не сравнимая... Я понимала, что он мертв, но не хотела в это верить, хотя и осознавала, что кто-то выстрелил ему в затылок. Меня переполняло только одно чувство — Я ПОТЕРЯЛА ЛЮБОВЬ...

В этой жизни можно потерять многое: здоровье, карьеру, славу, деньги, дружбу... Это тяжело, но все это можно пережить и приспособиться к тем обстоятельствам, с которыми приходится сталкиваться. Но как страшно потерять ЛЮБОВЬ... Боже, как это страшно...

Антон слегка улыбался... Улыбался наивной улыбкой, которая говорила о том, что еще недавно он был на верху блаженства.

— Родной, не умирай, пожалуйста, — тихо говорила я. — Слышишь, не умирай. Знаешь, после своего замужества я была уверена, что брак не про меня. Мой бывший муж всегда говорил, что терпеть не может замужних женщин, потому что они только и мечтают, как бы потрахаться на стороне. Меня это приводило в ярость. А когда я увидела тебя, я сразу захотела замуж. Я бы родила тебе прелестного сына, а может, двоих или троих... Или лучше девочек. Их можно одевать в нарядные платья и завязывать красивые бантики...

Я подняла голову и увидела человека с маской на лице, как у бойцов СОБРа. Он все время облизывал пересохшие губы, в руках у него был пистолет. Натянув простыню до самого подбородка, я еле слышно спросила:

— Почему вы его убили?

— Одевайся и выходи из дома. Если пикнешь, застрелю хозяев, которые спят в соседней комнате.

Голос был жестоким, грубым, леденящим. Меня бросило в дрожь. Я погладила Антона по окровавленным волосам и поцеловала в губы. Они были не такие, как раньше.... Совсем не такие... Они молчали и не шли мне навстречу... Они были стиснуты и безмолвны... Господи, а ведь еще совсем недавно... У меня закружилась голова и потемнело в глазах.

Может, и правда говорят, что каждая сказка имеет конец? Я еще раз посмотрела на Антона и подумала, что такой любви в моей жизни больше не будет. Я понимала, мне будет душно, неуютно, холодно и страшно... И мне придется научиться с этим жить.

— Если ты сейчас не сделаешь то, что я тебе сказал, выстрелю тебе в затылок, — услышала я.

Нервы не выдержали. Я скинула с себя простыню, обнажив свое тело.

— Что же ты сделал?! Сука! — закричала я и стала раскачиваться, как душевнобольная, тихо постанывая.

Через минуту приступ закончился, но я плохо сознавала, что со мной происходит. Нечаянно я несколько раз ударилась головой о стену. Я громко кричала, свивалась жгутом, меня охватила ненависть к миру за потерянную любовь. Мне хотелось только одного — поднять Антона. О, как я этого хотела. Я должна помочь ему. Я погладила его по холодному лбу. Мне показалось, что Антон до сих пор находится под влиянием моей ласки, но просто крепко уснул. Я была готова перенести тысячу его капризов, любое проявление его безграничного и безмерного эгоизма, только бы он был жив, только бы он был рядом со мной....

Я потянулись губами к его холодным рукам, и в этот момент вновь раздался глухой щелчок. Я вскинула голову и увидела лежащую на полу бабульку. Она была в теплой ночной сорочке, сквозь которую сочилась алая кровь. Бабулька была мертва.

— Одевайся и иди к выходу, — приказал мужчина, — иначе я застрелю всех в этом доме.

Поняв, наконец, что от меня зависит жизнь и смерть ни в чем не повинных людей, я принялась судорожно одеваться. Натянув на голову парик, я затравленно посмотрела на стоявшего передо мной человека.

— Давно бы так, — сухо сказал он. — Если бы ты все понимала с полуслова, не пришлось бы убивать бабку.

Я даже не помню, как этому психу удалось оттащить меня от Антона. Я очнулась в машине и увидела, что мои руки связаны прочной веревкой. Я не имела представления, куда меня везут и что ожидает меня. Сидящий за рулем человек по-прежнему не снимал маску, скрывающую его лицо.

— Куда мы едем? — с трудом выговорила я.

Человек в маске не ответил.

— Я спрашиваю, куда вы меня везете?

Ответа не последовало. Машина подъехала к заброшенному дому над обрывом и резко остановилась. Я почувствовала, как у меня перехватило дыхание. Человек в маске вышел из машины и, открыв мою дверь, встал прямо передо мной.

— Чего вы хотите? — снова спросила я дрожащим голосом.

Незнакомец, уже в который раз, проигнорировал мой вопрос. Он сунул руку в расстегнутые брюки и стал медленно себя поглаживать. Я онемела.

— Выходи из машины, — скомандовал он.

Я вышла из салона. Пахло сыростью, громко кричали лягушки. Незнакомец по-прежнему не вынимал руку из штанов, в другой он держал пистолет.

— Вставай на колени и соси, — скомандовал этот сумасшедший.

— Что?

— Что слышала. Вставай на колени и соси мой член.

Я покрылась холодным потом. Незнакомец стянул штаны и приспустил трусы. Его большой, стоящий член вызывал ужас.

— Зачем? — тупо спросила я.

— Ты не знаешь, зачем сосут член?

— Знаю...

— Тогда соси и не задавай лишних вопросов.

Мне хотелось одного — умереть. Человек в маске придвинулся ко мне и, разорвав кофту, вцепился в мои соски. Он ущипнул их с такой силой, что мне показалось, он просто их оторвет. Я попыталась оттолкнуть это чудовище.

— Сука, перед тем как умереть, ты доставишь мне удовольствие, — злобно прошипел насильник и укусил мой сосок.

Я закричала от боли и попыталась вырваться, но этот нелюдь был очень силен.

— Заткнись, шлюха, а то будет еще больнее...

Когда насильник повалил меня на землю, я продолжала бороться. Он пытался раздвинуть коленями мои ноги, и вскоре ему это удалось. Я вцепилась в его лицо и, разорвав маску, впилась своими длинными наращенными ногтями в глаза. Он завопил и выронил пистолет. Я подняла его и нажала на курок. Незнакомец упал рядом со мной. Меня затрясло. Я убила человека... Но ведь я отомстила за смерть ни в чем не повинного и близкого человека, я убила насильника.

Набравшись мужества, я сорвала с него маску. Раньше я не видела этого человека. Совершенно незнакомое, жесткое лицо... Я не знала, кто он... Возможно, он был отъявленным психом, а возможно, просто бандитом... Взяв за руки, я подтащила тело к обрыву и скинула вниз. Затем вернулась в машину. Включая мотор, я взглянула в небольшое зеркальце и увидела вместо себя затравленную мышь... Потом перевела взгляд на распростершуюся передо мной пропасть и подумала, что это совсем просто... Нужно чуть проехать вперед и нажать на газ... Я не знаю, насколько безболезненна эта смерть, что я почувствую... Страх, боль, а может быть, запоздалое желание жить...

Собрав остатки воли, я поехала в деревню. В доме, где мы ночевали с Антоном, я увидела распластанную на полу бабулю. Антон по-прежнему лежал на кровати, и мне даже показалось, что он живой. Сев рядом, я провела рукой по его волосам и, захлебываясь слезами, прошептала:

— Здравствуй, родной. Я не могла уехать, не увидев тебя еще раз. Ты даже не представляешь, как я без тебя жила... У меня была очень, очень тяжелая семейная жизнь, потом я тяжело болела... Когда я тебя увидела, подумала, что ты чертовски привлекателен. Я уверена, что от тебя без ума не только я, но и другие женщины. За считаные часы ты стал для меня самым родным человеком. Я люблю тебя, и эта любовь переполняет меня. Я счастлива, что встретила такого мужчину, как ты...

Мое тело еще помнило ласки Антона. Мои губы горели от недавних поцелуев. Я взяла любимого за руки и почувствовала чудовищный холод. Не выдержав, я рухнула на неподвижное тело Антона и громко зарыдала.

ГЛАВА 12

Дотащив Антона до машины, я положила его на заднее сиденье и поехала в Москву. Я не думала о том, что меня могут остановить гаишники. Я все время оборачивалась, чтобы еще раз посмотреть на Антона. Мне казалось, что он вот-вот проснется и обругает меня за то, что я веду машину на слишком большой скорости. Я улыбнусь и перестану так сильно давить на газ. Я очень его люблю и готова слушаться во всем. За время нашего знакомства я почувствовала себя по-настоящему счастливой и желанной. Мы смогли бы прожить долгую, счастливую семейную жизнь. И я уверена, в наши отношения не мог вмешаться третий.

На въезде в город я остановилась у телефона-автомата. Слава богу, автомат был допотопный и, напоминая о советских временах, работал от монеток. Набрав номер Марата, я дождалась, пока он снял трубку, и глухо сказала:

— Марат, это Вика, Милина подруга. Совсем недавно его убили. Он лежит на заднем сиденье моей машины.

— Ты в своем уме? — всполошился Марат.

— Я говорю правду. Я не знаю, что мне с ним делать. Я ведь даже не знаю, где он живет... Я вообще про него ничего не знаю...

— Где ты находишься?

— При въезде в Москву. Ленинградское направление. У меня серебристый «Форд».

— Стой на месте и никуда не двигайся.

Повесив трубку, я хотела было позвонить домой, но передумала. Еще слишком рано для того, чтобы будить родителей, если, конечно, они спят. Сейчас я навсегда распрощаюсь с Антоном, потом поеду домой и снова начну поиски сына. Правда, я уже сомневаюсь в том, что вообще смогу что-либо сделать в жизни.

В работавшей круглосуточно палатке я купила дагестанский коньяк и небольшую шоколадку. Я никогда не любила коньяк, а уж тем более самопальный, но в этот раз я пила его, словно бальзам, который хоть как-то успокаивал мои нервы. Я сидела на заднем сиденье. Голова Антона лежала на моих коленях и была очень тяжелой.

— Вот и все, Антоша. Вот и все, — прохрипела я. — Сейчас тебя заберут, и я больше никогда тебя не увижу... Никогда... Знаешь, как это страшно, сначала полюбить человека, а потом никогда его не видеть...

Я не помню, сколько я просидела в машине. Но бутылка коньяка опустела, а от шоколадки остался один маленький кусочек... Наконец рядом со мной остановился огромный джип и помигал мне фарами. Я осторожно положила голову Антона на сиденье и, пошатываясь, вышла из машины. Прямо передо мной предстали двое мужчин устрашающей внешности.

— Где Антон? — спросил тот, который был размерами побольше.

— В машине... А где Марат?

— Марат прислал нас. Он занят.

Я развела руками и произнесла пьяно:

— Конечно. Марат всегда занят. Он трахает какую-нибудь шлюху?

— Марат занят, — отрезал тот же мордоворот.

— Оно и понятно. Ему наплевать, что одна телохранительница, которая честно отработала на него несколько лет, пропала без вести, а другого просто убили. Его интересует только собственная жизнь...

Мужчины перенесли тело Антона к себе в джип. Я не хотела его терять даже мертвого, мне хотелось упасть на землю и забиться в истерике. Я задыхалась. От меня забирали любовь. Я оставалась один на один с обстоятельствами, которые обрушились на меня.

— Куда вы его повезете?

— Тебе какая разница? Похоронят по-человечески, не переживай.

— Мне очень большая разница. Антон был для меня близким человеком.

— Да ты знала его всего сутки!

— Я хочу знать, где его похоронят, — не сдавалась я.

— А Марат хотел бы знать, как он погиб. Марат ждет тебя сегодня в «Балчуге» в обеденное время.

— Если бы он хотел знать, приехал бы сюда сам.

— Да ты, в натуре, пьяная, — удивился один из халдеев, как называл своих служащих Марат. — Ты где так нажралась?

— Я не нажралась, а напилась. Это совсем разные вещи.

— А кто тебя так разукрасил?

— Тот, кто убил Антона, — произнесла я безжизненно и поплелась к чужому «Форду». Стало светать, а это значило, что я должна вернуться домой как можно быстрее. Я была пьяна, но вела машину аккуратнее, чем обычно. Я думала о том, что по-прежнему люблю Антона, люблю до безумия, но как-то по-другому, совсем иначе. Он превратился для меня в бога, моего бога, потому что общего бога не бывает. У каждого человека должен быть свой бог. Теперь Антон высоко на небе и думает обо мне, иначе просто не может быть, потому что нас слишком многое связывало. Слишком многое... Только бы он попал в рай и познал его радости... Антон мертв, но его душа будет витать сорок дней и только на сороковой день уйдет в мир иной. Раньше у меня просто не было жизни. Жизнь началась только тогда, когда я узнала Антона. Пройдет время, и мы обязательно встретимся. Я не знаю, когда это будет, но я в этом уверена. Я всегда добиваюсь намеченной цели. Я найду его, где бы он ни был. В преисподней или на небе, в раю или в аду.

Мне хотелось положить голову Антону на грудь, разрыдаться и слиться с ним, превратившись в одно неразделимое создание природы.

К дому родителей я подъехала около девяти утра. Грело ласковое солнышко, словно ничего не было, а эта ночь была такой же спокойной, как и все остальные. Сейчас свершится то, чего я боюсь больше всего. Или мой ребенок дома в целости и сохранности, или я уже никогда ничего о нем не услышу... Оттягивая решающий миг, я заглянула в чужой бардачок и среди вороха совершенно бестолковых бумаг нащупала проявленную пленку. Развернув ее, я постаралась разглядеть, что на ней изображено, но негативы были темными и неотчетливыми.

Это может мне пригодиться, пронеслось у меня в голове. Необходимо срочно напечатать фотографии. Быть может, я смогу хоть что-нибудь узнать об изверге, который убил Антона. Сунув пленку в сумочку, я закрыла бардачок и вышла из машины. Каждый шаг, приближающий меня к квартире родителей, давался мне с огромным трудом. В моем воображении рисовались самые ужасные картины. Я надавила на кнопку звонка и принялась ждать. Дверь распахнулась, и на пороге появилась мать, она выглядела значительно лучше и казалась намного спокойнее, чем прежде. Увидев, что я избита, она вскрикнула:

— Вика, доченька, что с тобой?

Не говоря ни слова, я отодвинула ее и вбежала в квартиру. В гостиной, на большом цветастом диване лежал сын и сладко посапывал. Я не верила своим глазам.

— Господи, неужели он дома?

— Час назад пришел...

— Как это — пришел?

— Позвонил в дверь. Я открыла, смотрю, Сашенька стоит.

— Что он сказал?

— Сказал, что ничего не видел. Ему завязали глаза, посадили в машину и привезли ко мне.

— А где его держали?

— Он и сам толком не знает. В каком-то сыром подвале.

Мама не удержалась и, бросившись ко мне на шею, громко заплакала.

— Самое страшное уже позади... Жив твой сыночек, жив...

Я обняла ее и тоже заревела. Вдоволь наплакавшись, мы пошли на кухню.

— Если бы ты только знала, как я хочу кофе, — вздохнула я, усаживаясь на стул.

Мама быстро приготовила ароматный кофе. Я сделала глоток и решительно сказала:

— Надо бы разбудить Сашу.

— Зачем? — перепугалась мать.

— Я хотела бы узнать поподробнее, что с ним произошло и где он был.

— Не трогай ребенка, пусть спит. Он и так столько натерпелся. Сказал, что целую ночь не спал. В подвале, где его держали, даже матраца не было. Он, бедненький, целую ночь на корточках просидел. Ребенок сам ничего не понял. В дверь позвонили, он и открыл. Никогда раньше чужим не открывал... Чего это на него нашло, непонятно...

— Вот это и надо выяснить!

— Выясним, только пусть сначала выспится. Сказал, что ему сунули под нос какой-то платок, и он сразу потерял сознание. Очнулся в сыром подвале. А потом завязали глаза и привезли обратно:

— Его не били?

— Нет.

— Ему не причинили ничего плохого?

— Все в порядке.

Мама села напротив меня и вгляделась в мое лицо:

— Доченька, ты пила?

— Пила.

— Много?

— Очень.

— А кто тебя так избил?

— Расскажу как-нибудь в другой раз. Я бы поспала пару часов...

Мама уложила меня в спальне и укрыла теплым пледом.

— Только разбуди меня через два часа. У меня неотложные дела, — засыпая, прошептала я.

Мне приснился Антон. Говорят, что покойники снятся к плохому, но этот сон был одним из самых приятных в моей жизни. Мы сидели в хорошо обставленной гостиной и пили сухое красное вино... Антон поглаживал мою спину, и я чувствовала, как по ней разливается приятное возбуждающее тепло... Играла легкая джазовая музыка, она завораживала и уносила куда-то вдаль. Поцеловав меня в шею, Антон наклонился и запустил руку под пышное платье. То ли к моему великому стыду, то ли к моему удивлению, на мне не было трусиков. Его длинные пальцы обожгли мою плоть, словно раскаленные клещи. Я не чувствовала стыда, не думала о том, что за соседними столиками сидят люди... Я бесстыдно раскинула ноги... Это были незабываемые ощущения. На минуту я почувствовала себя птицей, парящей над бездонной пропастью. Это была сладостная, ни с чем не сравнимая пытка...

Я проснулась с блаженной улыбкой. Мама сидела рядом и гладила меня по голове.

—Тебе снилось что-то хорошее? — ласково спросила она.

—Да, — я опустила глаза и покраснела, словно мама могла догадаться о том, что мне приснилось. — Сколько я проспала?

—Около трех часов. Может, еще поспишь?

—Нет, меня ждут дела.

—Куда же ты с таким лицом?

—Намажусь тональным кремом.

Воспоминания о том прекрасном сне никак не хотели меня отпускать, и я вновь закрыла глаза, но, услышав, что кто-то гремит на кухне посудой, моментально вскочила.

—Что, Сашенька проснулся?

—Нет. Андрей заехал кофе попить.

—Какой еще Андрей?

—Ну, твой муж...

—Бывший муж.

—Хорошо, твой бывший муж.

—Зачем ты его пустила?

—Но ведь он не чужой. Тоже переживает... Отец все-таки...

—Нам такой отец и даром не нужен!

Я решительно направилась на кухню. За столом сидел Челноков и пил кофе.

—Приятного аппетита. Смотри не подавись, — язвительно сказала я.

Челноков оглядел меня с ног до головы и, остановив взгляд на моем избитом лице, громко присвистнул.

—Еще никто не подавился кофе.

—Тогда смотри не поперхнись.

— Не поперхнусь, не переживай.

— А я вообще за тебя не переживаю! — вспылила я. — Я уже свое отпереживала. Пусть за тебя твои бабы переживают. Какого черта приперся?

— Я не к тебе.

— Ты пришел в дом моих родителей. Жалеешь, наверное, что не можешь у них полквартиры вынести?

— Я пришел посмотреть на своего сына.

— Хорошо наблюдать за происходящими событиями со стороны.

— Я был готов не только наблюдать. Я хотел вместе с тобой ехать его выкупать, но ты не взяла меня с собой. Посчитала, что первый встречный справится с этим гораздо лучше.

— Не смей говорить так про человека, которого я любила!

Я ударила кулаком по столу с такой силой, что у Челнокова пролился кофе.

— Ладно, хватит ругаться. Лучше скажи, как ты его выкупила и кто тебя так разукрасил.

— Я не обязана перед тобой отчитываться. Уходи.

Андрей побагровел от злости:

— Ты уверена, что ничего не хочешь мне рассказать?

— Уверена. Пошел вон.

Челноков направился к двери. Обувшись, он посмотрел на меня так, как удав смотрит на кролика.

— Ты еще обо всем пожалеешь, шлюха недоделанная, — бросил он с угрозой.

Как только за ним закрылась дверь, я подошла к спящему сыну и поцеловала в лоб. Он немного сморщился и перевернулся на другой бок. Наказав матери строго следить за сыном, я поехала домой.

До встречи с Маратом оставалось совсем немного времени. Нужно было привести себя в порядок и закрасить следы побоев на лице.

Дома мне стало не по себе. Здесь все напоминало об Антоне. Вот стул, на котором он сидел... Кровать, на которой мы занимались любовью... Подушки еще хранят запах его тела... Кровь ударила мне в голову, глаза застлала пелена. Не выдержав, я упала на кровать. Я гладила подушку и шептала как полоумная:

— Ты подарил мне такую радость... Ты даже не представляешь, какую радость ты мне подарил...

Раздался телефонный звонок. Я схватила трубку:

— Але, говорите! Але...

В трубке молчали.

— Але! Мила, это ты?

Ни звука.... Швырнув трубку на рычаг, я постаралась взять себя в руки. Если бы это звонила Мила, она бы не стала молчать. Да и как она может звонить... Скорее всего, кто-то ошибся номером.

Одевшись, я оглядела себя в зеркале, надела темные очки и направилась на встречу с Маратом, решив поначалу избавиться от машины, которая принадлежала убийце Антона. Я проехала несколько кварталов и бросила ее у каких-то гаражей. Потом я сдала пленку в проявку. Мне сказали, что фотографии будут готовы через два часа. После встречи с Маратом я смогу их забрать. Интуиция подсказывала мне, что в них кроется загадка, которую мне предстоит разгадать.

ГЛАВА 13

Я вошла в ресторан. Марат уже сидел за столиком и лениво ковырял вилкой в салате. К моему удивлению, он был один.

— А где охрана? — спросила я.

— В машине.

— Не хочешь есть вместе с холопами?

— Нет настроения. А почему ты в черных очках?

— Потому что я не очень прилично выгляжу. — Приподняв очки, я продемонстрировала свои синяки.

Марат усмехнулся:

— Парик, темные очки. Обедать будешь?

— Я бы выпила чего-нибудь крепкого.

Вскоре на нашем столике появилось жаркое и небольшая бутылка «Хеннесси». Она стоит сумасшедших денег. От Марата пахло туалетной водой «Гуччи Раш». На спинке дивана висел шарф от Диора, на столе лежала зажигалка «Живанши». На его руке — часы «Бушерер», а из кармана выглядывали солнцезащитные очки от Гуччи. От этой бессмысленной роскоши хотелось бежать как можно дальше.

Сделав глоток коньяка, я почувствовала чей-то настойчивый взгляд и обернулась. В дальнем углу ресторана сидели трое: Юрец, Малыш и Кабан. Юрец приветственно поднял руку и улыбнулся. Я растерялась.

— Что случилось с Антоном? — вернул меня к действительности голос Марата.

— Его убили.

— Это я уже понял. Я бы хотел знать, кто это сделал.

— Тот, кто это сделал, покоится в пропасти.

Я рассказала Марату о том, как мы с Антоном отправились в далекую деревню на поиски моего сына и что случилось потом. Рассказала подробно, но говорить о том, в какой именно момент его убили, не стала. Зачем? Марат вряд ли меня поймет. Мне хотелось сохранить свою тайну, она только моя, и я не собираюсь ни с кем ею делиться.

— Странно как-то получается, то у тебя пропадает подруга, то сын, — заметил Марат, вытирая рот салфеткой.

— Это уж точно. Не успею с одним расхлебаться, как наваливается другое.

— Ладно, подруга, ты дальше со своими проблемами сама копошись. Я больше своих людей терять не хочу.

— Как это сама? — не на шутку перепугалась я.

— Так это. Я сделал для тебя все что мог.

— А Мила?

— Это меня больше не касается.

Выпив полную рюмку коньяка, я осмелела и дернула Марата за рукав.

— Послушай, ты только корчишь из себя крутого, а на самом деле боишься собственной тени. Мила честно на тебя отработала несколько лет... В конце концов, она с тобой спала... Ты обязан ее найти. Ты обязан нанять частных детективов и перевернуть вверх дном всю Москву! Ты должен это сделать!

— Заткнись, — резко оборвал меня Марат. — Меньше шляйся где попало, тогда и не будешь попадать в неприятные ситуации. И еще, если найдется Мила, передай, что она уволена еще месяц назад. На ее место принята более красивая и покладистая сотрудница, которая честно зарабатывает свою копейку и не строит иллюзий по поводу замужества.

— А что будет с Антоном? — спросила я.

— Похоронят, как положено.

— А я могу пойти на похороны?

— Кто ты ему? Никто. Сиди дома, от тебя и так одни неприятности.

Марат вышел из зала. Я сидела, уставившись в стол. Не помню, сколько я просидела. Может, пять, может, десять минут, а может, и полчаса... Я очнулась тогда, когда за мой столик сел Юрец.

— Привет, — сказал он. — Тебе не кажется, что еще слишком рано, чтобы так много пить.

— А может, я хочу напиться...

— У тебя опять какие-то неприятности?

— У меня вся жизнь состоит из одних неприятностей.

Я посмотрела на его шею.

— А у тебя как?

— Потихоньку.

— Как шея?

— Зашили, все нормально.

— Как семейная жизнь?

— Как всегда, без изменений.

— Хорошо ты живешь. У тебя вся жизнь без изменений. А у меня наоборот — одни изменения. Вчера вечером сына украли, потребовали выкуп. Только утром вернули. А про семейную жизнь вообще говорить не хочется.

Допив остатки коньяка, я почувствовала, что опьянела.

— Гребаный Челноков приперся. За сына он, видите ли, переживает... Папашка хренов... Ничего хорошего в семейной жизни нет, я тебя уверяю. Когда мы связываем себя узами брака, то совершенно не понимаем, к чему нас принуждают. Брак — это чудовищная пытка. Когда мы с мужем расстались, я многое поняла. Порой мне бывает смешно от того, что я испытывала такие сильные чувства к этому ничтожеству. — Я замолчала, отодвинула пустую бутылку коньяка и посмотрела на часы: — ...Несу какой-то бред, ты меня не слушай. Просто настроение паршивое.

— Ты нашла свою подругу?

— Нет.

Я посмотрела на Кабана и Малыша. Они сидели за столиком и продолжали оживленно беседовать. Правая рука Кабана была перевязана.

— Он что, тоже запаску менял? — совсем тихо спросила я Юрца.

— В смысле?

— В смысле того, что, когда ты менял запаску, тебе поранили шею, а когда запаску менял Кабан, ему порезали руку.

Юрец засмеялся и покачал головой:

— Нет, ему медведица палец откусила.

— Как это? — опешила я.

— Обыкновенно. Косолапая зверюга. У нас медведица. Сидит в клетке. Кабан выпил и решил медведицу шоколадкой покормить...

— Ничего себе, она у вас шоколад ест?

— Он не только ее шоколадом кормил, еще и за нос хотел ухватить, вот она ему палец и откусила.

— А пришить нельзя?

— Как же пришить, если она его съела.

Я вновь посмотрела на Кабана.

— Красивый мужик. Ему и без пальца пойдет. Такому мужику хоть ногу отрежь, на него бабы все равно вешаться будут. Одно слово — породистый.

Забывшись, я приподняла очки, чтобы потереть глаз. Юрец увидел мои синяки и пришел в полное замешательство.

— Все нормально, — улыбнулась я. — Пройдет. Сам знаешь, что такое синяки. Сегодня есть, а завтра их нет.

— Ну ты даешь. У тебя не жизнь, а прямо фильм ужасов.

— Юрец, миленький, — я схватила его за руку. — Помоги. Мне в этой жизни больше надеяться не на кого. Ты остался у меня один-единственный! Будь другом, выручи. Поехали на ту дачу, где моя подруга пропала. Еще раз все осмотрим.

— Ты в своем уме?

— Конечно, в своем, а в чьем же еще? Я хорошо соображаю. Соседка говорила, что видела, как она из дома выходила, да только врет она все. Или ей померещилось. Не могла она из своей квартиры выходить. Никак не могла. Юрец, миленький, мне ведь больше и обратиться-то не к кому. У меня никого ближе тебя нет.

— Надо же, а я об этом не знал.

— Вот теперь будешь знать.

Я смотрела на Юрца с мольбой.

— Юрец, ты мне поможешь?

— Нет, — не раздумывая ответил он.

— Как это нет?

— Так это. У меня своих проблем выше крыши. Больно мне нужно с твоими возиться. То у тебя подруга исчезает с двумя пулевыми ранениями, то у тебя трупы на дачах лежат, закрытые в подвалах... Лицо вот кто-то разбил.

— Ой, это еще не все, — затараторила я. — Я еще к сатанистам попала. Можно сказать, чудом спаслась. А еще у меня любимого человека убили...

Я сказала последнюю фразу и почувствовала, что могу расплакаться.

— Ты мне поможешь? — повторила я свой вопрос.

— Нет, — ответил Юрец.

Я встала и раздраженно поправила парик.

— Тебе без парика лучше, — издевательски сказал он.

— Да пошел ты...

Пулей выскочив из ресторана, я отправилась за фотографиями. Я шла решительным шагом по мостовой и приговаривала: «Будь прокляты эти мужчины! Будь они прокляты! Все, кроме одного. Кроме Антона». Неожиданно я подумала о Юрце. Он был довольно интересным мужчиной. Наверно, женщины сходят по нему с ума. Такой сексапильный... Я устыдилась собственных мыслей и пыталась оправдать себя тем, что выпила слишком много коньяка.

«Что ж, что этот Юрец отказал мне в помощи! — стала думать я. — Не все уж так плохо, еще не все кончено. Я еще повоюю, я очень настырная, у меня получится. В конце концов, светит яркое солнышко, проходящие мимо меня мужчины призывно поглядывают на меня — и это при моем-то нынешнем виде...»

Получив фотографии, я отошла в дальний угол и стала перебирать снимки. То, что я увидела, потрясло меня. На первых снимках был человек, убивший Антона. Вот он стоит в парке у большой акации, вот сидит за столиком в кафе... Несмотря на улыбку, в его лице угадывается жестокость. Дальше лежали снимки, потрясшие меня больше всего. На одном из них был мой муж, сидящий у фонтана... «Господи, какое отношение к этому типу имеет Андрей?» — пронеслось у меня в голове... На другом — Андрей и человек, которого мне пришлось убить и скинуть в пропасть. Они стояли обнявшись... Я почувствовала, что мне не хватает воздуха. Эта парочка знает друг друга довольно хорошо. Обняться могут только близкие люди...

Я машинально сунула фотографии в пакет и вышла на улицу. Я никак не могла связать все ниточки в единое целое и хоть что-нибудь понять. Ясно было одно — Челноков не так прост. Неужели он предал меня и ребенка ради пятнадцати тысяч долларов?! Неужели такое бывает?! Неужели несчастная пачка баксов может лишить человека рассудка настолько, что он отдает на мучения собственного ребенка...

Человек в маске, убивший Антона, хотел убить и меня... Мне вспомнились события той страшной ночи. Он привез меня к пропасти, попытался надругаться... Если бы это произошло, он скинул бы меня в пропасть. Получается, Челноков хотел меня убить... Только бы я ошибалась... Как было бы хорошо, если бы я ошибалась...

Я поехала на съемную квартиру мужа, долго стояла у двери, пытаясь унять дрожь и избавиться от сухости во рту. Наконец позвонила. Дверь распахнулась, и на пороге появилась совсем молоденькая девушка, закутанная в банное полотенце.

— Простите, Андрея можно? — нерешительно спросила я.

— А его нет.

Девушка откинула назад длинные мокрые волосы и посмотрела на меня с превосходством.

— Когда он будет?

— Не знаю.

То, что это милое юное создание не было настроено на разговор, было понятно сразу, но я не хотела отступать.

— А где он?

— Он передо мной не отчитывается. А вы кто?

Я замялась, переступила с ноги на ногу и тихо произнесла:

— Я его жена.

— Жена?

— Да! Разве Андрей не говорил вам, что он женат?

— Говорил, он от меня никогда ничего не скрывает. Все зависит от женщины, — с вызовом продолжала девушка. — Нужно поставить себя так, чтобы мужчина был у тебя как на ладони.

— Вы слишком молоды, чтобы меня учить, — резко ответила я и стала спускаться по лестнице.

— Ему что-нибудь передать?

— Передайте, что он отъявленная сволочь! — крикнула я и вышла из подъезда.

Прямо у подъезда стояла новенькая «Ауди», которую старательно натирал мой бывший муж. Он пребывал в прекрасном расположении духа и что-то напевал себе под нос.

— Привет, — я с трудом сдержалась, чтобы не залепить ему пощечину.

Челноков поднял голову, выронил тряпку и испуганно уставился на меня.

— Привет.

— Давно не виделись. С самого утра. Как жизнь?

— Нормально.

— А я смотрю, ты времени даром не теряешь. Обновками обзаводишься... Машину прикупил.

— Да я уже давно собирался...

— А деньги где взял?

— Знакомый одолжил.

— А отдавать чем собираешься?

— Заработаю.

— Как же ты заработаешь, если никогда в жизни не работал?!

— Послушай, какого черта тебе надо? — Челноков нахмурился. — С какого хрена я бы перед тобой отчитывался? Ты мне и так чуть сына не угробила... Шляешься хрен знает где... Ты со своего нового любовничка спрашивай. Пусть он дает тебе полный отчет...

— А как ты собираешься ездить, если ты машину водить не умеешь?

— Куплю права.

— Денег, наверное, у тебя много?

— Не тебе считать.

Челноков принялся снова обхаживать свое приобретение. Я почувствовала на себе чей-то пристальный взгляд и подняла голову. Из окна на меня смотрела новая девушка моего мужа. Она не сводила с меня глаз и явно кипела от злости.

— Любовница твоя в окно смотрит, — усмехнулась я.

— Ну и пусть смотрит. Она у меня не ревнивая. Все прощает. Ты ее видела?

— Видела. Молодая, зеленая, жизнью не битая. Встретила такого идиота, как ты, и влюбилась без памяти.

— У нее ноги от ушей, а сиськи вообще отпадные.

— Смотри, чтобы она тебя этими сиськами ночью не задавила. — Я подошла к Андрею вплотную: — Ты машину давно купил?

— Только что.

— Ну ладно, — с наигранным безразличием произнесла я. — Не буду тебе мешать. У меня времени в обрез. Хочу сходить в милицию.

— Зачем? — Челноков прекратил тереть машину и положил тряпку на капот.

— Зачем ходят в милицию? Хочу подать заявление.

— Какое еще заявление?

Я сразу заметила, что Андрей изменился в лице. От его надменности не осталось и следа. Он стал похож на побитую собаку.

— Обыкновенное заявление. Мол, я, такая-то, такая-то, ставлю вас в известность, что мой муж Челноков Андрей Николаевич, с которым мы уже несколько месяцев не живем вместе, в сговоре со своим товарищем похитил нашего ребенка с целью выкупа за пятнадцать тысяч долларов. В результате этого погиб один ни в чем не повинный человек, а я получила тяжелые увечья, о чем прилагаю справку из травматологического пункта.

Челноков процедил сквозь зубы:

— Ты что, напилась?

— Нет. Я в здравом уме и твердой памяти.

— Ты, в натуре, дура конченая.

Я сделала вид, что действительно очень тороплюсь, и посмотрела на часы.

— Ладно, натирай свою новенькую машину, а мне пора в милицию.

Челноков схватил меня за локоть и злобно прошипел:

— Я смотрю, ты в последнее время совсем умом тронулась. В милицию зачем?

— Затем, чтобы посадить тебя в тюрьму.

— Кто тебе поверит?

Я достала фотографию, на которой запечатлелась сладкая парочка: Челноков и человек, убивший Антона.

— А вот это ты видел! — сунула я ему снимок прямо под нос.

Андрей выхватил его у меня и удивленно пробормотал:

— Откуда это у тебя?

— Позаимствовала у твоего друга.

Я старалась казаться спокойной, но мой голос предательски дрожал:

— Этот человек пытался меня убить... Он был там, в том сарае... Я и не знала, что ты способен на такую подлость.

Челноков разорвал фотографию на мелкие кусочки и усмехнулся.

— Ты зря усмехаешься, — сказала я. — У меня есть негатив, и он спрятан в надежном месте.

Андрей надвинулся на меня и прижал к машине с такой силой, что я чуть было не закричала.

— Слушай меня внимательно, — процедил он сквозь зубы. — К тому, что случилось, я не имею никакого отношения. Я бы никогда в жизни не сделал плохого своему сыну. Никогда! Человек, изображенный на фотографии, мой товарищ. Мы вместе служили в армии. Недавно встретились. Погуляли в парке, вспомнили кое-что, посидели в кафе. Не понимаю, какое отношение он имеет к пропаже нашего сына?

Я оттолкнула Андрея и перевела дыхание:

— Человек, которого ты видишь на фотографии, похитил нашего сына. Он был в маске, но перед тем как скинуть подлеца в пропасть, я сорвала маску и, поверь, никогда не забуду его лица. А пленку я нашла в бардачке его машины, на которой и вернулась домой.

Андрей напрягся, он нервничал все больше и больше.

— Ты сбросила его в пропасть? — севшим от испуга голосом спросил он и наклонился ко мне. — Послушай, ты никому об этом больше не говори, а то тебя посадят.

— Если бы я не убила его, вряд ли сейчас разговаривала бы с тобой. Я сделала это в целях самообороны, что совсем нетрудно доказать.

— Ты плохо знаешь ментов. Они не будут долго разбираться. Им только бы найти крайнего... Тебе вообще лучше забыть про то, что произошло.

— Чтобы тебе было спокойнее?

— Я к этому непричастен. Если все обстояло так, как ты говоришь, получается, что мой друг решил похитить нашего сына, чтобы получить от нас деньги. Ну, бандит! Я бы его сам в пропасть скинул! Своими собственными руками! Я бы его не только скинул, я бы перед этим ему всю морду изуродовал:

Я смотрела на Челнокова и не знала — верить ему или нет? Он старался казаться искренним.

— Уж и не знаю, когда ты говоришь правду, а когда врешь, — призналась я.

— Когда дело касается моего сына, не до вранья, Что бы между нами ни произошло, я бы никогда не сделал плохо своему ребенку. Сашка мой единственный и любимый сын.

Так и не разобравшись в его искренности, я почувствовала, что больше не могу слышать даже его голос, резко повернулась и пошла прочь.

— Только не вздумай ходить в милицию! — донеслось мне вслед. — Это обернется против тебя! Никто не будет докапываться до сути! Твою самооборону посчитают самым настоящим убийством и дадут по полной программе! Я не хочу, чтобы ребенок рос без матери!

— Да заткнись ты! — я махнула рукой и ускорила шаг.

Быть может, Челноков прав: если я заявлю в милицию, меня признают виновной. Возможно, Челнокова подставил его армейский товарищ, возможно, и нет... Тогда откуда у моего нищего муженька новенькая машина?! От таких противоречивых мыслей разламывалась голова.

Я вышла на шумный проспект и вдруг поняла, что я ничего не слышу. Казалось, вокруг стоит мертвая тишина, от которой закладывает уши... «Нет, этого не может быть, — подумала я. — Это нервы, просто обман слуха». События той страшной ночи прочно держали меня в тисках. Я снова испытала желание умереть. Если бы у меня был пистолет, я, не раздумывая, убила бы себя прямо здесь, на улице, несмотря на скопление народа. В конце концов, ведь убила же я человека в маске и скинула его в пропасть... И не пожалела об этом ни минуты...

ГЛАВА 14

— Девушка, вас подвезти?

Я обернулась. Рядом со мной притормозил до боли знакомый джип, из окошка высунулся Юрец.

— Ты что, следишь за мной? — сердито спросила я.

— Больно надо, — обиделся Юрец. — По-моему, это ты за мной следишь, а я просто мимо ехал, смотрю, ты идешь.

— Так уж и мимо!

— Да пошла ты, дура бестолковая!

Джип взревел и на бешеной скорости помчался по проспекту. Я посмотрела ему вслед и покрутила пальцем у виска.

До Милиного дома я добралась на такси. Я долго звонила в дверь, но, естественно, никто не открыл. Я постучала в дверь соседки, которая утверждала, что видела Милу живой и невредимой. Ее дома не оказалось. Потоптавшись немного на лестничной площадке, я поехала домой, не зная, куда себя деть. Я кругами ходила по пустой комнате, подходила к окну и наконец уселась прямо на пол, подтянув колени к подбородку.

Я думала об Антоне, человеке, которого я сбросила в пропасть, и о своем муже. Мне вспомнилось время, когда я была беременна. Андрей обхаживал меня, словно свою самую любимую курицу-наседку. Это было прекрасное время. Мы жили тихо, спокойно, никогда не ссорились. Мы были больны болезнью, которая носит название «любовь». Мне нравилась наша квартира, я считала, что она похожа на самый настоящий рай. Я всегда верила, что в рай попадают только по-настоящему любящие люди. Андрей гладил по ночам мой живот и слушал, как там ворочается Сашка. А когда сын родился, у Челнокова был такой важный вид, словно рожал он сам. Неужели Челноков мог участвовать в этой истории с похищением и так рисковать сыном?

Зазвонил телефон. Это был Андрей. Он словно услышал мои мысли.

— Я хочу сказать тебе, что ты не должна думать обо мне плохо, — быстро заговорил он. — Я не имею никакого отношения к тому, что произошло. Мне такое и в голову не могло прийти. Меня подставили.

— Кто?

— Мой армейский товарищ. Мы не виделись несколько лет и встретились совсем недавно. Я рассказал, что моя жена...

— Бывшая жена, — поправила я.

— Хорошо. Моя бывшая жена несколько лет занималась туристическим бизнесом. Наверное, он решил, что у нас много денег, поэтому и похитил нашего сына.

— Ты всегда говоришь не то, что нужно. Почему ты не рассказал своему товарищу, что твоя жена заболела раком и ты безжалостно ее бросил в самый ужасный момент?!

— Зачем ты так? Вика, я вот чего боюсь. Если ты пойдешь в милицию, ты подпишешь себе смертный приговор. Никто не будет ни в чем разбираться. Это очень серьезно. Тебе дадут вполне приличный срок, и Сашка останется без матери. Ты не знаешь, что такое тюрьма. Ты не выживешь там и дня...

— Большое спасибо за заботу.

Я положила трубку и посмотрела на нее с ненавистью. Я так и не знала — верить Челнокову или нет. Я не понимала, что мне делать.

Оставаться в пустой квартире и ждать у моря погоды не было сил. Мне хотелось пойти туда, где много народа, где шумно и играет музыка. Я решила отправиться в какой-нибудь ночной клуб, а поздно ночью на любой попутке добраться до дачи Костиного отца... Ведь я так и не исполнила предсмертную просьбу Кости. И мне просто необходимо еще раз осмотреть место, где пропала Мила. Я надела одно из своих вечерних платьев, которое не унес Челноков, и, положив на лицо толстый слой тонального крема, надела большие черные очки.

Похлопав себя по онемевшим щекам, я глубоко вздохнула и вышла из квартиры.

Подсознательно я чувствовала опасность и решила поехать на метро. Я должна была знать, что не одна, что рядом со мной люди, пусть чужие, обремененные своими проблемами и заботами, но они есть, они рядом. На меня снова навалился ужас произошедшего у пропасти. Я убила человека. Я хорошо помнила старую истину — пришедший с мечом от меча и погибнет. Попросту говоря, тот, кто берет в руки оружие, легко может получить пулю в лоб только за то, что вышел на тропу войны.

Я доехала до «Арбатской», вошла в казино и поднялась в ночной клуб. Народу почти не было. Играла тихая, медленная музыка. Веселье начнется позже. Чувство опасности усилилось. Я была уверена, что за мной кто-то пристально следит. Чувство было похоже на то, которое я испытывала у реки, когда несла эти чертовы деньги, чтобы сунуть их под ведро... Я съежилась и осторожно осмотрела зал. Ничего необычного и подозрительного... И все же я чувствовала леденящий холод чьих-то глаз...

Глотнув незамысловатого коктейля, я поняла, как устала. Слишком много мне пришлось пережить за последнее время.

Ко мне за столик подсел паренек. Сразу было видно, что он под кайфом. То ли укололся, то ли накурился... Взгляд туманный, неосмысленный. Он взял меня за руку:

— Почему ты в темных очках?

— Чтобы ты спросил. — Я быстро выдернула руку.

Парень уставился на мое декольте и, покачиваясь на стуле, поднял на меня мутные глаза:

— У тебя классные сиськи. Да и кожа тоже ничего. Сними очочки, крошка, хочется заглянуть в твои глаза.

— Проваливай! — возмутилась я.

Он не обратил внимания на мои слова, сделал вид, что просто меня не слышит.

— Когда мы займемся любовью? — спросил он как ни в чем не бывало. — Я так возбужден, что даже больно.

— Пошел вон, придурок накуренный, — прошипела я. — Найди себе такую же соплячку, как ты.

— Мне нравятся женщины намного старше меня, — продолжал разглагольствовать он. — За последний месяц я переспал с целой дюжиной девиц. Снимал на Тверской, на других улицах, в барах...

— Тогда тебе самое время пойти провериться.

— Милая, подари мне порцию хорошего секса, — бормотал парень, с трудом удерживаясь на стуле.

Я поняла, что отвязаться от него не удастся, и встала из-за стола.

— Ты обиделась? — удивился распоясавшийся наркоман. — Я не хотел тебя обидеть! Может, вмажемся? У меня есть чем. С удовольствием с тобой поделюсь.

Оставив обкуренного дегенерата, я направилась в туалетную комнату и, проходя по залу, почувствовала на себе чей-то ледяной взгляд. Не успела я закрыть за собой дверь в дамскую комнату, как она распахнулась, и на пороге появился наркоман. Опешив от такого неслыханного хамства, я сжала кулаки и, задыхаясь от нахлынувшей ярости, прошипела сквозь зубы:

— Послушай, ты, ублюдок хренов! Кто тебе разрешил заходить в женский туалет?! Ты что себе позволяешь?! Я сейчас позову охрану

— Не надо никого звать. Все хорошо, у меня просто очень сильная эрекция... Ты должна мне помочь... — бормотал юноша.

Дверь туалета снова распахнулась, и вошел какой-то кавказец. Я в ужасе застыла. Он достал пистолет. Наркоман не обратил на это внимания.

— Ты какого черта приперся? — спросил он кавказца с вызовом. — Здесь только для женщин.

— А ты что, женщина, что ли? — обнажил белоснежные зубы кавказец и взмахнул пистолетом.

— Я не женщина... Просто у меня очень сильная эрекция, — засмеялся наркоман идиотским смехом.

— Ну так и проваливай отсюда, раз ты не женщина.

— Сейчас как провалю...

Я знала, что кавказец пожаловал сюда, чтобы меня убить. Попятившись, я спиной прижалась к туалетной кабинке и слегка приоткрыла дверцу. Мне хотелось стать невидимой или совсем исчезнуть.

— Вали отсюда, пока я не отстрелил тебе яйца, — оборвал наркомана кавказец.

— Я пришел сюда, чтобы трахнуть свою подружку, — совсем не испугался наркоман. — Это ты проваливай, и как можно скорее. А мне необходимо разрядиться. Я хочу попробовать эту телочку. Молоденькие девочки — как пирожные с кремом: на вид — пальчики оближешь, а поел — тошнит.

— Ну смотри, парень, ты выпросил.

Раздался глухой щелчок. Точно такой же щелчок я слышала, когда убили Антона. Наркоман медленно опустился на пол.

Я влетела в туалетную кабинку и закрыла ее на щеколду. Меня трясло от страха.

— Не прячься, сука, я все равно тебя достану! — услышала я.

Я закрыла глаза и представила, что вот сейчас меня убьют, через несколько секунд я буду лежать на полу мертвая, страшная, окровавленная. Как хочется жить!

Я плохо помню, что было дальше. Раздалось несколько выстрелов, и в двери туалетной кабины появилось несколько ровных дырочек. «В меня стреляют, — пронеслось в голове. — Господи, в меня стреляют...» Затем послышался стук женских каблуков, голоса, крики... Выстрелы прекратились. По всей вероятности, убийца выскочил из туалета. Надеюсь, ему не удастся убежать. Его схватит охрана, а это значит, что я буду в безопасности хотя бы какое-то время... Как ему удалось пронести в казино оружие? По-моему, это невозможно, и тем не менее...

Я сидела, сжавшись в комочек, и прислушивалась к тому, что творилось за дверью туалетной кабинки. Спина занемела, а ноги просто отказывали. Пересилив немощь, охватившую меня, я поднялась и тихонько толкнула дверцу.

В туалетной комнате толпился народ: охранники, официантки, уборщики. Они столпились вокруг мертвого наркомана и, перебивая друг друга, о чем-то испуганно спорили. Я незаметно проскользнула в зал. Смертны все — и крутые, и некрутые, и те, кто сидит на дозе, и те, кто ни разу не пробовал наркотики...

Мне не хотелось встречаться с милицией, и я спустилась в основной игровой зал, смешалась с толпой зевак. Человек, требовавший выкуп за моего сына, говорил с ярко выраженным кавказским акцентом. Неужели это мой убийца?

Неожиданно я увидела за одним из игровых столов знакомую троицу. Юрец, Кабан и Малыш! Привычным движением поправив парик, я подошла к Юрцу:

—Послушай, ты и в самом деле за мной следишь?

Юрец удивленно посмотрел на меня:

—Это ты за мной следишь.

—Какого черта ты сюда приперся?

—Хочу спустить немного денег.

—Лучше бы поделился с малоимущими.

—А кто здесь малоимущий?

—Я!

—Что-то ты на малоимущую не похожа...

—А на кого я, по-твоему, похожа, на обеспеченную, что ли? Как же я могу быть обеспеченной, если меня никто не обеспечивает?

Юрец усмехнулся:

—Послушай, подруга, у тебя точно с головой не в порядке. Не мешай играть, а то скоро казино закрывают. Говорят, на втором этаже человека убили. Стрелял кавказец. Его охрана тут же взяла.

—А ты не знаешь, как он пронес оружие? Ведь тут же так проверяют!

—Как проносят оружие? Элементарно. Подкупают охранников.

Я наклонилась к Юрцу и прошептала на ухо:

—Этот кавказец хотел меня убить. Он зашел за мной в женский туалет и стрелял в меня через дверцу кабинки. Я чудом осталась жива. Если бы ты только знал, что мне довелось пережить...

—Послушай, ты точно чокнутая. — Юрец слегка кашлянул. — Ты, случайно, в детстве не падала?

—Падала, только это никак не повлияло на мою голову.

—Я бы этого не сказал. Мне кажется, у тебя самые серьезные последствия.

Я отошла от игорного стола и, стоя посреди зала, стала наблюдать за этими людьми-роботами, рабами казино, так безжалостно спускающими свои деньги.. Наши взгляды пересеклись. Он поднял фужер, и этот безмолвный тост был понятен нам обоим. Он хотел отыграть свои деньги и пил за удачу, за везение... Подождав немного, я вновь подошла к нему и прошептала:

— А ты здесь долго еще будешь?

— Обычно я играю всю ночь, но сегодня закроют рано. Как-никак убийство произошло.

— А ты уверен, что закроют?

— Пока точно еще никто ничего не знает.

— Я хотела воспользоваться твоим джипом... Мне на дачу нужно смотаться. Я недолго, только туда и обратно. Ты бы пока здесь поиграл... Я без колес...

— Если не ошибаюсь, у тебя были колеса...

— Ты имеешь в виду ту развалюху?

— Ну да.

— Ее угнали. Я тогда поехала выкупать своего ребенка, попала в лапы к сатанистам и чудом от них сбежала...

Юрец изменился в лице:

— Тебе точно в больничку надо. У меня есть знакомый психиатр. Он тебе всегда найдет место в клинике для душевнобольных.

— Я с тобой говорю вполне серьезно. Так что, дашь мне свой джип или нет?

— Вообще-то я не пункт проката.

— Я понимаю, но я же по-дружески прошу. Где я сейчас буду частника ловить? Да и сколько мне это будет стоить! Денег у меня нет, ждать помощи неоткуда.

В этот момент объявили, что администрация решила не закрывать казино, оно будет работать в прежнем режиме.

— Вот видишь, — подмигнула я Юрцу. — Ты можешь тут до утра торчать и проигрывать последнее.

А я пока на твоем джипе прокачусь. Туда и обратно, честное слово. Давай документы и ключи.

Юрец ожег меня таким взглядом, словно перед ним стояла не женщина, а ненавистный враг.

— Послушай, чокнутая, ты что ко мне прицепилась? Отвали, ради бога! Ты у меня уже в печенках сидишь!

— Ну, Юрец, и жадина ты!

— Я тебе не Юрец. Я Юрий Юрьевич!

Поняв, что этот черствый сухарь не собирается выручать меня, я пожелала ему проиграться в пух и прах, покинула игорный зал и направилась на второй этаж. Там все выглядело так, словно и не было никакой перестрелки. В танцевальном зале громко играла музыка, а рядом со сценой извивались молоденькие девчонки. Я принялась танцевать, тайком смахивая слезы.

Я танцевала и... плакала. Я плакала об Антоне, о Миле, о неудавшейся семейной жизни... Даже о незнакомом наркомане, который так глупо распорядился собственной жизнью. Стайка совсем молоденьких девчонок окружила меня и, судя по всему, пребывала в неописуемом восторге. Рядом со мной очутился юноша атлетического телосложения. Я весело ему подмигнула и продолжила свой отчаянный танец. Юноша с удовольствием принял мой вызов. Танец развлек меня. Обида прошла. Я подумала, что Юрец очень интересный, в нем есть что-то такое, что притягивает женщин... Он создает впечатление мужчины, с которым легко и нет необходимости беспокоиться о чем-либо, но я знала, что это далеко не так. Интересно, какой он в сексе? Возможно, если бы мы сблизились, я увлеклась бы им намного больше, чем следовало.

Я устыдилась собственных мыслей. Танцевавший рядом со мной юноша обнял меня за плечи и положил руку мне на грудь:

— Ты классная девчонка! К каким секс-меньшинствам ты относишься?

— Что? — Я пришла в замешательство.

— Мы — сборище извращенцев! — выкрикнул он и изобразил такое сальто, что у меня захватило дух.

— Каких еще извращенцев? Я пришла сюда только для того, чтобы потанцевать.

— Мы тоже танцуем! Просто мы все разные! Тут те, кто носит одежду из латекса, — латексоманы, любители пеленать своих партнерш в целлофан, воскоманы, приходящие в кайф от одного вида воска капающего со свечи на женскую грудь, и многие другие. А ты кто?

— Конь в пальто! — громко крикнула я, продолжая танцевать.

— Все равно я узнаю, к каким секс-меньшинствам ты относишься!

Юноша рассмеялся, а я подумала: «Интересно, а как смеется Юрец, вернее, Юрий Юрьевич. Господи, ну и имечко! Наверное, он смеется как маленький мальчишка, непосредственно и непринужденно...»

Зазвучала новая мелодия, и юноша пригласил меня на медленный танец. Не успели мы сделать нескольких па, как в зале появился Юрец и решительно направился к нам. Он оттолкнул от меня настырного юношу и тихо процедил:

— Напилась, как черт знает кто... Смотреть тошно... Позволяешь себя лапать всяким проходимцам.

— А я могу и еще кое-что позволить! — с вызовом ответила я.

— Я тебе сейчас так позволю, что ты не только без своего парика останешься, но и без головы!

Юрий Юрьевич схватил меня за руку и потащил к выходу. Я пыталась сопротивляться.

— Пусти! Ты не имеешь права со мной так обращаться!

— А он, значит, имеет...

— Кто он?!

—Тот самый пижон, который крутился около тебя!

Я резко остановилась и удивленно посмотрела на Юрца:

—Ты ревнуешь?!

Юрец покраснел:

—Ну точно, чокнутая! Я же знаю тебя всего несколько дней.

—Это не играет никакой роли. Ревновать можно даже тогда, когда знаешь человека всего один час.

—Это не про меня. Я так не умею. Я просто хотел предложить тебе свои услуги.

—Какие еще услуги? — опешила я.

Юрий Юрьевич смутился, но тут же взял себя в руки:

—Просто нам по пути, я еду на дачу. Можешь поехать со мной.

—Ты же собирался играть до утра?

—Денег жалко. Они же мне не с неба падают... — Юрий Юрьевич оглядел меня с ног до головы и сокрушенно покачал головой. — Знаешь, а ты противная.

—Знаю, — легко согласилась я и направилась к джипу.

ГЛАВА 15

Я сидела на заднем сиденье вместе с Малышом, смотрела в окно и размышляла, удастся ли мне выкопать шкатулку с деньгами, принадлежавшими Костиной любовнице? О своей доле этого клада я не думала. В конце концов, это были не мои деньги, да и неизвестно, существуют ли они на самом деле. Не в деньгах счастье. Конечно, они дают свободу, право выбора и многое другое, чего никогда не заимеешь с пустым кошельком, но из-за них можно нажить и массу неприятностей.

Я вспоминала Антона и пыталась осознать, что его больше нет. Перед моими глазами все время возникал его образ.

— О чем думаешь? — неожиданно спросил Юрец.

— Думаю о том, почему ты согласился отвезти меня на дачу? — тихо ответила я.

— Я же сказал, что нам по пути.

— Ты едешь проверять свою жену?

— Зачем?

Юрцу явно не понравилось, что разговор принял такой оборот.

— Как это — зачем? Ты же всегда подозревал ее в неверности.

— Теперь уже подозрений нет.

— Как это?

— Так это.

Я чувствовала, что ему крайне неприятен этот разговор, но все же продолжала расспросы.

— Я что-то не поняла, с каких это пор ты перестал ее подозревать?

— С тех самых, когда поймал с любовником.

— Очень жаль, — еле слышно сказала я.

Его привлекательность волновала меня. Я пыталась понять, что это — просто желание завести небольшую интрижку, приятно провести время или за моим волнением кроется нечто большее. Возможно, Юрец — тот человек, который сможет заменить Антона, человек, которого я так долго ждала. Может быть, именно с ним в моей жизни все встанет на свои места и у меня больше не будет одиноких ночей, холодной кровати и пугающей пустоты!

Поймав себя на этой мысли, я подумала, что, вероятно, выпила в казино лишнего, если мне в голову лезет подобный бред. Юрец посмотрел в висящее перед ним зеркало, наши взгляды встретились, и я невольно съежилась.

На даче Костиного отца нас встретила зловещая тишина. Дверь дома оказалась открытой. Стоя на пороге, я вновь почувствовала холод преследующего меня взгляда.

— Тут никого нет, — громко сказал Кабан, вошел в дом первым и включил свет.

По всей вероятности, с моего последнего посещения дачи там никто не появлялся. Малыш брезгливо посмотрел на валяющиеся на полу бутылки. Я позвала Юрца в соседнюю комнату.

— Послушай меня внимательно, — сказала я, стараясь быть как можно более убедительной. — Прошу тебя, мне надо кое-что сделать в саду. Это займет совсем немного времени. Всего пару часов, а возможно, и меньше.

Юрец посмотрел на меня с недоумением.

— В саду?

— Да.

— Ты на самом деле чокнутая! — воскликнул он. — И какого черта я с тобой связался?

Я рассмеялась:

— Ты связался со мной потому, что я совсем не похожа на других женщин. У меня удивительное лицо, удивительная фигура и удивительные повадки. Еще скажи, что ты совсем не хочешь меня схватить, сжать в объятиях и изнасиловать.

— Чего? — Юрец расстегнул ворот рубашки.

— Да, именно изнасиловать. Наверное, именно так ты и поступаешь с другими женщинами. Но со мной все по-другому. Ты не можешь признать, что я особенная. И даже если ты когда-нибудь меня трахнешь, то это будет значить для тебя намного больше, чем еще одно имя в длинном списке женщин, с которыми ты спал.

Стараясь скрыть замешательство, Юрец кашлянул.

— Послушай, я просто подвез тебя на своем джипе и не собираюсь торчать в этом доме и ждать, пока ты будешь копаться на участке.

— Но ты же не можешь оставить меня здесь одну!

— А почему бы и нет.

— Конечно, не можешь. Просто не хочешь в этом признаться. Ты же знаешь, какой страшный этот дом. Тут пропала моя подруга... В подвале лежит полуразложившийся труп женщины...

— Что ты от меня хочешь? — Юрец неожиданно улыбнулся.

— Я хочу найти мужчину, который поможет мне забыть прошлое, — призналась я.

— Хорошо. Только при чем тут я?

— Наверное, при том, что я увидела этого мужчину в тебе.

— Ты в этом уверена?

— На все сто.

Я поцеловала его. Юрец ответил на мой поцелуй. Я не испытывала угрызений совести перед Антоном. Я живу, дышу, значит, должна стараться не думать о прошлом. В конце концов, мое прошлое — только мое, и надеюсь, что оно когда-нибудь меня отпустит. Я не знаю, что мне отпущено в этой жизни и где я буду в этот же день через год. Быть может, я отмечу его на одном из московских кладбищ, лежа в сырой холодной могиле, а может, с фужером шампанского на какой-нибудь роскошной вилле. Я не хотела, чтобы Юрец стал моей очередной ошибкой. Ошибки слишком дорого стоят. Юрец должен понять, что с ним случилось то, что случается не с каждым... Я вновь коснулась Юрца губами и прошептала:

— Ты меня чувствуешь?

— Конечно, я же не бесчувственный чурбан.

— Я поняла это сразу, как только увидела тебя. — Я тихонько засмеялась и укусила Юрца за мочку уха. — Мне пора, а ты пока отдохни на веранде.

— Ты это серьезно? — опомнился Юрец.

— Серьезнее не бывает.

— Ты решила выкопать все ту же яблоню?

— Я всегда знала, что ты очень сообразительный мужчина, — отшутилась я.

Прежде чем пойти в сад, я попросила у Малыша сотовый телефон, чтобы позвонить родителям. Услышав мой голос, мама выдержала небольшую паузу и начала издалека:

— Вика, я даже не знаю... Нам с папой совсем не хочется тебя расстраивать. Ты и так столько пережила в последнее время...

— Мама, ты не должна от меня ничего скрывать. Говори, я слушаю.

— Дело в том, что Саша проснулся...

— И что? Он не заболел?

— Нет, нет... Он хорошо поел, посмотрел телевизор.

Я почувствовала неладное и закричала:

— Мама, ну говори, не тяни резину! Он на месте?! Его опять украли?!

— Он дома. Просто Сашенька сказал, что, когда позвонили в дверь, он посмотрел в глазок и увидел папу. Именно поэтому он и открыл дверь. Ты же знаешь, он никогда не открывает посторонним...

— Это был Челноков?!

— Да, хотя я сомневаюсь. Он сильно потрясен тем, что произошло, возможно, ему померещилось. Такое бывает...

— Все понятно. Ему ничего не померещилось. Мама, у меня к тебе большая просьба: не смей пускать Челнокова на порог.

— Ты хочешь сказать, что он способен...

— Я ничего не хочу сказать. Я просто стараюсь уберечь вас всех от опасности.

— Саша говорит, что, когда он открыл дверь, папы уже не было. На него набросился дядька, сунул под нос мокрую тряпку, и больше Саша ничего не помнит.

— Я тебе еще раз говорю: берегись Челнокова!

— А может быть, стоит заявить в милицию?

— Нет! Ради бога, никаких заявлений в милицию. Слышишь, никаких!

— Как скажешь, — вздохнула мама.

— У тебя какие-то проблемы? — спросил Юрец, когда я закончила разговор.

— Все нормально, не считая того, что мой муж похитил моего ребенка и хотел меня убить...

Я взяла лопату и пошла в сад.

ГЛАВА 16

Ковыряясь в земле, я твердо решила, что от Челнокова необходимо держаться подальше. Я все еще не могла до конца поверить в то, что мой бывший муж мог так поступить. Я никогда не чувствовала себя такой одинокой. Я вспоминала, каким был Челноков несколько лет назад. Ведь когда-то он говорил, что очень меня любит и не может без меня жить. Даже не верится, что это было... Нет, он никогда меня не любил. Он просто меня использовал. Я была красивой, покладистой, общительной, умела зарабатывать деньги и ничего не требовала взамен. Но ему этого было мало. Его привлекали молоденькие девицы с пышными формами, готовые лечь в постель с первым встречным, устроить сексуальное шоу. Андрей безжалостно бросил меня, как вышвыривают ненужную вещь, а потом решил от меня избавиться... И как меня угораздило влюбиться в такое ничтожество, как Челноков?

Из дома вышел Кабан и закурил. Увидев меня, он удивленно спросил:

— Ты что делаешь?

— Копаю.

— Зачем?

— Затем, чтобы лучше росло.

— А почему ночью-то?

— Потому, что так по лунному календарю положено, — заявила я, не моргнув глазом.

— По какому еще лунному календарю?

— По обыкновенному. Лунным календарем все огородники пользуются. Там сказано, в какое время и что нужно делать.

Кабан почесал затылок и усмехнулся:

— А нас ты сюда зачем притащила?

— Одной страшновато. С вами веселее. А тебе что, заняться нечем?

— Угу.

— Тогда возьми Малыша и сходи с ним в подвал.

— Зачем?

— Посмотри, там труп или нет.

— Опять ты со своим трупом! — Кабан сплюнул и вернулся в дом.

Я принялась снова копать. Вскоре лопата наткнулась на что-то твердое. Сев на корточки, я смахнула землю руками и увидела небольшую деревянную шкатулку. Открыв ее, я не поверила своим глазам — она была битком набита стодолларовыми купюрами. Выходит, Константин пребывал в здравом уме и твердой памяти. Я тяжело вздохнула: так жалко, что Милы нет рядом.

— Ну что, нашла сокровище? — донесся до меня знакомый голос.

Я вздрогнула, обернулась и увидела Челнокова. Он стоял совсем рядом.

— Ты не ответила на мой вопрос. Сбылась твоя мечта?

— Челноков, ты? Откуда ты взялся? — Появление мужа на чужой даче казалось неправдоподобным. Словно во сне, я крепко прижала шкатулку к груди. — Как ты здесь очутился? Ты следил? Убирайся, я не одна.

— Оно и понятно. Ты никогда не бываешь одна. Рядом с тобой всегда крутятся мужики... Вот и эти трое...

Я хотела было встать, но Челноков резко толкнул меня. В его руке сверкнула блестящая, хорошо заточенная пика.

— Ты на кого руку поднимаешь? — прошептала я. — На меня? Я же мать твоего сына...

— Шлюха ты, а не мать. Я всегда знал, что ты шлюха... Сколько баксов в шкатулке?

— Челноков, а ты жадный. Тебе не хватило пятнадцати тысяч долларов?

— Милая, денег не бывает слишком много. Давай сюда баксы, а то вот эта острая штучка сейчас войдет в твои мозги.

Я вцепилась в шкатулку мертвой хваткой. Перед мысленным взором мелькали картинки моей мечты: маленький домик на берегу моря, пальмы, солнце... Мама у клумбы с яркими цветами... Папа, отдыхающий на крыльце со свежей ялтинской газетой... Сашка на пляже... Собачка Зося. Если я расстанусь со шкатулкой, мечта не осуществится.

— Это не мои деньги, — прохрипела я, уставившись на страшную пику. — Эти деньги принадлежат одной женщине. Я должна их отдать...

— А отдашь мне, — твердо сказал Андрей.

Мне захотелось заорать и отвесить этому уроду пощечину. Но я знала, что, если так поступлю, этот поступок будет последним в моей жизни... Я решила выиграть время, может быть, кто-то выйдет из дома. И еще я надеялась, что Челноков опомнится, придет в себя. Я заговорила уверенно и даже спокойно:

— Андрей, ты не можешь меня убить, ведь у нас сын.

— Не бойся. Я никогда не причиню своему ребенку вреда.

— Я тебе не верю. Конечно, причинишь, если убьешь его мать. Помнишь, когда он родился, мы мечтали, чтобы он жил лучше нас с тобой. Тогда ты был совсем другим. Ты очень изменился, особенно в последнее время. Словно в тебя вселился бес. Я понимаю, между нами уже давно ничего нет, но ведь когда-то мы любили друг друга. Строили планы, мечтали о будущем... Я ничего от тебя не требую. Я даже не пошла в милицию и не написала заявление, что ты похитил собственного сына. Давай оставим эмоции и поговорим серьезно. У меня и так много проблем. Я никогда не жаловалась на жизнь, не имею такой привычки, но поверь, мало кто поменялся бы со мной местами. Андрей, я тебя умоляю, давай поговорим серьезно...

— Не трандычи, — глухо произнес Челноков и приставил пику к моей шее.

Я почувствовала укол.

— Мне больно, — испугалась я, но все же нашла в себе силы продолжать разговор, чтобы тянуть время. — Зачем ты похитил нашего сына? — спросила я.

— Затем, что мне были нужны деньги. Я не хочу работать, надо же мне на что-то существовать. Я был в том сарае... Это я разукрасил твое лицо. Я забрал деньги и послал своего друга, чтобы он добил тебя и твоего любовничка.

— Зачем?

— Мне нужна твоя квартира. Если ее продать, можно выручить неплохие деньги. А ты знаешь, что деньги никогда не бывают лишними. Лишними бывают только люди... Я не мог понять, почему мой товарищ не вышел со мной на связь, а когда ты сказала, что скинула его в пропасть, понял, что ты не такая уж слабая, как я предполагал.

— Ошибка твоего товарища была в том, что, прежде чем меня убить, он захотел меня изнасиловать.

— Оно и понятно. Я говорил ему, какая ты темпераментная и как сильно любишь трахаться.

— Ну ты и сволочь... Это ты натравил на меня кавказца?

— Кавказец — дурак. Я наказал ему убить тебя возле казино, а он умудрился протащить ствол в помещение... Вот и получил, что заслужил. Я следил за тобой и всю дорогу сюда висел у вас на хвосте, но вы не заметили. Когда же я понял, что дело пахнет не только продажей квартиры, подумал, что ты настоящая курица, несущая золотые яйца. Дай шкатулку. Ты уже покойница, а покойникам деньги совсем ни к чему.

Челноков нажал на пику, острие вонзилось мне в горло, и я заплакала от боли...

Из дома никто не выходил. Никто. Ни Кабан, ни Юрий Юрьевич, ни Малыш. Я поняла, что мне уже не на кого надеяться, неоткуда ждать помощи, я посмотрела на шкатулку и подумала, что уже неважно, отдам я ее Челнокову или нет. Он убьет меня в любом случае. Потому что самый безопасный свидетель — мертвый свидетель. Я попыталась еще раз оттянуть время и вновь заговорила:

— Ты помнишь, как мы встретились впервые? Ты был интересным парнем. А какие у тебя руки! Ты так трепетно ласкал меня. Вспомни, какой я была, когда ты увидел меня в первый раз. Я была хорошенькая и до безумия соблазнительная, — я старалась говорить как можно спокойнее, но это давалось мне с огромным трудом. Голос дрожал, а шея, по которой тоненькой струйкой стекала кровь, подергивалась... — Помнишь, какие у меня были волосы до болезни? Они вились каскадом до самых плеч. Ты любил нежно их перебирать, делать мне разные прически...

— Заткнись, — перебил Челноков и выхватил шкатулку.

Я поняла, что еще немного, и все закончится. Все...

ГЛАВА 17

— Убери свою гребаную пику, а то тебе конец, — раздался совсем рядом знакомый женский голос.

Это была... Мила! В белой кофточке и коротенькой юбочке, слегка прикрывающей ее соблазнительный задок. В руке она держала пистолет. Не спуская Челнокова с мушки, она слегка наклонилась ко мне:

— Привет, дорогая, наверное, ты уже не ожидала увидеть меня живой и невредимой?

Я не верила своим глазам и смотрела на подругу как на привидение.

Челноков не отрывал взгляда от пистолета.

— Тебе понравился мой ствол? — засмеялась Мила. — А хочешь, я тебе покажу, как он действует? Это отличная пушка, она прекрасно стреляет. С ней уже познакомились два ублюдка вроде тебя.

Челноков отшвырнул пику и, прижав шкатулку к груди, ринулся в кусты.

— Вот сволочь... — жалобно заскулила я. — Забрал деньги, а там моя доля. Я хотела купить родителям домик у моря.

— Так беги за своим домиком. Будь сильнее...

Мила протянула мне пистолет, я схватила его и бросилась следом за Челноковым. Он заводил мотор.

Во мне кипели злость и ненависть. Я должна отомстить... За себя, за сына, за свою поруганную любовь и за нервы моих родителей... Я стала стрелять по колесам и сама удивилась, как складно у меня все получилось. К счастью, пистолет оказался с глушителем, соседи стрельбы не услышали. Машина осела, Челноков выскочил и побежал по тропинке, ведущей к реке.

— Придурок, отдай деньги! — орала я и размахивала пистолетом.

Я летела как сумасшедшая и неожиданно потеряла Андрея из вида, остановилась и стала всматриваться в темноту. Андрей исчез. Вытерев кровь с шеи, я закричала:

— Челноков, хрен моржовый! Где ты?!

И тут на меня навалилось что-то тяжелое. Это был Челноков. Он выхватил у меня пистолет и прохрипел:

— Ну все, сучка, ты покойница! Только прежде чем тебя убить, мне хочется тебя трахнуть.

Он повалил меня на землю, впился поцелуем в мои губы и сжал мне горло. Я поняла, что он невменяем. Выбраться из-под него не было никакой возможности. Я попробовала закричать, но получила болезненную пощечину.

— Заткнись, тварь! — прикрикнул Челноков. — Какая ты все-таки живучая! Но ничего, я все равно убью тебя.

Челноков зажал мне рот одной рукой, а другой расстегнул молнию на своих штанах. Я попыталась дотянуться до пистолета, и это мне удалось. Я нажала на спуск и... ничего не услышала. Кончились патроны. Я перестаралась, когда стреляла по колесам.

— Скажи, сучка, у тебя в больнице были любовнички?! Ведь ты трахалась, признайся честно. Я знаю, что ты трахалась не только с врачами, но и с санитарами, — задыхаясь, бормотал Челноков.

Я поняла, что еще немного, и он войдет в меня. От этой мысли меня затошнило и затрясло, словно в лихорадке.

Неожиданно раздался уже знакомый приглушенный щелчок, и Челноков обмяк и замер. Чьи-то сильные руки стащили с меня это чудовище. Я приподнялась и увидела сидящего на корточках Юрца.

— Привет, — дружелюбно произнес он.

— Привет, — охая, сказала я и попыталась подняться. Платье и трусы были разодраны в клочья. — Ты что пялишься? — рассердилась я, заметив насмешливый взгляд Юрца, и постаралась прикрыться оставшимися лохмотьями. — Никогда не видел раздетую женщину?

— Раздетую видел, а вот изнасилованную вижу в первый раз.

Я покраснела и отвернулась.

— Между прочим, он не успел, а вот если бы ты появился позже, эта тварь прикончила бы меня.

— Надо же... Тогда ты должна мне быть благодарна.

Я подняла шкатулку и наклонилась над Челноковым.

— Ты хоть знаешь, кого убил?

— И кого же?

— Моего мужа.

— Ничего себе!

— Вот гадина... — я сплюнула.

— Первый раз вижу, чтобы муж выполнял супружеские обязанности так рьяно.

— А может, мы экзотику любим, — произнесла я устало.

Юрец достал из кармана платок и вытер кровь на моей шее.

— Больно?

— Не знаю. Я в последнее время столько всего натерпелась, что уже просто не чувствую боли. А с этим-то что теперь делать? — кивнула я в сторону трупа. — Я его хоронить не собираюсь.

— Мои ребята похоронят его в соседнем болоте, сделают в лучшем виде.

Мы вернулись на дачу. Милка стояла в обнимку с молодым человеком атлетического телосложения и грызла яблоко.

— Как дела? — спросила она, словно мы расстались на минуту.

— Нормально, — ответила я.

— А как твой домик?

— Домик отлично. Скоро куплю.

Тут я заметила, что грудь Милы перевязана. Подруга заметила мое волнение и обняла за плечи.

— Все в порядке. Знаешь, у меня есть ангел-хранитель — Вадим. Он просто чудо. Когда ты побежала за подмогой, я была совсем плоха. Вадим живет на соседней даче. Он почувствовал неладное и решил узнать, в чем дело. Он профессиональный телохранитель и без труда уложил двоих. А мне помогла его бабка, известная в деревне знахарка. Удивительная женщина, редкой души человек. Машину этих идиотов Вадим спрятал у себя во дворе, а трупы бандитов — в подвале, где лежит убитая девушка. Вадим объяснил, что эта девушка — бродяжка. Побиралась по деревням. Видимо, эти двое вдоволь над ней поиздевались.

— А почему ты не объявилась раньше? Ты заезжала домой?

— Заезжала за одеждой. Не удивляйся, что меня так быстро выходили. Бабушка Вадима сама пули достала и всю ночь молитвы читала да различные снадобья мне давала.

Мила замолчала, а я почувствовала, что на глаза навернулись слезы. Я еще ни разу не видела свою подругу такой счастливой, как сейчас.

— А знаешь, у меня еще одна новость, — загадочно улыбнулась Мила.

— Какая?

—Я выхожу замуж. Так что готовься, будешь свидетельницей.

—Я?

—Конечно, а кто же еще! А ты сама случайно не собираешься? — Мила посмотрела на ничего не понимающего Юрца. — Мне кажется, вы превосходно смотритесь вместе.

—Ну, что ты на это скажешь? — смущенно взглянула я на Юрца.

—Ничего. Я только что от одной жены отделался...

—Я не буду тебе изменять.

—Да какая из тебя жена, если тебя на минуту оставить нельзя. То у тебя сына похищают, то подруги пропадают... Да еще собственный муж чуть не изнасиловал.

—Это потому, что тебя не было рядом.

Я поцеловала Юрца и попыталась натянуть сползший парик.

—Да выкинь ты его на фиг, — засмеялся Юрий Юрьевич, снял с меня парик и отшвырнул в сторону.

ГЛАВА 18

Я хорошо запомнила день, когда окончательно поняла, что мы будем вместе. Однажды к моему блочному дому подъехал шикарный белоснежный лимузин. В открытом люке крыши автомобиля появился Юрий Юрьевич. Он держал огромный букет белых роз и, размахивая им, громко кричал:

— Викуля, хитрая бестия! Ты довела меня до ручки! Выходи за меня замуж!

Все это напоминало фильм «Красотка», но, оказывается, такое происходит не только в кино. Это произошло и со мной. Я махала ему с балкона и не скрывала слез счастья. Я знала, что именно этому мужчине я смогу подарить свое тепло, свою нежность и свою любовь. И еще я знала, что любовь эта взаимная и очень верная. Счастливое лицо и лучезарная улыбка моего родного Юрия Юрьевича не оставляли никаких сомнений.

С того дня прошел всего год, но мне кажется, что мы вместе целую жизнь. Юрий Юрьевич никогда не ревнует меня к моему прошлому, а я научилась не вспоминать о плохом. Мы совсем не богаты по нынешним меркам, но мы счастливы оттого, что у нас есть безграничное взаимное доверие, глубокое понимание и нежность. Юрий Юрьевич оказался замечательным мужем и прекрасным отцом моему Сашке. Он — моя награда, моя опора, мое настоящее и будущее. Мы понимаем друг друга с полуслова, даже с одного взгляда. У нас одинаковые вкусы: любимый поэт — Блок, цвет — черный, а песня — «Отель „Калифорния“». Просто мы две половинки, которые наконец нашли друг друга. Я уверена, до конца наших дней мы будем вместе.

У меня отросли длинные волосы, и я стала еще красивее, чем раньше. А главное — я вообще ничего не боюсь, потому что рядом со мной такой замечательный мужчина, как Юрий Юрьевич. Это самое главное. Вот и сейчас я с тобой откровенничаю, мой дорогой читатель, а сама украдкой посматриваю на любимого, который сладко спит и посапывает, словно маленький ребенок.

Мила вышла замуж за Вадима. Она целыми днями копается на даче — разводит необыкновенно красивые цветы.

Сбылась и моя мечта. Я купила небольшой домик на берегу моря и подарила его родителям. Мама и папа целыми днями возятся на небольшом огородике, Сашка купается и бредит о собственной яхте. Собачка Зося бегает по двору и задирает соседних собак... А мы с моим родным Юрием Юрьевичем можем часами сидеть на берегу и любоваться морем. Мы сидим и ждем ночи, потому что ночью мы вытворяем такие вещи... Он у меня ненасытный, и я стараюсь угодить ему.

Я выполнила предсмертную просьбу Кости: отвезла положенную часть денег женщине, которую он любил. Женщина расплакалась, взяла деньги и сказала, что наконец-то сможет освободиться от этого ужасного типа — Костиного отца.

Я смотрю на Юрия Юрьевича. Сейчас он проснется, крепко прижмет меня к себе и скажет что-нибудь ласковое. А я расплачусь, словно маленькая девочка, посмотрю в его глаза и кулачком ударю в грудь:

— Господи, и как мы могли жить друг без друга черт знает сколько времени...

ГЛАВА 19

Как обычно, утром я отправилась в супермаркет, чтобы купить что-нибудь, порадовать моего любимого Юрьевича. Вообще-то он у меня непривередливый, но все же больше всего любит куриные котлетки.

Я делаю их довольно пышными, аппетитными. Вот именно котлетками я его сегодня и побалую! Юрка возьмет бутылочку красного вина, мы уложим Саньку спать и устроим семейный ужин, такое маленькое торжество... Мои глаза затуманились от слез.

В последнее время я стала очень сентиментальной, видно, стала по-настоящему счастливой. Как здорово быть женой. Ни с чем не сравнимое чувство! Именно женой, женой человека, которого любишь. Я стараюсь хранить наш очаг и делаю все, чтобы он никогда не угас. Я не хочу быть лидером. Я предоставила эту возможность моему любимому Юрке. Я всегда иду за ним, иду по его стопам. Он глава, и я никогда не буду противиться его воле. Ведь даже в Библии сказано, что вначале Бог создал мужчину, а уж потом женщину.

Я бродила по огромному супермаркету и неожиданно вспомнила Челнокова. То страшное время, когда из-под моих ног уходила земля. Как тяжело быть рядом с человеком, который меня совершенно не любит!

С каждым днем муж становился все более чужим, но мы все же плыли и плыли в одной лодке. А потом все рухнуло, и я выжила только потому, что научилась уважать себя. Когда человек уважает себя, он будет любить и прощать других.

Бог послал мне страшное испытание, и я выдержала его с высоко поднятой головой. Именно мой родной Юрьевич научил меня любить по-настоящему. Мне кажется, что спустя годы я буду любить его еще больше, чем сейчас. Я никогда не соглашусь с теми, кто говорит, что не стоит тратить время на поиски идеального мужчины.

Это глубокое заблуждение. Идеальный мужчина есть. Нужно только в это верить и научиться ждать встречи.

Меня переполняло чувство любви и благодарности Юрию. Я не выдержала и набрала его номер по сотовому.

— Привет. Я хотела тебе сказать, что я очень сильно тебя люблю.

Не дожидаясь ответа, я нажала на кнопку и спрятала телефон в сумочку. Зачем ждать ответа, если я знаю его заранее!

Расплатившись за покупки, я переложила продукты в пакеты и направилась к машине. Рядом с моей машиной стояла Мила, и по ее виду я поняла, что что-то случилось.

— Ты откуда? Почему не позвонила мне на сотовый и не сказала, что ждешь меня? — Я не могла скрыть тревоги и заглянула подруге в глаза.

— Я здесь случайно... Просто ехала на такси, смотрю, твоя машина... — Мила уткнулась мне в грудь и расплакалась.

— Мил, ты что? Что случилось-то, говори, не томи...

— Вика, у тебя сейчас родители где?

— Как где? В Москве.

—Значит, домик в Ялте пуст?

—Пуст.

—Можно я там пару недель поживу?

—А почему?

—Так ты скажи, можно или нет?

—Можно, конечно. Давай сядем в машину, расскажешь, что случилось.

Я побросала покупки в багажник и села рядом с Милой.

—Машина у тебя хорошая. Новая. Какая марка? — неожиданно спросила она.

—«Хонда». Мне Юрьевич ее подарил.

—Хороший у тебя Юрьевич, — всхлипнула Мила, вытирая слезы.

—Не жалуюсь. Был бы плохой, я бы замуж за него не пошла.

—Они все поначалу хорошие, когда спят зубами к стенке. Ты, когда за Челнокова шла, знала, хороший он или плохой?

—Нашла кого сравнивать. Челноков мизинца моего Юрьевича не стоил.

—Значит, говоришь, Юрьевич у тебя хороший?

—Он не просто хороший, он замечательный! — запальчиво воскликнула я.

—А вот у меня Вадим — дерьмо порядочное.

—Ты что, с мужем поругалась? — немного успокоилась я. — Велика беда! Как поругалась, так и помиришься.

—Понимаешь, не могу я с ним больше жить. Хоть убей, не могу.

—Вот это новость! — Я присвистнула. — Мне казалось, что вы неплохо ладите.

—Это только кажется. Ни черта мы не ладим. Ни черта! У Вадима есть женщина.

—Да ты что?!

Мила комкала мокрый носовой платок.

— Обыкновенная женщина. Ты так на меня смотришь, будто не знаешь, что у мужиков бывают зазнобы на стороне.

— У моего Юрьевича нет никого, — решительно отрезала я.

— Я за тебя рада. Ты своего Челнокова вспомни. Он же трахал все, что шевелится.

— Да не хочу я его вспоминать! — Я перевела дыхание и вытерла выступивший на лбу пот. — Господи, а я-то думала, что у тебя случилось что-то серьезное.

— Куда уже серьезнее! — Мила горько заплакала.

Я притянула ее к себе и стала гладить по голове.

— Успокойся, глупенькая. Успокойся. Ведь мы с тобой в каких только передрягах не были. Такое пережили... Нас жизнь закалила. Нам с тобой уже ничего не страшно. Нашла из-за чего реветь. Подумаешь, женщина. Ну все мужики когда-то гуляют, никуда от этого не денешься. Погуляет, перебесится и вернется. Живет-то он, в конце концов, с тобой. А если ты думаешь, что он уйдет от тебя навсегда, то это ерунда. Ты только не паникуй и не устраивай ему никаких истерик. Нашла из-за чего расстраиваться. Неприятно, конечно, больно, но это жизнь.

Мила слегка отстранилась и прошептала, словно в бреду:

— А что бы сделала ты, если бы твой Юрьевич загулял?

— Не знаю. Я над этим не думала. Мне кажется, я бы просто умерла.

— А я вот не умерла.

Глаза Милы стали какими-то стеклянными, взгляд бессмысленным, будто она лишилась рассудка. Она смотрела мимо меня и говорила чужим, срывающимся голосом:

— Знаешь, я уже давно подозревала о ее существовании, но не думала, что у него это серьезно. Он стал совсем чужим. И даже когда он дома, я понимаю, что мысленно он с ней, с этой невидимой соперницей... Наша семейная жизнь стала ему в тягость. В последнее время я стала для него обузой. Видела, как он мучается, страшно было смотреть на его лживое лицо. Я старалась окружить Вадима вниманием и нежной заботой, даже вскакивала за полночь с постели, чтобы разогреть уже давно остывший ужин загулявшему супругу. Прятала заплаканные глаза и встречала Вадима с улыбкой... Как тяжело это давалось! Но мне хотелось, чтобы он расслаблялся только со мной и мои старания взяли верх над чарами его любовницы. Он не обращал на это внимания. Однажды Вадим явился изрядно выпивший и брякнул, что любит другую женщину. Мне стало плохо, жизнь в одночасье потеряла всякий смысл. Он остался со мной. Я не знаю почему. Может, из-за жалости, а может, из-за чувства долга. Но только не из-за любви... Это точно. — Мила порылась в сумочке, достала пачку сигарет и закурила.

— Ты же не куришь! — удивилась я.

— От такой жизни не только закуришь, но и сопьешься.

— Подожди, без паники. Из любой ситуации есть выход, — произнесла я решительно. — Он же не дурак, перебесится и успокоится. Вадим — не конченый подлец, просто он временно потерял голову от этой суки. Нужно выждать, ваша любовь обязательно вернется. Я уверена, ему тоже трудно, он сам мучается. Ведь ты его тыл, опора, его надежда. Все, что ожидает твоего дурака с этой негодяйкой — это мрак. Новая телка сейчас его манит, но пройдет время, и она тоже надоест ему. Поверь мне! Ты должна потерпеть. Главное — спокойствие и время. Твой неверный муж вернется.

Мила недобро усмехнулась и смахнула слезы.

— Я еще не все рассказала. У тебя уж больно просто все получается. Ты не поняла самого главного.

Я без Вадима жить не смогу. Просто не смогу, и все... В общем, когда он очередной раз к своей шлюхе поехал, я не знала, куда себя деть. Думаю, пойду хоть немного прогуляюсь. Настроение — паршивее не бывает. Хоть волком вой. Зашла на рынок. Смотрю, бабулька стоит. Я думала, она милостыню просит, хотела ей полную ладонь мелочи насыпать, а она, оказывается, таблетками торгует.

— Какими еще таблетками?

— Обыкновенными, ядовитыми. С виду такая простенькая, беззащитная старушенция. Никто даже и подумать не может, что этот божий одуванчик торгует смертью. Вообще-то таблетки от гипертонии, но если их штуки три сразу выпить, все — кранты. Сердце моментально останавливается. Никакая «скорая помощь» не поможет. У нее это лекарство такие типы покупают, что мимо них даже пройти страшно. Короче, я эти таблетки купила.

— Зачем?! — испуганно спросила я.

— Затем, что жить мне в последнее время расхотелось. Думаю, наложу на себя руки, и все тут. К черту такую жизнь! Сдохну, а эта сука, к которой мой муж, словно кобель, бегает, пусть до конца своей жизни вину чувствует.

— Мила, да что ты говоришь-то такое... Ты от ревности головой поехала. Ты же такую болезнь вытерпела, а из-за мужика на тот свет собралась!

— Из-за любимого мужика, — поправила меня Мила.

— Даже из-за любимого. Не стоят мужики того, чтобы из-за них на тот свет отправляться. Они по своей природе все кобели. И вообще, он же не ушел, он же с тобой остался. Я думаю, не из жалости, а потому, что семья для него превыше всего. Не дурак он тебя из-за первой встречной бросать. Ну и пусть он к ней трахаться ездит... Ей все это самой потом надоест. Кому нравится мужика с другой бабой делить! Найдет себе свободного и от твоего открестится. Чужие семьи только конченые дуры рушат. На чужом горе счастья не построишь. Оно потом все равно аукнется. Так что загул твоего Вадима еще не повод для самоубийства.

Мила нервно затушила сигарету.

— А теперь самое главное слушай, — голос подруги стал ледяным, и я почувствовала, как по телу побежали мурашки. — Я с ней познакомилась.

— С кем?

— С любовницей Вадима.

— Да ты сумасшедшая! Зачем тебе это надо, если травиться надумала?

— Передумала. В общем, я их выследила. Взяла такси и посмотрела, куда мой дорогой супруг мотается. Лучше бы я ее не видела. Красивая, уверенная, холеная. От нее так и идут флюиды ленивого, безразличного пренебрежения к миру, превосходства над окружающими.

— Она что, и вправду так хороша?

— Красивая хищница, вот она кто. Она жила на Щукинской, прямо рядом с пляжем.

Мила замолчала и тихонько всхлипнула. Меня охватил такой ужас, что я с трудом выговорила:

— Ты сказала, что она жила...

Мила слегка дернула плечом и посмотрела на меня таким взглядом, какие бывают у умалишенных.

— Я ее отравила...

— Бог мой, ты что говоришь?

— Что слышишь. Я ее погубила теми самыми таблетками, которыми хотела отравиться сама.

Мила навалилась на меня, у нее началась истерика.

— Ты в своем уме, — трясла я ее за плечи. — Ну скажи, что ты все это придумала. Скажи!

Мила начала успокаиваться.

— Я ничего не придумала, — сказала она. — Это сущая правда. Муж уехал по своим делам, я выследила ее. Она на пляж пошла. Выбрала местечко, где побольше народа, расстелила полотенце, намазалась дорогим кремом и легла загорать. Я рядышком прилегла. Слово за слово, познакомились...

—Она знала, что, ты жена Вадима?

—Нет. Она и подумать об этом не могла. Ты даже не представляешь, какое чувство я испытала, когда она разделась... У нее такая красивая грудь, как у фотомодели с обложки... А у меня, сама знаешь, после операции не грудь, а... Я могу только закрытый купальник носить, да и то в чашечки приходится что-нибудь подкладывать... Ты бы видела ее повадки и ужимки. Прямо светская львица! Я одного не могла понять: на кой хрен ей мой Вадим сдался? Ведь она из дорогих, а Вадим мой не богат, не перспективен. Ну что он ей мог дать?! Ничего, кроме секса. Но ведь на одном голом сексе далеко не уедешь. Ты ж это лучше меня знаешь. Я купальник на рынке покупала, так она так сморщилась, будто я сказала что-то ужасное. Что ж, говорит, у тебя за муж, если на приличный купальник заработать не может? Я ей объясняю, что сейчас деньги заработать тяжело, что зарплату не платят, а она говорит, что, мол, скажи своему любимому мужу, пусть идет туда, где платят. Я говорю, что он у меня крутиться не умеет, а она мне советует его бросить и найти того, кто крутится. А еще она мне сказала, что мы живем один раз и в этой жизни главное — себя подороже продать. Любимый человек — это тот, кто решает твои проблемы, а не вешает свои на тебя. — Помолчав несколько секунд, Мила всхлипнула и пробормотала: — А самое страшное было для меня то, что я узнала — этот купальник от Нины Риччи, который был на ней, мой Вадим купил...

—Как Вадим?

—Вот так. Купил, и все.

—Ты же говоришь, что у него с деньгами плохо.

— Значит, для этой крали он деньги находил. Хотел перед ней пижоном предстать, пыль в глаза пустить. Получается, он на мне копейку экономил... Ты знаешь, мне так обидно стало, я не знала, куда себя от обиды деть. Любят таких, как она, а к таким, как я, жизнь поворачивается задницей. По этой крале было видно, что, кроме моего Вадима, у нее толпа поклонников. Красивая бабочка... Наслаждается обществом мужчин и легко собирает с них нектар. Я смотрела на ее большие, очень чувственные губы и представляла, как этих губ касаются губы моего мужа. Я даже представила себе те минуты, когда они занимаются сексом. Интересно, а он ласкал ее языком так же откровенно, как ласкал когда-то меня? Мне становилось страшно. До сих пор слышу ее голос, вижу ее ужимки. Когда она мерила пляж своими длиннющими ногами, мужики все как один оборачивались ей вслед. Казалось, весь мир лежит у ее ног... Понятно, почему мой Вадим потерял голову и, словно наркоман, шел на запах этой самки... А затем она сняла верх от купальника и стала загорать топлес... Господи, если бы ты видела эту грудь... — Мила достала из пачки новую сигарету и снова затянулась. — Мы долго разговаривали... А затем она сказала, что хочет пить, мол, впопыхах позабыла колу. В моей сумке лежала небольшая бутылка с растворенными таблетками. Я предложила ей колу. Сразу... как-то непроизвольно.

— А что было потом? — спросила я едва слышно.

— Не знаю. Она выпила ровно полбутылки, а потом легла на свое полотенце и закрыла глаза.

— А ты?!

— Ты не представляешь, как я струхнула. Не того, что сделала, а смертельной агонии. Я собрала вещички и смылась.

— А она?

— Осталась там...

— Господи, что же ты наделала... — с тоской вздохнула я. Сердце мое разрывалось от страха и жалости к подруге.

— Я и сама ничего не могу понять, — каким-то пустым, безразличным тоном сказала Мила. — Я поймала такси и по пути случайно увидела твою машину...

— Милка, но ведь тебя могут опознать и упрятать за решетку. Кто-то же видел тебя на этом проклятом пляже. Менты начнут раскручивать, с кем встречалась умершая, выйдут на твоего Вадима, а затем на тебя.

— Не выйдут. Я сейчас в Ялту рвану. Там отсижусь, пока все успокоится. Ты дашь мне ключи?

— Дам, конечно. Но только мне кажется, что это не самый лучший выход из сложившейся ситуации.

— Я боюсь. Ты даже не представляешь, как я боюсь. Я хочу уехать. Мне нужно прийти в себя...

— А Вадим?

— Что Вадим? Если меня посадят, Вадим вряд ли будет носить мне передачки.

Я включила зажигание, машина помчалась на бешеной скорости. Я и сама не знала, куда я ехала. Просто давила на газ, не обращая внимания на светофоры и перепуганных прохожих. Мне было жалко любовницу Вадима, безумно жаль Милку... Надо было что-то предпринимать.

— Куда мы едем? — истерично закричала Мила.

— На место преступления, — неожиданно вырвалось у меня.

— Зачем?

— Может, мы еще успеем спасти дуре жизнь.

— Я боюсь! Не надо!

— Надо, Милка, надо! Если она жива, мы с ней обязательно договоримся.

— Она умерла!

Мне показалось, что Милка хотела перекричать сама себя. — Понимаешь, умерла!

— Не ори, я не глухая. Откуда у тебя такая уверенность?

— Она сдохла! От этих таблеток не выживают, от них сразу копыта отбрасывают! И вообще, может, все обойдется? Вдруг никто не поймет, что это убийство, подумают, что не выдержало сердце...

Я сбавила скорость.

— Милка, ты сейчас не в себе, — попыталась я успокоить подругу. — Ты только подумай, как ты теперь будешь с этим жить.

— Как я буду с этим жить? Но ведь она трахалась с моим мужем! Знаю одно — я за свое боролась и никогда на чужое не зарилась.

ГЛАВА 20

Мы мчались в Строгино, Мила что-то говорила, но я просто не слышала ее. Я хотела только одного — спасти человеческую жизнь чего бы это ни стоило. По описанию, любовница Вадима была довольно сильной здоровой женщиной. Господи, только бы эти смертельные таблетки оказались фуфлом! Ведь возможен и такой вариант. Если это обычное отравление, все обойдется. Одна моя знакомая отравилась таблетками. У нее с месяц дрожали руки и сильно кружилась голова. Некоторое время она не могла ходить. Теперь же носится, словно гончая, от былого отравления не осталось и следа. Я бы не смогла быть любовницей женатого мужчины. Его бесполезно ждать по вечерам, а уж тем более по праздникам, потому что, как правило, в праздники собираются родственники, пойдут разговоры, сплетни, если он вдруг не явится. А еще — когда он с тобой, он будет постоянно смотреть на часы, нервничать, лгать. От этого, увы, никуда не денешься. Я вновь подумала об отравленной девушке и почувствовала, как заныло сердце.

— Где это было? — еле слышно спросила я, когда мы подъехали к реке.

— Чуть дальше, — так же тихо ответила Мила.

На берегу было огромное скопление отдыхающих. Кто-то дремал на солнышке, кто-то плескался в реке, слышались восторженные крики.

— Ты же говоришь, что она была так красива, что на нее обращал внимание весь пляж, а дальше очень плохой берег и совсем мало народа.

— Это я образно сказала. На нее мужики глазели, как душевнобольные. Может, ей хотелось хоть немного отдохнуть.

Мы проехали еще немного и оказались у пустынного места.

— Здесь... — Мила вжалась в кресло и затряслась. — Вон у того подгнившего мостика.

— Тебе лучше не светиться, — сказала я, выходя из машины, — и не показывай носа. Я сама все узнаю. Может, уже приезжала «скорая» и отвезла ее в больницу.

Я остановилась, чтобы заправить мокрую от пота кофту в юбку. Господи, ну почему все это не сон? Почему Милка сотворила такое? Я оглянулась и встретилась с Милой взглядом. В ее глазах было столько скорби! Скорби от непереносимой боли... Наверное, она и сама не понимала, как все произошло. Она просто хотела остаться с человеком, которого очень сильно любила... Которому безгранично доверяла и ради которого жила...

— А если она лежит там мертвая?.. — едва шевеля губами, прошептала она.

Я не нашла что ответить и направилась на берег. С трудом давался каждый шаг, ноги были словно ватные. Я с ужасом представляла, что сейчас чувствует Мила. Дойдя до подгнившего мостика, я огляделась. И почему такая роскошная женщина, как любовница Вадима, выбрала именно это неуютное пустынное место? Может быть, даже слишком пустынное...

Пройдя по берегу, я увидела уединившуюся парочку.

— Здравствуйте. Я потеряла свою подругу. Тут неподалеку красивая девушка загорала... Мы с ней разминулись.

Молодой человек, лежащий на сером застиранном полотенце, оторвался от своей девчушки и посмотрел на меня крайне раздраженно:

— Мы только пришли.

Не обращая на меня внимания, подростки изобразили что-то вроде поцелуя и тяжело засопели.

— Простите, когда вы сюда пришли, тут кто-нибудь загорал?

Парнишка оторвался от девушки и злобно пробурчал:

— Послушай, проваливай отсюда, а? Я же тебе сказал, мы только пришли, и даже если тут кто-то был, мне на него глубоко наплевать.

Я увидела валяющиеся рядом шприцы и поняла, что разговор окончен.

— Чтоб ты, придурок героиновый, от передозировки сдох, — невольно вырвалось у меня. Резко развернувшись, я неожиданно столкнулась с Милой. — Ты зачем из машины вышла? Тебе же сказано было сидеть.

Подруга не ответила. Она стояла, словно парализованная, и смотрела на примятую траву.

— Тут, кроме парочки конченых наркоманов, никого нет. Место уж больно противное. Какого черта она пришла загорать именно сюда?

— Мы с ней вот здесь лежали, — Мила показала место, где трава была примята больше всего.

— Ты уверена?

Она кивнула на валявшуюся полупустую бутылку колы.

— Это та бутыль, про которую я тебе рассказывала. — Я подняла бутылку, открыла крышку и попыталась понюхать. — У этих таблеток нет запаха. Как у клофелина. Ни запаха, ни вкуса.

— Как называются эти таблетки?

— Не знаю.

— Как же ты их так покупала, что даже названия не знаешь?

— Мне до названия не было дела. Мне был важен результат.

Неожиданно Мила метнулась ко мне и выхватила бутылку. Почувствовав опасность, я что есть силы ударила ее по рукам, подхватила бутылку и быстро вылила содержимое.

— Ты что, совсем дура?! — истерично закричала я.

— Надо было мне следом за ней выпить. Просто выпить и лечь рядом... Надо, чтобы нас двоих обнаружили... Надо, чтобы моему мужу показали два трупа... Два молодых, красивых трупа... Две женщины, которым он пудрил мозги... — Мила лепетала, словно в бреду.

Я схватила подругу за руку и потащила к машине.

— Поехали. Видишь, нет никого. Наша совесть чиста!

Затащив плачущую Милу в машину, я пристегнула ее ремнем безопасности.

— Это на всякий случай. Чтобы не дергалась, — примирительно сказала я.

Но то, что произошло дальше, не поддается описанию. Мила ревела, рвалась, стучала ногами, раскачивалась из стороны в сторону.

— Кончай реветь! Достала! — вырвалось у меня. — Раньше надо было думать. Ты же видела, что там никого нет. Ни трупа и ни отравленной любовницы!

Мила явно не желала меня слушать и не обращала на мои громкие речи никакого внимания. Поняв, что живыми нам до дому не доехать, я остановилась у первого попавшегося кафе и купила бутылку водки и какую-то нехитрую закуску.

Усадив подругу за столик, налила рюмку и громко скомандовала:

— Пей!

Мила моментально успокоилась и растерянно посмотрела на рюмку.

— Пей, я кому сказала!

— Я водку пить не умею, — жалобно простонала она.

— Сейчас не до шику. Пей, что дают. Водка тебя успокоит.

— Но почему именно водку? — взмолилась подруга.

— Не вином же душевные раны врачевать...

— Может, виски или бренди.

— Тут нет ни черта. Пей водку!

Мила беспомощно кивнула и осушила рюмку до дна. Уговорив полбутылки, она подперла пьяную голову руками и стала жаловаться на судьбу:

— Викуля, ну почему мужики гуляют? Чего им не хватает?!

— Не знаю. Наверное, для мужчины секс и любовь — совсем разные вещи. Когда я жила с Челноковым, то думала, что, если мужик гуляет, это еще не самое главное. Главное, чтобы он заботился, был опорой семьи. Я знала, что он волочился за любой юбкой, и терпела. Мужику нужен секс, от этого никуда не денешься.

— Получается, что в семье ему совсем недостаточно секса?

— Получается, так. Наверное, со временем семейный секс приедается, похоть берет свое.

Мила выпила еще рюмку.

— Ты бы хоть закусывала.

— К черту! Ты же хотела, чтобы я напилась, вот я это и сделала. Господи, откуда берется такая несправедливость! Я любила его, хранила верность, а он извалял меня в дерьме... Наплевал на все.

— Он просто увлекся другой женщиной.

—А ты считаешь, что это не наплевательство?! Я же не увлеклась другим мужчиной... Ведь выйдя за него замуж, я отказалась от многого. Мне мог выпасть более крупный выигрыш. Я могла встретить мужичка с толстым кошельком, не думать о быте, не знать, что такое ишачить, носила бы туфли за двести долларов, дорогую одежду. Но я влюбилась как ненормальная и не могла думать ни о ком другом. Полюбила, и все... Деньги, быт — это не главное... Главное — чтобы любимый человек был рядом. Наверно, я поплатилась за свои иллюзии. Наверно, надо быть хоть немного корыстной и любить мужика за что-то, а не за то, что он есть. Тогда и все измены будут переноситься легче. Когда знаешь, ради чего с ним живешь, ради чего терпишь...

На улице совсем стемнело.

—Давай поднимайся, — сказала я. — И запомни — ничего не было. Тебе все приснилось. Ты никого не травила. Ты вообще не знала о том, что у твоего мужа была любовница. С Вадимом себя веди как раньше. Смотри не проколись. Теперь все зависит от тебя, от твоего поведения. Ты должна быть спокойной и мудрой. Забудь обо всем на свете.

Мила уронила голову на стол.

—Я домой не поеду.

—Как это? — опешила я.

—Так это. Не поеду, и все.

—А Вадим?

—Пошел он к черту, этот Вадим. Я его даже видеть не хочу.

—Ничего с тобой не случится, посмотришь. Ты когда его любовницу травила, от нее глаз не отворачивала. Я же тебе сказала, чтобы ты делала вид, что ничего не случилось. Бог даст, все обойдется. Но если она и умерла, ты должна делать вид, что не имеешь к этому никакого отношения.

Мила слегка приподнялась.

—Довези меня до вокзала. Я поеду в Ялту и отсижусь в твоем домике. Все убийцы после преступления где-нибудь отсиживаются.

—Не говори ерунды. А как же Вадим?

—Я ему из Ялты позвоню. Скажу, что плохо себя чувствовала и решила уехать на несколько дней. Я о нем уже черт знает сколько времени переживаю, так пусть теперь он обо мне побеспокоится.

—Ты просто пьяна. Не пори горячку. Своим отъездом ты только вызовешь ненужные подозрения.

ГЛАВА 21

Не обращая внимания на недовольство подруги, я почти волоком и потащила ее к машине. Пьяная Милка несколько раз падала, при этом возмущенно размахивала руками.

— Это что же за жизнь такая собачья пошла?! И откуда только такие бабы берутся?! Видят, что мужик женат, что у него семья, но все же норовят его в койку затащить! Проститутки, одним словом. Это же как себя надо не уважать, чтобы собирать объедки с чужого стола?! Я бы таких баб не только травила, но и отстреливала... Это же как воровство. За это статью давать надо. Статью за вторжение в чужую частную жизнь... Ведь можно же свободного мужика найти, не всех же еще разобрали...

Доставив подругу домой, я помогла ей раздеться и уложила в постель.

— Уже поздно, а Вадима нет, — сказала я.

— Он всегда приходит ночью, — пробормотала Мила.

— Ты закрывай глаза, постарайся уснуть. И помни обо всем, о чем мы с тобой говорили.

— Как я могу уснуть в таком состоянии?

— После водки ты должна спать без задних ног.

— Голова кружится, — Милка тихо застонала.

— Оно и понятно — столько выпить!

Вскоре послышалось мирное посапывание. Заботливо укрыв подругу одеялом, я немного постояла и направилась к выходу. В это время в квартиру вошел Вадим. Наигранно улыбнувшись, я постаралась унять дрожь в коленях и приветливо улыбнулась.

— Привет. А я уже уходить собралась... — начала было я, но сразу замолчала.

Вадим был ужасно расстроен и даже не пытался этого скрыть.

— У тебя что-то случилось?

— Да так, небольшие неприятности.

— Ты уверен, что небольшие?

— Думаю, что да.

— На тебе лица нет. Такой бледный...

— На работе проблемы. А где жена?

— Спит.

— Как это спит?

— Она немного выпила. Я привезла ее домой и уложила спать.

— А ты почему трезвая?

— Потому что я за рулем.

Вадим усмехнулся, прошел на кухню и сел на табурет.

— Ты хочешь сказать, что моя жена напилась в гордом одиночестве?

— Почему в одиночестве? Я с ней была. Можно подумать, ты никогда не выпивал!

— Один — нет.

Я посмотрела на часы и развела руками.

— Ладно, мне пора ехать. Не буди ее. Пусть хорошенько выспится.

Вадим закурил, подошел к окну и присел на подоконник.

— Милка, наверное, тебе жаловалась на меня? — неожиданно спросил он.

— А почему она должна на тебя жаловаться?

— Но вы же лучшие подруги. У вас есть какие-то тайны.

— Мы своих мужей никогда не обсуждаем. — Вадим усмехнулся и затянулся глубокой затяжкой.

— Так уж и не обсуждаете! Я просто уверен, что вы мне все косточки перемыли.

Я почувствовала, как меня охватывает сумасшедший гнев, готовый вот-вот вырваться наружу. Мне было жалко пьяную Милку, которая пошла на преступление от собственной беспомощности и жуткого отчаяния, жалко ее соперницу, которая, возможно, поплатилась жизнью. И все это из-за мужчины, который играл судьбами двух близких женщин. Метнув в сторону Милкиного супруга злой взгляд, я раздраженно проговорила:

— Ходят слухи, что тебя семейная жизнь не устраивает. Гулять-то ведь тоже умеючи надо. А не можешь — не берись.

— Я так и знал, что Милка что-то напела. Не зря она сегодня так нажралась.

— Нажралась потому, что ты ее до этого довел. Ты хоть видел, как другие мужики гуляют? Тихо, мирно. Для семьи совсем незаметно. А ты что творишь? Ты посмотри, до чего ты жену-то довел!

Вадим ударил кулаком в стенку и с отчаянием произнес:

— Ты меня жить не учи! Мне самому хреново. Я знаю, что виноват перед Милкой. Влюбился я, понимаешь, влюбился...

— Как влюбился, так и разлюбишь. Когда-то ты Милку любил и, если я не ошибаюсь, очень сильно.

— А я разве сказал, что теперь ее не люблю? Просто сейчас я люблю ее как друга, но не как женщину. Это совсем другое, понимаешь?

— Не понимаю. Ты забыл, что твоя жена в первую очередь женщина и относиться к ней надо подобающим образом!

Вадим встал и нервно заходил по кухне.

— Вика, я же тебе сказал, что мне сейчас тоже нелегко. Я, может, больше Милки мучаюсь. Она напилась да спать завалилась, вот и все ее мучения. А у меня теперь целую ночь голова кругом идти будет.

— А с чего это у тебя голова будет кругом идти? — насторожилась я. — С любовницей сегодня встретиться не получилось? Наверно, именно поэтому ты сегодня так рано домой пришел.

Вадим бессильно опустил руки. Было видно, что он очень страдает. В этой игре, где были трое, страдали все. Страдал неверный муж, страдала измученная ревностью жена, страдала уставшая от бесперспективности отношений любовница.

Губы Вадима задрожали. Вадим не был подлецом. Он вместе с Милкой создавал иллюзию примерной пары, на которую многие смотрели с нескрываемой завистью. Теперь это была своеобразная игра в счастливый брак, где одна исполняла роль жены, а другой мужа. Они старались изо всех сил, насколько это было возможно. В последнее время Вадим как мог баловал Милку, покупал ей кассеты с новыми фильмами, водил в кафе, но всегда, даже когда они занимались любовью, Милка чувствовала, что они не одни, что в его душе, в его мыслях и в его сердце — та, другая. Она устала от ощущения, что каждую минуту кто-то дышит ей в спину. Вадим тоже был измучен двойственностью положения. Он не мог решиться оставить жену и не мог отказаться от праздника необузданных страстей, который ждал его у любовницы. Все зашло в беспросветный тупик.

Неожиданно он стал медленно оседать на пол. Коснувшись головой батареи, он поднял на меня ничего не понимающий взгляд.

— Вика, что это? — прошептал он чужим глухим голосом.

Я бросилась к нему и увидела, что из его открытого рта появились пенистые пузыри.

—Вадим, что с тобой?! Тебе плохо?

—Мне больно. Такая острая боль... Ты даже не представляешь, как мне больно...

—Это что, сердце? Плохо с сердцем?!

—Не знаю...

Он склонился вперед, и я увидела, что спина залита кровью. Я перевела взгляд на окно — в нем виднелась небольшая дырочка.

—Бог мой, Вадим, в тебя стреляли! — охнула я.

—Кто? — еле слышно спросил он.

—Не знаю.

—У меня нет врагов.

Опомнившись, я бросилась к телефону, чтобы вызвать «скорую помощь». Затем помогла Вадиму лечь на пол, подложила под голову подушку.

—Держись, скоро должны приехать. Только не раскисай. Я сказала, что огнестрельное ранение... Ты, главное, держись. Учись у своей жены. Она столько всего вынесла... Чудом жива осталась... У нее огромная сила воли и вера — она верила в настоящую любовь, знала, что обязательно встретит такого мужчину, как ты. Не раскисай. Не имеешь права. У тебя жена красавица. Она без тебя и дня не проживет. Ты ведь даже не представляешь, как сильно она тебя любит...

Вадим открыл глаза, в них стояли слезы. Он тяжело дышал.

—Вика, если со мной что-нибудь случится, ты ей обязательно позвони. Пусть она ко мне в больницу придет... А если я до больницы не дотяну, пусть придет на могилу...

—Молчи...

—У меня в кармане записная книжка. Ее зовут Олей. Оленька... Я хотел ее сегодня увидеть. Она обычно на реке загорает. Приехал, а ее нет. Ни дома, ни на пляже. Домашний и сотовый молчат. Мне так хотелось ее увидеть... Ты ей скажи, что я ее очень люблю... Если я умру, у меня только одно желание — вернуться на эту землю в виде какого-нибудь облака, полюбоваться ею со стороны. Она бы подняла голову, улыбнулась и поняла, что это я.

— Хорошо. Я все сделаю, — прошептала я, пряча слезы, и достала из его кармана записную книжку.

— Знаешь, она очень красивая, — говорил Вадим, задыхаясь. — Она странная, понимаешь, странная. Ее никто не понимает, а я люблю все ее странности. Я даже сейчас ощущаю ее запах. Он постоянно в моей памяти. Такой теплый, такой терпкий. Знаешь, быть с нею — это все равно что купаться в озере наслаждения. Она смогла разжечь огонь, который способно потушить только ее тело. У нее просто магические пальцы... У нее чувственные губы и печальные зеленые глаза... Я не мог бросить Милу и пытался избавиться от этого наваждения. Я всегда помнил, что не свободен и несу ответственность за свою семью. Знал, что нужно заканчивать резко, не медля, потому что лучше умереть сразу, чем истекать кровью от тысячи мелких порезов... Я мог заниматься любовью с Ольгой часами напролет. Это была такая дикая страсть, после которой в голове не оставалось ни одной мысли. Даже когда я совсем слабел, она была ненасытна. Это было безмерно счастливое время. Ольга воплощала в себе то, что хотелось видеть в женщине. Я и не думал, что когда-нибудь смогу такую встретить. Ее любовь была смелой и бесшабашной, она чувственна и необычайно эротична. Чем больше я ее видел, тем еще больше хотел видеть... До Милы у меня было много женщин, но мне никогда не приходилось встречать женщину, которая бы так умело занималась любовью. Она всегда отдавалась полностью, страстно. Ее считали странной. Даже очень странной. Ты даже не представляешь, как сильно я любил ее странности...

Я слушала Вадима и тихонько всхлипывала. Мои слезы капали на его рубашку, перемешиваясь с выступившими капельками крови. Я вновь подумала о Милке. Она была умной и вполне понимала опасность. У нее были все основания для ревности. Она поняла, что Вадим любит другую женщину. С женой его связывали воспоминания и устоявшиеся привычки. Он ощущал перед ней свою вину и страдал от того, что страдает она. Он был необычайно ласков и нежен, как будто собирался загладить свою вину и вознаградить жену за то, что лишил ее своей любви. В этой ситуации нет виноватых, а быть может, в ней виноваты все.

«Скорая» увезла Вадима в реанимацию. Сказали, что он потерял очень много крови, а пуля застряла в легком. Нужна срочная операция, но он должен остаться жить. Должен... Нужно надеяться на лучшее, хотя и не все медицинские прогнозы сбываются. После того как уехала «скорая», мне пришлось общаться с милицией и убеждать ее в том, что ко всему произошедшему я не имею ни малейшего отношения. Я и в самом деле не знаю, кому Вадим перешел дорогу.

Милку разбудить не удалось. Она металась и стонала во сне. Какое-то время посидев около нее, я поехала домой. У подъезда я встретилась с Юрьевичем, который припарковал свой джип и вышел из машины с красивым букетом белых роз. Я чмокнула его в щеку и взяла букет.

— Привет. Надеюсь, что это мне.

— Понятное дело, что тебе. Как будто у меня еще кто-то есть!

— Мало ли...

Юрец обнял меня за плечи и посмотрел на часы.

— А ты где была?

— У Милки. И еще я в магазин ездила, возьми из машины продукты.

Я приготовила ужин. Юрка открыл бутылочку моего любимого красного вина. Я, как могла, держалась, пока мы не легли в постель. Положив голову на плечо любимого Юрьевича, я почувствовала, как из моих глаз покатились слезы.

— Викуля, ты что, плачешь? — Юрец поднялся и заглянул мне в лицо.

— Юр, скажи, а почему уходит любовь? — жалобно спросила я.

— Куда? — не понял Юрьевич.

— Ну, не уходит, а умирает.

— Ты что, меня разлюбила, что ли?

— Тебя — нет.

— Странная ты сегодня какая-то...

Юрец подмял меня под себя и жадно поцеловал. Меня охватило неземное блаженство. Наверное, это и есть любовь. Господи, как страшно ее потерять, ведь это и есть самое незабываемое чувство на свете. Юрец целовал мои глаза. Я ощущала его родные, страстные объятия с таким жаром, которого никогда не чувствовала раньше. Если мой Юрьевич сейчас рядом со мной, если он любит и хочет меня, то это значит, что он только мой и я очень ему нужна. Мне хотелось принадлежать любимому мужчине, и это было самым величайшим счастьем. Я твердо знала, что самое высшее удовлетворение — доставить наслаждение человеку, которого любишь. От осознания того, что рядом со мной лежит такой мужчина, как Юрий Юрьевич, я чувствовала себя значительной и самой счастливой женщиной на свете. Юрьевич дал мне возможность познать чувство любви, и ради этого стоит жить.

Юрьевич уснул, а у меня бессонница. Я направилась в ванную, меня слегка пошатывало. Наверное, нервы. Голова шла кругом, но спать совсем не хотелось. Зазвонил телефон, и я поспешила снять трубку.

— Викуля, привет. Я тебя разбудила? Я проснулась и не нахожу себе места. Да и Вадима дома нет. На кухне какая-то кровь и осколки. Ты не знаешь, что здесь произошло?

— В твоего мужа стреляли.

— Что?!

— Вадима хотели убить.

— Кто?!

— Тебе виднее. Он же твой муж, а не мой.

В трубке воцарилась тишина. Я не на шутку перепугалась за состояние подруги и защебетала, как воробей:

— Послушай, он жив, ему просто прострелили легкое, он сейчас в больнице, завтра ты обязательно его навестишь.

— Давай выпьем, и ты мне все расскажешь подробно, — донеслось в ответ.

— Ну хорошо, давай выпьем.

— Я уже налила остатки водки.

— А я уже иду к бару и достаю из него бутылку шотландского виски.

Налив рюмку, я чокнулась с трубкой и рассказала Миле, что произошло в этот злосчастный вечер.

— Может, в него эта шлюха стреляла? — предположила Мила.

— Ты точно еще не протрезвела. Как же она могла выстрелить, если ты ее отравила? Вадим звонил ей домой и на сотовый. Все телефоны молчат. На реке никого не было.

— Ах, так. Значит, он ее обыскался. Перепугался, бедненький, что его давалка пропала.

— Немедленно прекрати! — прикрикнула я и налила себе вторую рюмочку.

— Я знаю, отчего это произошло, — Милка тихонько всхлипнула и снова чокнулась с трубкой. — Господи, и почему я не выпила эту колу сама? Вадим нашел другую потому, что я не могу иметь детей.

— Что?

— Я никогда не смогу забеременеть и родить ребенка.

— Твое заболевание не имеет никакого отношения к рождению ребенка.

— Когда я была больна, мне удалили матку.

— Как? Ты никогда не говорила мне об этом...

— А что, по-твоему, я должна была об этом кричать направо и налево? Беременность могла спровоцировать развитие злокачественной опухоли в яичниках. Разве ты не знала, что существует связь между молочной железой и яичниками? Меня стерилизовали.

— Даже если и так, это ерунда. Вы с Вадимом можете кого-нибудь усыновить. Многие семьи имеют приемных детей. Родители их любят и прекрасно с ними ладят.

— Знаешь, мы с тобой бывшие раковые больные и на нас всегда будет стоять клеймо.

— Неправда. Моему Юрьевичу глубоко наплевать на то, что было со мной раньше. И я уверена, что если бы со мной случилось еще одно несчастье, он бы всегда был рядом и помог мне справиться с любыми трудностями.

Я не сомневалась, что Мила не обратила внимания на мои слова. Она пила водку как воду и слушала только себя.

— Всю мою жизнь слово «рак» означало смерть. Я всегда боялась этого слова, а когда им болел кто-то из моих знакомых, просто сжималась от страха. А потом заболела я и тогда перестала относиться к этому, как раньше. Я не испугалась. Я просто хотела жить. Любой ценой, чего бы мне это ни стоило. Я излечилась и научилась не вспоминать про эту болезнь, но я никогда не думала, что именно она станет причиной разлада моей личной жизни.

— Не говори глупостей. Твоя бывшая болезнь тут совершенно ни при чем. — Я почувствовала, как к моему горлу подступили слезы отчаяния.

— Тогда почему он с ней связался?

— Не знаю.

— Но кто-то же должен за все это ответить!

— Мне кажется, что ответили уже многие. Любовница твоего мужа отравлена. В твоего мужа стреляли. Кто бы это мог быть?

— Ума не приложу. — Мила задумалась. — Он был отродясь никому не нужен. У него и дел особых никогда не было. Большие деньги не водились. Если в человека стреляют, то из-за денег, а у нас их не было.

— Человека убивают не обязательно из-за денег.

— Ты хочешь сказать, что могут быть еще какие-либо причины?

— Масса причин. Любовь, ревность, предательство.

— Если так, то, значит, в него его шлюха стреляла.

— Да как же она могла в него стрелять, если ты ее отравила?

Милкины рассуждения начинали меня раздражать.

— Получается, что я ее недотравила, и она осталась жива.

— Если бы она осталась жива, ты бы уже давно сидела за решеткой.

— Так куда она подевалась? Трупа же на берегу мы не видели!

— Не знаю.

— Прямо чертовщина какая-то или фильм ужасов.

Устав разговаривать с Милой, я пожелала ей спокойной ночи и пообещала заехать утром, чтобы отвезти в больницу к Вадиму. Поставив бутылку в бар, я достала записную книжку Вадима и нашла телефон Ольги. Последние слова подруги прочно запали мне в душу и не давали успокоиться. Недотравила... Недотравила... Где же Ольга? В морге, в больнице, дома? Да и связано ли покушение на Вадима с отравлением Ольги? Вроде бы тут не может быть никакой связи.

Три часа ночи. Для телефонных звонков поздновато. Но это не тот случай, когда нужно соблюдать правила приличия. Набрав телефонный номер, я напряглась, словно струна, и принялась терпеливо ждать. Ждать пришлось недолго, словно на том конце провода сидели у телефона, позабыв про ночной отдых и сон.

— Простите за столь поздний звонок, я могу поговорить с Ольгой?

— А Оленьки еще нет. — Вне всякого сомнения, голос принадлежал пожилой женщине. Она была очень взволнована, слышались даже немного плаксивые, истеричные нотки.

— А вы не подскажете, где она? Она мне очень нужна.

— Не знаю. Я сижу у окна и всматриваюсь в темноту. Она до сих пор не вернулась. Ее мобильный отключен. Обычно она меня предупреждает, что где-то задерживается, а в этот раз даже не позвонила...

— Вы ее мама? — Я почувствовала, как на глаза навернулись слезы.

— Я ее бабушка. У Оленьки нет родителей. Они погибли в жуткой аварии, когда она была еще совсем маленькой. Я вырастила ее сама, без посторонней помощи. Нам с Оленькой было очень тяжело, ведь я почти слепая. С каждым годом зрение падает все больше и больше... — От безысходности и томительного ожидания пожилая женщина хотела поговорить, поделиться своей тревогой. — Я думаю, она где-то задержалась. Правда, она очень обязательная, никогда не заставляла меня страдать. Олечка очень чуткая и очень ранимая. Только с виду такая взрослая, а на самом деле сущий ребенок. Прячется за бабушкину спину от всех невзгод, обожает пирожки, которые я стряпаю, боится темноты и уколов. Оля бережет меня, никогда не показывает своего плохого настроения. Если ее кто-то обидит, она придет домой, включит музыку, распустит длинные волосы и начинает танцевать. Оленька очень красиво танцует. Она, когда совсем маленькой была, на танцы ходила. Грамот полным-полно. Я вот только не пойму, почему она так сильно задерживается... — Неожиданно пожилая женщина замолчала и после паузы испуганно спросила: — Простите, милая, а вы кто?

— Я ее подруга.

— Вы учитесь вместе с Оленькой в институте?

— А Оля учится в институте? — опрометчиво спросила я.

— Она защищает диплом в этом году. На красный идет. Ее все преподаватели хвалят. Очень умная девочка. На бесплатном отделении учится. Сама поступила, без всякого блата. А еще в торгово-производственной фирме подрабатывает. Получает неплохо, потому что трудится не покладая рук. Ее на работе ценят. Оля с прошлой зарплаты мне новое платье купила и босоножки. Очень даже удобные. А вы ее откуда знаете?

— Мы с ней у института познакомились, — соврала я и, не попрощавшись, бросила трубку.

Я опустилась на пол, обхватила колени руками и заревела. Кто-то потряс меня за плечо. Это был Юрий. Он подсел рядом и положил свою голову мне на плечо.

— Вика, что происходит? Почему ты не спишь? Может, ты мне все-таки расскажешь, что произошло?

Я моментально успокоилась и с любовью посмотрела на мужа.

— Юрец, если ты когда-нибудь полюбишь другую женщину, я просто умру.

Юра покрутил пальцем у виска и пробасил:

— Ты что, спятила? Я же тебя так люблю, что свихнуться можно! Вот и сегодня все пацаны в баню поехали, а я домой. Я же знаю, что ты меня ждешь, переживаешь...

Я поцеловала его и смущенно улыбнулась.

— Ты правду говоришь?

— О чем?

— О том, что все в баню поехали, а ты домой?

— А зачем мне врать-то?

— Господи, ты даже не представляешь, как сильно я тебя люблю! — радостно закричала я.

— Тише, соседей разбудишь!

— Да и бог с ними, с соседями. Скажи, а ты правда знаешь, что я тебя жду и переживаю?

— Конечно. — Юрец подозрительно посмотрел на меня и пробурчал себе под нос: — Ты какая-то сегодня странная.

— Какая? А ну-ка повтори еще раз это слово. Какая я?

— Странная.

— Странная! Странная! И ты любишь все мои странности! Получается, что женщину любят за странности...

Я вспомнила слова Вадима об Ольге. Вадим называл ее странной женщиной и говорил, что больше всего на свете любит ее странности.

— Вика, что с тобой происходит? — не мог успокоиться Юрец.

— А с чего ты взял, что со мной что-то происходит?

— С того, что я застаю тебя посреди ночи плачущей, бутылка виски стоит... Ты ничем не хочешь со мной поделиться?

— Хочу.

— Так давай делись.

Юрец взял меня на руки и отнес на кровать. Он бережно накрыл меня одеялом и лег рядом.

— Делись, — повторил Юрец и настороженно посмотрел на меня.

— Делюсь, — как-то по-пионерски отчеканила я и выложила Юрцу все, что произошло со мной и Милкой, как на духу.

Юрец внимательно слушал, ни разу не перебив. Когда я закончила рассказ, он посмотрел на меня такими глазами, что у меня по коже побежали мурашки.

— Юр, ты что? Может, тебе водички принести?

Он не ответил и по-прежнему холодно смотрел на меня.

— Ну ты что на меня так смотришь, ей-богу?

Я спрыгнула с кровати, но Юрец схватил меня за руку и вернул на место.

— Ты куда собралась?

— За водичкой.

— За какой водичкой?

— За обыкновенной, питьевой, — промямлила я. — Ну, что ты, ей-богу?

— И она еще говорит про бога! — взвыл разъяренный Юрьевич. — Да ты же ведь антихристка! Я тебе сейчас такую водичку покажу, что мало не покажется!

Я жалобно промурлыкала, как ни в чем не повинная домашняя кошечка:

— Юр, ты меня любишь или нет?

— В том-то все и дело, что люблю. Ну почему я полюбил сумасшедшую?!

— Не сумасшедшую, а странную, — аккуратно поправила я мужа.

— Мне кажется, что ты все-таки сумасшедшая. Тебе почему спокойно не живется? Почему ты постоянно попадаешь в какие-нибудь истории?! Почему у всех жены как жены, а у меня невесть что?

— Я что, плохая жена?

— Хорошая, — произнес Юрец с сарказмом и отвернулся.

— Вот поэтому ты меня и полюбил. Потому, что я не такая, как все. — Я немного помолчала и после минутной паузы произнесла: — Юр, а как ты относишься к тому, что я болела раком?

Юрец вновь покрутил пальцем у виска.

— Точно чокнутая. А это ты зачем приплела?

— Я просто так спросила, ради страховки.

— Ради какой страховки?

— Некоторые считают это клеймом на всю жизнь.

— А ты плюй на некоторых. Ты мне любая нужна. Пусть хоть у тебя рук и ног не будет.

Я с испугом посмотрела на Юрьевича и отрицательно замотала головой.

— Э, нет, так не пойдет. Пусть у меня руки и ноги будут на месте.

Юрьевич потянулся к пепельнице, поставил ее на кровать и закурил.

— Знаешь, я думал, что ты у меня одна сумасшедшая, а оказывается, нет. У тебя даже окружение сумасшедшее.

— Ты это о ком?

— О твоих подругах.

— Про Милку, что ли?

— Про нее самую. Вы травите людей, затем стреляют в Вадима.

— Это не я травила, а Милка. Но если ты загуляешь, я твою стерву отравлю без тени сомнения.

— Какую стерву?

— С которой будешь гулять. Напою ее термоядерной колой.

— Ты что несешь? — перепугался Юрьевич.

— Между прочим, в какой-то стране, правда, забыла в какой, за супружескую измену наказывают смертной казнью. Если трахнулся, сразу в тюрьму. А затем голову отрубают. Удобно. И почему у нас такие законы не вводят? Почему за все расплачиваются бедные женщины? Так бы ни один мужик не гулял. У него бы, кроме жены, ни на кого не стоял.

— Вик, ты хоть понимаешь, что несешь-то? — оторопел Юрец.

То ли пара рюмок шотландского виски лишила меня рассудка, то ли полный стрессов день, но я поняла, что в этот момент мои тормоза полностью отказали. Сбросив простыню, я расстегнула ночную рубашку и обнажила грудь.

— Так что, Юрец, выбирай, гулять тебе или нет. Любую на тот свет отправлю. Для меня это пара пустяков. Я у Милки опыта поднабралась.

Неожиданно силы оставили меня. Я обхватила голову руками и заревела. Юрий крепко прижал меня к себе и стал гладить по голове.

— Дурочка, что ж ты сама себя мучаешь? — приговаривал он ласковым и каким-то отеческим тоном.

— Скажи, ты никогда не будешь гулять? — спросила я, тихонько всхлипывая.

— Не буду. Не хочу, чтобы ты за решетку загремела. Не хочу тебе передачки носить.

— Какие еще передачки? — насторожилась я.

— Обыкновенные. Ты же сама сказала, что любую на тот свет отправишь. А за любое преступление наказывают, от этого никуда не денешься.

— Так уж за любое! Да у нас каждое второе преступление не раскрыто. Даже не каждое второе, а каждое первое.

— Смотря какое преступление. Ревнивая жена отравила любовницу. Это же так банально. Тут только ленивый не раскроет.

— Ты хочешь сказать, что Милку посадят?

— Конечно. И не только Милку.

— А кого еще?

Я почувствовала, как бешено забилось сердце, во рту пересохло.

— Ты следом пойдешь.

— Я?

— Ты.

— А я-то за что?

— Как соучастница.

— Какая я, к черту, соучастница?

— Самая обыкновенная. Милку посадят за убийство. А тебя за соучастие в преступлении.

— Ты что несешь? Я же ей травить не помогала. Я вообще при этом не присутствовала.

— Тогда какого черта вы вернулись на место преступления? Ты же сама сказала, что вас два наркомана видели.

— Ну и видели, ну и что... Да и кто им поверит, этим наркоманам.

— Если вас захотят посадить, то никто не посмотрит, что они наркоманы.

— Это я Милку туда потащила, — сбивчиво заговорила я. — Она упиралась как могла. Мол, не поеду, и все тут. Но я настояла. Я думала, что если Ольга еще жива, то мы ей помочь сможем. В больницу отвезем...

— Не надо было туда соваться. Уж если наломали дров, то не нужно из себя милосердных разыгрывать. Милосердие надо было раньше проявлять, а после содеянного поздно.

Юрец замолчал, взял меня за плечи и заглянул в глаза.

— Господи, а ведь я мог тебя потерять... Даже страшно подумать... Ведь сегодня утром мы могли видеться в последний раз... Я не представляю, как бы я смог жить без твоих странностей. Другой такой нет. Это я знаю точно.

— И я о том же тебе твержу. А почему ты мог меня потерять?

— Потому что у того злосчастного окна вместо Вадима могла стоять ты ...

— Ты думаешь, что тому, кто стрелял, было без разницы, кто подойдет к окну?

— Не знаю. Все может быть. Даже если ему и была какая-то разница, ты вполне могла быть второй мишенью.

Я посмотрела на Юрца с бесконечной благодарностью и прошептала:

— Все обошлось. Со мной никогда ничего не случится, если я буду знать, что нужна тебе. Меня бережет твоя любовь.

— А я и не знаю, как мне тебя уберечь. Ты же не умеешь сидеть на месте, а я не могу сидеть рядом. Я должен зарабатывать деньги. Ладно, завтра подумаем, как выбраться из этой ситуации, а сейчас давай спать.

Я легла, закрыла глаза и подумала, что мой родной Юрий Юрьевич никогда и ни в кого не влюбится, потому что он счастлив в семейной жизни. Ну и пусть у нас не такой большой стаж семейной жизни. Это еще ни о чем не говорит. Мы уже во многом стали похожи. Словно вместе не один десяток лет. Конечно, это совершенно нормально, что красивые молодые женщины притягивают взгляд нормального мужчины, так и должно быть, но это не значит, что Юрец помчится за первой попавшейся юбкой и забудет о моем существовании. Он у меня особенный, и я даже подозреваю, что он у меня однолюб. Юрец говорит, что во мне редкое сочетание женской мудрости и девичьей жизнерадостности. Я теперь представить не могу, как это люди отдыхают от семьи. Я всегда жду своего Юрца домой, даже если он возвращается за полночь. Мы можем говорить друг с другом часами. Самое главное в жизни женщины — иметь рядом с собой надежного человека.

Я разглядывала спящего Юрия Юрьевича и думала, что он у меня красивый.

ГЛАВА 22

Тревожно зазвонил будильник. Я с трудом открыла глаза и обнаружила, что мужа рядом нет. Встав с кровати, я сунула ноги в пушистые тапочки и направилась в кухню. Юрец сидел на подоконнике и разговаривал по телефону. Я бросилась к нему. Меня трясло.

— Что это на тебя накатило? — недоуменно спросил Юрец и швырнул телефонную трубку на рычаг.

— Никогда не сиди на подоконнике! Слышишь, никогда! — сказала я.

— Да что творится, в конце концов?

— Вадим тоже сидел на подоконнике в тот момент, когда в него выстрелили... Он тоже курил...

— Да что ты меня с Вадимом сравниваешь? У него свои дела, у меня свои.

— У Вадима вообще никаких дел не было. Он был не при делах. Понимаешь, не при делах! А у тебя дела есть, и это значит, что тебе опасность угрожает в два раза больше. Я не могу тебя потерять. Не могу!

— Да почему ты решила, что должна меня потерять?

— Не знаю. Просто я очень тебя прошу никогда не сидеть на подоконнике.

— Ну если ты так настаиваешь, не буду. — Юрец сел за стол и спросил уже менее раздраженно: — А на каком этаже живет Вадим?

— На пятом.

— Значит, стрелял снайпер. Профессионал, понимаешь?

Я недоуменно посмотрела на Вадима.

— Что ты так на меня смотришь? Не веришь?

— Я тебе всегда верю. Как я могу тебе не верить. Профессионал просто так не стреляет. Ты же прекрасно это знаешь. Ты хочешь сказать, что убийство Вадима заказали?

— Я знал, что ты умная девочка. Именно это я и хотел сказать.

— Господи, но ведь это бред!

— Бред не бред, но так оно и есть.

— Но ведь для того, чтобы заказать человека, нужно заплатить! Кто за него будет платить? Кто? Кому он, на хрен, нужен? У него нет ни положения, ни денег. У него вообще ничего нет. Он Милке даже сапог приличных купить не мог, а ты говоришь, что его заказали. Люди с большими деньгами и авторитетом всю жизнь живут и на фиг никому не нужны.

— Зря ты так думаешь. Большие деньги создают большие проблемы.

— Но Вадим-то кому нужен?

— Если его заказали, значит, кому-то нужен. — Серьезный тон мужа привел меня в полнейшее замешательство.

— Выходит, киллер оказался хреновый. Он ведь его только ранил.

— Видимо, что-то не получилось. Мало ли что могло быть. Если он стрелял из подъезда соседнего дома, ему мог кто-нибудь помешать, спугнуть, в конце концов.

— И все же я никогда не слышала, чтобы от рук профессионального киллера чуть было не погиб простой смертный. Обычно это финансовые воротилы, политики, крупные фигуры криминального мира.

— А может, нанятый киллер был не таким большим профессионалом. В наше время киллером может стать любой. — Сейчас такая собачья жизнь, что люди просто перестают бояться убивать.

— Это понятно. Непонятно другое — кому мог понадобиться Вадим?

— Я уже тебе сказал и не люблю повторяться. Кстати, а ты уверена, что его любовница умерла?

От этого вопроса на моем лбу выступил холодный пот.

— Уверена.

— Никогда не будь уверена в смерти человека, пока не увидишь труп.

— Что ты этим хочешь сказать?

— Быть может, она жива...

— Как это? Милка говорит, что от такой дозы не выживают. Даже если она осталась жива, она должна лежать в больнице. А если бы она очутилась в больнице, Милку уже давно забрали бы менты.

— А откуда твоя предприимчивая подруга знает, что таблетки, которые она купила у бабки, настоящие? Может, от них, кроме поноса, ничего быть не может!

— Тогда куда Ольга подевалась?

— Вот это уж я не знаю.

У меня кружилась голова, подташнивало — вчерашние волнения не прошли бесследно. Я набрала номер телефона Ольги. Как и в прошлый раз, на том конце провода сняли трубку незамедлительно. Наверное, пожилая женщина так и не решилась отойти от телефона в ожидании долгожданного звонка. К моему удивлению, я услышала молодой голос. Немного замешкавшись, я запинаясь спросила:

— А Ольгу можно к телефону?

— Я вас слушаю.

От волнения я чуть не потеряла сознание.

— Наверное, вы меня неправильно поняли. Я бы хотела услышать Ольгу.

— А кто ее спрашивает?

— Это из института.

— Я вас внимательно слушаю.

— Вы хотите сказать, что вы и есть Ольга?

— Да, а что тут странного? Вы так со мной разговариваете, словно я должна была умереть.

Я чувствовала, что еще немного, и телефонная трубка просто выпадет из моих рук.

— Девушка, ну говорите. Говорите. Я должна появиться в институте?

— Да. У вас скоро защита. Меня попросили передать, чтобы вы заехали в деканат, — произнесла я почти безжизненно.

— Спасибо. Я заеду.

Сделав последнее усилие, я глубоко вздохнула и спросила почти шепотом:

— Оля, простите, а где вы были сегодня ночью?

— Сегодня ночью? А вам какая разница? Моя учеба никогда не имела отношения к моей личной жизни. — Девушка бросила трубку.

— Юрка, она жива, — беспомощно пробормотала я и села на пол.

— Я так и думал, — спокойно произнес супруг и принялся варить кофе.

— Но почему? Ведь все равно она должна быть в больнице с сильнейшим отравлением, а у нее такой живой голос.

— Ты сожалеешь о том, что она осталась жива?

— Господи, да что такое ты говоришь! Я с тобой делюсь, понимаешь, размышляю вслух.

— Понимаю.

— Я теперь за Милку спокойна. Никто ее за решетку не спрячет. Все обошлось.

— Я же говорил, что таблетки липовые. Эта бабка торговала каким-то дерьмом за нормальные деньги.

Я думаю, что у этой Ольги, кроме расстройства желудка, ничего не было.

Юрьевич помог мне подняться и напоил ароматным и душистым кофе. Затем сделал пару звонков и, уходя, чмокнул в щеку.

— Смотри мне, без глупостей! — сказал он. — Не заставляй брать в руки ремень.

— При чем тут ремень? — опешила я.

— Узнаешь в ближайшее время.

Я посмотрела на мужа и растерянно поправила прядь волос.

— Юр, ты шутишь?

— Ты о чем?

— Ты можешь меня ударить?

Юрец рассмеялся и крепко обнял меня.

— Дурочка ты. Шуток совсем не понимаешь. Я просто не знаю, что мне сделать, чтобы тебя уберечь от разных неприятностей. Будь осторожна, не балуй. В случае чего сразу звони. — У двери он остановился и влюбленно посмотрел на меня. — И вообще... Я сейчас немного разгребу дела, и рванем в Египет.

— Давай, — обрадовалась я. — А куда именно?

— В Шарм-эль-Шейх. Как тебе мое предложение?

— Замечательно!

Я нежно поцеловала его и закрыла дверь. Предстоящее путешествие подняло мне настроенис. Я любила Египет. Еще когда училась в школе, мечтала знать о Египте все, и когда кто-нибудь из взрослых спрашивал меня о том, кем я буду, когда вырасту, я с гордостью говорила, что стану египтологом. Жизнь сложилась так, что египтологом я не стала, но до сих пор во сне я брожу у пирамид, дотрагиваюсь до величественных египетских скульптур, пытаюсь понять таинственные надписи. Мечтательно улыбнувшись, я подошла к телефону и позвонила Милке.

— Привет, соня-засоня. Ты там живая?

— Лучше бы я умерла. — Голос подруги был ужасно печальным, наверное, у нее совсем скверное настроение.

— Сейчас самое время жить и радоваться летнему солнышку! — восторженно заявила я.

— А ты что такая радостная? Прямо звенишь и светишься вся.

— Откуда ты знаешь, свечусь я или не свечусь? У тебя что, глаз — рентген?

— Я тебя очень хорошо чувствую.

— Я радуюсь тому, что скоро со своим любимым Юрцом еду в Египет. Пара недель неразлучно с любимым мужчиной!

— Скатертью дорожка. А я даже не знаю, что мне делать. То ли к мужу в больницу собираться, то ли сухарики сушить и к тюрьме готовиться. Мне даже сегодня ночью изолятор приснился. Будто сижу я на нарах в ожидании суда и жду, когда меня отправят по этапу.

— И все-то ты знаешь. Где ты таких слов набралась?

— Каких?

— Этап, изолятор, нары...

— Грамотная. Телевизор смотрю. Так вот. Я тебе свой сон не рассказала до конца. Сижу я на шконке и смотрю на зэчек. Все в зэковской робе, такой однообразной, что волком выть хочется. Но знаешь, лица у всех этих баб совсем не такие озлобленные и спившиеся, как в фильмах показывают. Даже в таких скотских условиях на их лицах улыбки. Если на них со стороны посмотреть, то можно подумать, что они здесь случайно оказались. Я даже во сне подумала, почему это у них такие странные лица. Наверное, потому, что человек не может вечно страдать. Он страдает день, два, неделю, месяц, а затем просто устает и привыкает к тем условиям, в которых оказался. Я даже себя увидела, как бы со стороны... — Голос Милки задрожал, и я почувствовала, что она готова разреветься в любой момент.

— Мил, подожди, — перебила ее я. — Ты не знаешь самого главного.

Подруга меня не услышала. Она по-прежнему слышала только себя, фантазировала и верила в собственные фантазии.

— Вот сижу я в тюремной робе, вяжу салфетки, пытаясь украсить свой уголок. Вспоминаю неверного мужа, убитую любовницу и тяжело вздыхаю. Я фотографии мужа даже над своей шконкой повесила. На тумбочке иконка стоит. А потом вдруг понимаю, что мне помогает выжить только любовь. Только любовь, понимаешь, и ничто другое. Я ведь до сих пор люблю Вадима. Ночью я закрываю глаза, верчусь на железной кровати и вспоминаю Вадима. Я готова простить ему все на свете, терпеть постоянное безденежье и радоваться тому, что он рядом. Ведь если так, по сути, разобраться, не все крутые мужики сразу стали крутыми. По жизни любому мужчине отпущен лимит невезучести. Я ведь терпела с ним все лишения, отказывала себе во всем, только бы его накормить чем-нибудь вкусненьким. И что я получила взамен? Ничего. Правда, один раз я встала перед серьезным выбором. Невезенье Вадима стало просто хроническим, он к нему приспособился, привык. Я долго и упорно думала, что же мне с этим делать. Смириться и жить, экономя на молоке, или взбунтоваться и найти того, для кого деньги — не проблема? Я выбрала первое и просчиталась. Вадим не оценил моей преданности и завел связь на стороне. Я жестоко поплатилась за свою любовь и скоро буду наказана. Знаешь, я постоянно прислушиваюсь к шагам на лестнице, жду, что позвонят в дверь и попросят меня с вещами на выход. Я стала бояться телефонных звонков, любого шороха за дверью. Не представляю, как буду слушать приговор. «...Взять в зале суда под стражу... Столько-то лет лишения свободы...» Мне кажется, я не выдержу, я просто сойду с ума, я сломаюсь.

Мила наконец замолчала, я облегченно вздохнула в надежде, что смогу быть услышанной.

— Ну и любишь ты фантазировать! Прямо хлебом тебя не корми, дай что-нибудь придумать.

— Я не фантазирую. Я говорю то, что есть, и то, что будет.

— Ольга жива.

— Что?

— У тебя со слухом плохо?

— У меня со слухом хорошо, это у тебя с головой плохо. Ты про кого говоришь, про любовницу моего мужа?

— Конечно, а про кого же еще? Ольга жива. Я с ней недавно по телефону разговаривала.

— Она в больнице? В тяжелом состоянии? Она собирается писать на меня заявление?

— Бог мой! Она дома в прекрасном настроении, а это значит, что ты можешь ничего не бояться. Все обошлось.

— Она что, бессмертная?

Я рассмеялась.

— Милка, у тебя крыша поехала. Таблетки, что ты купила у бабки, липовые.

— Как это?

— Так это. Бабка тебя надула. Скорее всего, подсунула тебе таблеточки от поноса, и все.

— Э, нет! Бабка не могла надуть.

— Почему ты так уверена?

— Потому что я ей хорошие деньги заплатила. Они знаешь какие дорогие! Я могла себе зимние сапоги купить.

— Так вот, лучше бы ты себе зимние сапоги купила. Высокая цена — не показатель хорошего качества. Можешь теперь жить спокойно и ни о чем не думать.

— Я сегодня эту бабку поймаю и голову ей отверчу. Сука старая.

— За что?

— За то, что она трудящихся дурит.

— Ты ей должна не голову откручивать, а букет цветов подарить. Она тебя от тюрьмы спасла.

— Ой, я теперь уж и не знаю, что лучше, — всхлипнула Милка. — Ведь эта тварь опять с моим мужем встречаться будет...

— Это уже полбеды. Главное, спать ты будешь не на нарах, а дома, в своей кровати.

— И все равно, подруга, если она под моего мужа ляжет, я не знаю, что с ней сделаю.

— Милка, хватит! Сейчас я за тобой заеду, и мы проведаем Вадима. Непонятно, кто же в него стрелял?

— Может, эта идиотка, которую я заставила на унитазе сидеть? — усмехнулась Мила.

— Нет. Исключено. Это заказное убийство. Понимаешь, Вадима заказали.

— Ну вот любовница его и заказала.

— Нет. Если бы она кого и заказала, то тебя.

— Меня-то почему?

— Ты же ей мешаешь, а не Вадим. У Вадима свои дела были. Кому-то он очень сильно дорогу перешел.

— Не знаю, какие там у него дела были, но мы себе даже бутылку приличного вина не могли позволить, — грустно сказала Милка и повесила трубку.

ГЛАВА 23

Пока мы ехали в больницу к Вадиму, каждые десять минут звонил мой любимый Юрьевич и спрашивал, не натворила ли я каких-нибудь глупостей. Его забота совершенно меня не раздражала, даже наоборот — вызывала чувство гордости и бесконечной благодарности.

— Переживает, — повела носом Милка и уставилась в окно.

— Конечно, переживает, — без всякого хвастовства ответила я.

— Если переживает, значит, любит.

— Любит, — я блаженно улыбнулась.

Перед глазами предстал родной облик: широкие плечи, светлые волосы и глаза... Глаза, в которых можно утонуть. Мне повезло. Я заполучила не мужчину, а самый настоящий омут. Но ведь я уже несколько лет мечтала, чтобы меня затянуло поглубже. Я чувствовала его на расстоянии. Мне были близки его мысли, привычки, повадки. Я знала про него все. Например, что его первая любовь настигла его в детском саду, и я даже видела фотографию девочки-школьницы, которой Юрец носил портфель и читал стихи. Я знала, что он заядлый рыбак и великий охотник.

Говорят, что и в женщине и в мужчине должна быть какая-то тайна, иначе они будут друг другу просто неинтересны. Все это полная ерунда. У нас с Юрьевичем вообще нет никаких тайн друг от друга. Мой ненаглядный Юрьевич может позвонить в самый неожиданный момент и сказать: «Викуля, хулиганка ты моя, ты даже не представляешь, как сильно я тебя люблю».

— Вика, ну-ка притормози! — приказным тоном перебила мои светлые мысли подруга.

Я резко надавила на тормоз.

— Что случилось?

Милка покраснела, словно вареный рак, и запыхтела, как паровоз:

— Ну ты и тормознула... Прямо посреди трассы... Давай на обочину.

— Зачем?

— Делай то, что говорю. Это вопрос жизни и смерти.

Чуть было не влепившись в соседнюю машину, я все же съехала на обочину и выключила мотор.

— Ну и что дальше?

— Посмотри внимательно вон туда. Видишь парочку?

Я посмотрела в указанную сторону. Красивая девушка с букетом обнимала довольно почтенного господина.

— Это Ольга, — сказала Милка и застонала.

— Ольга?

— Ну да, та, которую я так и не смогла отравить.

Мила произнесла последнюю фразу с такой не свойственной ей интонацией, что мне стало не по себе. Я еще раз посмотрела на девушку и задала глупый вопрос:

— А ты в этом уверена?

— Я что, на дуру похожа? Я ее из тысячи узнаю. Тем более, я с ней битый час на пляже трепалась. Это же надо так встретиться! Правду говорят, что земля круглая, а Москва — большая деревня. Холеная морда. Можешь теперь воочию видеть, на кого мой муж запал.

— Ладно, поехали. Чего на них смотреть!

— Нет. Давай еще немного постоим. Ты хоть посмотри-то на нее.

— Да я уже на нее насмотрелась! — психанула я. — Что мы тут стоим, как две дуры!

— Подожди еще хоть минутку! Ты только посмотри, как она выглядит.

— Нормально выглядит. — Я чувствовала, что начинаю терять терпение.

— Посмотри, какие у нее бесстыжие глаза. Наглые и хитрые.

— Нормальные глаза. Как ты с такого расстояния видишь?

— Я ее откуда хочешь увижу. А ведь, в сущности, она не красивее меня. Просто умеет пользоваться своей красотой. И из-за этой твари и профурсетки я плакала ночи напролет, столько негативных чувств пережила. Она заставила меня почувствовать собственное ничтожество. Я посчитала ее более яркой и более привлекательной. Если бы ты только могла представить, сколько было пролито слез! Страшное время! Как жаль, что я ее не отравила! Я думала, что она любит моего мужа, а оказывается, он ей на фиг не нужен.

— Ну что ты несешь! Ты должна быть благодарна богу, что таблетки оказались фальшивыми. В конце концов, ты сейчас в машине сидишь, а могла уже на нарах париться.

Милка поджала губы.

— Жалко, что Вадим в больнице. Ему бы не мешало увидеть, как его зазнобу другие мужики лапают, сделал бы соответствующие выводы. Шлюха — она и в Африке шлюха. Сразу видно, что одноразовая. Только такой лох, как мой, мог такую тварь подцепить.

Я поняла, что больше не могу слушать этот бред, и включила зажигание. Машина тронулась, а Милка, вывернув шею, еще долго старалась не выпускать соперницу из поля зрения.

Я насмешливо посмотрела на нее.

— Шею не сломаешь?

— Не сломаю. Ты что смеешься? Вот когда твой Юрец загуляет, тебе будет не до смеха.

— Не каркай!

Если бы мой Юрьевич загулял, я бы пустила себе пулю в лоб или просто умерла от беспомощности.

Добравшись до больницы, мы без труда нашли палату Вадима. Он лежал на спине и широко открытыми глазами смотрел в одну точку. Признаться, выглядел он не самым лучшим образом. Худое, бледное, изможденное лицо...

Милка присела на краешек кровати и громко запричитала:

— Господи, да что же это делается! Сволочи! Нашли в кого стрелять! В пролетариев! Ни стыда, ни совести! Пусть руки у этих гадов отсохнут! Да чтоб их самих изрешетили! Криминал совсем обнаглел, стреляют без разбору! Буржуев мочить надо, а не пролетариев! Нас не за что! У нас, кроме гордости и пустых карманов, ничего нет!

— Ты давай заканчивай орать, не в лесу, — остановила я ее.

— Хочу и ору. У меня, может, столько возмущения накопилось, что я не могу его сдерживать! В конце концов, стреляли в моего законного супруга, значит, я имею полное право кричать.

— Я все понимаю, только от твоего крика никому ни жарко ни холодно. Сейчас все отделение сбежится.

— Ну и пусть сбегаются, — не сдавалась подруга. — Пусть посмотрят на мои страдания! Что же за жизнь пошла такая, прикончить могут каждого!

Вадим застонал и слегка приподнял голову. Милка вскочила.

— Вадим, тебе нельзя подниматься. Еще рано. Ты слишком слаб. Хочешь не хочешь, придется немного поваляться.

— Лучше бы я умер... — прошептал он.

— Что?

— Лучше бы меня застрелили. Зачем нужна такая жизнь?

Милка тихонько всхлипнула. Я постаралась разрядить обстановку.

— Вадим, не говори глупостей. Ты должен благодарить господа бога, что жив остался. Все могло бы быть намного хуже. Если бы тебя убили, Милка бы этого не пережила.

— А почему вы не хотите подумать обо мне?

— Как это не хотим? Мы только о тебе и думаем, — опешила я.

— А почему вы не подумали о том, как я буду жить без любимой?

Вадим опустил голову на подушку и тяжело задышал. По всей вероятности, у него начался жар. Я посмотрела на перепуганную Милку.

— Может, вызвать врача или медсестру?

— Не надо никого вызывать, — голос Вадима стал жестким, раздражительным. — Не нужно никого звать. Я не хочу и не могу жить без нее. Я ее люблю... Я оставил машину у ее подъезда и отправился на пляж пешком. Я знал, где она загорает. Оля всегда загорает на одном и том же месте. Она была такая красивая, словно с картинки... Совершенные формы... Грудь, ноги... На ее лице лежала панама. Я подумал, что она спит, и захотел ее напугать. Несколько секунд не мог отвести от нее глаз. Она притягивает, как магнит. Слишком красива и слишком откровенна. Я сел рядом и решил поцеловать. Губы были холодными, словно лед, и синеватого оттенка, глаза закрыты, сердце не билось. Я заплакал... Умерла не просто красивая женщина, погибла любовь...

Мы с Милкой переглянулись.

— Господи, что он несет? — жалобно спросила несчастная Милка.

— У него жар, — попыталась успокоить я.

— Но ведь он в сознании?

— Он бредит. Это бред, Мила...

— Я в сознании, — перебил Вадим. — Все нормально, просто хочу покаяться. Я взял ее на руки и пронес несколько метров. Шел и плакал. А потом испугался, опустил на землю и убежал... Я перепугался, что в ее смерти обвинят меня. Я трус. Я добежал до Ольгиного дома, сел в машину и скрылся на бешеной скорости. Наверное, бог решил меня наказать, поэтому тем же вечером я получил пулю.

Милка смотрела на меня своими большущими глазищами и нервно сжимала кулаки. Я подошла к Вадиму ближе.

— Вадим, а ты уверен, что она была мертва? Может быть, Ольга приняла сильнодействующее снотворное и крепко уснула?

— На пляже — и снотворное? Она была мертва. Я же не конченый лох и могу понять, умер человек или нет. У нее не было пульса и сердце не билось. Я не знаю, отчего она умерла. У нее не было особых проблем со здоровьем. И все же, мне кажется, это не убийство. На теле никаких следов насилия. Что-то с сердцем. Оленька, наверное, сильно переживала. Я мучил себя, ее, жену... Нужно было что-то решать. Она пахла спелой пшеницей... Я любил этот запах. Оля была особенной, наверное, именно поэтому даже пахла по-особенному. Странно, но даже мертвая она пахла как раньше. Казалось, что даже смерть не смогла помешать ее красоте... Даже смерть...

Вадим замолчал, и на его глазах показались слезы. Милка закинула ногу на ногу и повернулась ко мне.

—Ты слышала? Ты слышала, что он несет? И как я, по-твоему, должна к этому относиться?

—Он в бреду. Ты же сама понимаешь, он за свои слова не отвечает.

—Тебе легко говорить. Представь, что бы ты делала, если бы тебе такое заявил Юрец. Ты бы умерла сразу. У тебя бы сердце не выдержало. А я ничего, живу... Муж заявляет, что он любит запах другой женщины. Она, видите ли, пахнет крупой... Идиот! Нет, с меня довольно...

—Прости, — Вадим взял Милку за руку и нежно ее поцеловал.

Милка повела плечами и тихонько всхлипнула.

—Прости, я не имею права тебя обижать. Знаешь, ее, наверное, сразу нашли. На ней могут быть отпечатки моих пальцев...

Милка вытерла слезы, сунула платок карман.

—Ты уверен, что она умерла?

—Конечно, на все сто. Я никогда не смогу себе простить, что так подло сбежал. Я был обязан сообщить о случившемся ее бабушке, проводить любимую в последний путь. Говорят, что покойники сверху все видят и даже могут нас осуждать. Наверное, Ольга наблюдает за мной с небес и осуждает за трусость и подлость. Корит себя, что полюбила такого ничтожного человека.

—Выйдем на пару минут, — шепнула я Миле. Очутившись за дверью больничной палаты, я слегка тряхнула Милку за плечи, чтобы привести в чувство. — Давай, подруга, держись. Не раскисай.

—Ты что-нибудь понимаешь?

—А что тут непонятного? Вместо термоядерных таблеток ты купила сильнодействующее снотворное. Когда Вадим нашел Ольгу, она крепко спала. Выспалась и пошла домой.

— Но он говорит, что у нее не было пульса...

— Возможно, он был так перепуган, что не нащупал его.

— А как же тогда сердце?

— Мил, ну что ты, ей-богу, — не выдержала я. — Полчаса назад ты в машине наблюдала за Ольгой. Она прекрасно выглядела. — Я в упор посмотрела на подругу и тяжело вздохнула: — Или ты ошиблась?

— В чем? — Милка стала белее больничной стенки.

— Ты уверена, что девушка, которую мы сегодня видели, Ольга?

Мила тряхнула головой.

— Еще бы! Я ее хорошо запомнила. Я же за ней столько времени следила, да и на пляже с ней загорала. Ее грех не запомнить. И ты с ней утром по телефону говорила.

— Да.

— Ну вот!

— Тогда не бери в голову. Вадим сейчас не в себе. Несет всякую чушь. Он был очень испуган и не смог отличить спящую девушку от мертвой. Исполни свой долг и посиди у кровати любимого человека. Вечером созвонимся. Смотри, не натвори глупостей.

— Я бы этого гада придушила, — процедила Мила обиженно. — При живой жене такие вещи говорит! Словно меня и вовсе нет. Только о себе думает, а о чувствах близкого человека ни грамма...

— Ты ему нужна. Ему сейчас очень плохо, — постаралась успокоить я подругу.

— А представь, что будет, когда он узнает, что Ольга жива? Он даже не вспомнит, что я его выхаживала, и побежит к ней. Он же дурак, не понимает, что он ей — как мертвому припарка.

— Не думай о плохом.

Я похлопала Милу по плечу и пошла к лифту.

ГЛАВА 24

Подходя к машине, я почувствовала что-то странное, неприятное. Словно кто-то за мной следит, контролирует каждый шаг. Внимательно посмотрев по сторонам, я попыталась взять себя в руки и села за руль. Повернув в сторону Кольцевой дороги, я остановила машину на берегу реки и решила немного прогуляться. Голова кружилась от различных мыслей, было огромное желание побыть одной. Разувшись, я сунула ключи от машины в карман и пошла по тропинке босиком. Я и сама не знаю, куда я шла. Наверное, куда глядят глаза. Быть можст, я устала от шумного города, от бурной личной жизни моей подруги, а может, от мистического взгляда, который не переставал меня преследовать.

Я растерянно остановилась, не зная, что мне делать и куда идти. Почему-то вдруг вспомнила, как счастливая Мила познакомила меня с Вадимом. У него так горели глаза, в них читалась такая безраздельная любовь! А теперь его глаза стали совсем другими — холодными, безжизненными и безразличными. Они загорались только тогда, когда он говорил о другой женщине. Почему же все так быстро прошло? Что случилось с любовью? Прошла страсть или ее съел быт? Отчего она умерла и превратилась в обыденность? Значит, не бывает ничего вечного. Получается, что все заканчивается...

Я прислушалась. Было тихо. Замолкли птицы, исчезли легкокрылые стрекозы. Солнце спряталось за темной тяжелой тучей. Я снова почувствовала пронизывающий взгляд, от которого сбежала из города...

Неожиданно сверкнула молния. Я посмотрела на камыши и заметила силуэт — длинный черный рыбацкий плащ, похожий на балахон с большущим капюшоном, из-под которого не было видно лица... На минуту мне показалось, что этот страшный взгляд, преследующий меня, принадлежит именно этому человеку. У меня перехватило дыхание от страха. Молния сверкнула еще раз, и я услышала свое имя. Я не видела глаз незнакомого человека, но чувствовала, что он на меня смотрит. В тот момент, когда я вновь услышала свое имя, хлынул ливень, и я бросилась бежать со всех ног.

— Стой, стой! — послышалось вслед.

Подхлестываемая страхом, я побежала еще быстрее, совершенно забыв, в какой стороне находится моя машина. Я мчалась как сумасшедшая и знала, что незнакомец преследует меня. Я плохо соображала, но отчетливо понимала, что от преследователя исходит опасность. Мысль, что он меня догонит, придавала энергии и заставляла бежать без оглядки. Я молила только об одном — добежать до машины.

— Вика, стой! — Крик был злым и не предвещал ничего хорошего. — Стой, кому говорят!

Я хотела закричать, но сообразила, что это не имеет никакого смысла. Кругом ни души. И этот ливень! С криком я могла потерять силы, которые и так были на исходе. На минуту мне показалось, что меня догоняют. Я побежала еще быстрее, несколько раз падала, но моментально поднималась. Вокруг только кусты и деревья. Никаких людей. Никаких! А это значит — никакой помощи. Никакой!

Неожиданно от быстрого бега в животе возникла острая боль, раздирающая внутренности. Мне показалось, что преследователь замедлил бег. Я сморщилась от дикой режущей боли и сделала то же самое. Вне всякого сомнения, тот, кто бежал следом за мной, был в прекрасной спортивной форме, потому что этот марафон под силу только хорошо тренированному человеку. Боль нарастала, я перешла на быстрый шаг и схватилась за бок.

— Помогите! Помогите! — закричала я, понимая, что мне некому помочь.

Еще одна вспышка молнии заставила меня содрогнуться. Подняв юбку почти до пояса, я вновь ускорила шаг и, уже не надеясь на лучшее, увидела свою машину. Я даже не почувствовала боли, когда порезала босую ногу о какое-то стекло. Задыхаясь, села в машину и быстро захлопнула дверцу. Через стекло я увидела в руках моего преследователя здоровенный нож. Он был уже совсем рядом. Я постаралась превозмочь чудовищную боль в боку и включила зажигание.

В тот момент, когда машина тронулась, незнакомец бросился на капот и ударил рукояткой ножа по ветровому стеклу. Стекло разбилось, я что есть силы надавила на газ и постаралась сбросить незнакомца с машины, крутя руль из стороны в сторону. Неожиданно через дыру в стекле он просунул руку и схватил меня за волосы. Я почувствовала ни с чем не сравнимую боль и поняла, что еще немного, и останусь без волос. Рыдая от боли, я до упора вдавила педаль газа и въехала в дерево. Незнакомец громко вскрикнул, но через несколько секунд затих.

— О господи, — прошептала я, с ужасом глядя на окровавленного мужчину, лежащего на капоте. — Мамочки мои, что же я наделала?

Посидев несколько минут в полном оцепенении, я дотянулась до сотового телефона и набрала номер Юрьевича.

— Юр, я убила человека. Не знаю точно — мертв он или нет, но мне кажется, что мертв. Я на берегу Москвы-реки со стороны моста, недалеко от нашего дома...

Я даже не знаю, сколько времени просидела в машине, прежде чем приехал муж. Помню только, что несколько раз он просил меня разблокировать дверцы и выйти к нему. Я поддалась уговорам и сделала то, что он просил. В слезах я бросилась к мужу на шею.

— Юра, я не знаю этого человека! Он меня преследовал.

— Господи, да ты совсем мокрая. Так можно заработать воспаление легких.

— Юра, ну скажи, почему так получилось? Какого черта он ко мне прицепился?

В этот момент подошел Кабан, и морщась, скинул труп с капота.

— Серег, ты посмотри, он мертвый? — Юрец снял пиджак и накинул мне на плечи.

— Сдох, — утвердительно кивнул Кабан.

— Посмотри в карманах, может, у него какие-то документы есть. Узнать бы, что это за крендель.

Юрец заглянул мне в глаза:

— Скажи, какого черта ты здесь очутилась?

— Мне захотелось побыть одной, и я решила спуститься к реке...

— Ну ты и местечко нашла! Тут же вообще ни души.

— У меня было паршивое настроение, и казалось, что меня постоянно преследует чей-то взгляд... Такой холодный, такой пронизывающий... В общем, я решила сбежать от этого взгляда, а потом мужик в камышах... Он бежал за мной до самой машины.

— Ты его видела раньше?

— Нет. Но он явно поджидал меня. Это была не случайная встреча.

Юрьевич изменился в лице:

— Ты уверена?

— В чем?

— В том, что он следил за тобой.

— Уверена. Он звал меня по имени.

— Юрец, ну что нам с ним делать-то? — спросил Кабан.

— А ты карманы пробил?

— Пусто.

— Что, вообще никаких документов?

— Никаких. Только какая-то бумажка с нацарапанным телефоном.

Юрец взял у Кабана бумажку и сунул ее в карман.

— Может, пригодится.

Чуть позже мужчины отволокли труп в реку, а я села на траву и обхватила колени руками. Всего несколько минут назад я убила человека. Убила! Это оказалось несложно. Нужно было просто надавить на газ и вывернуть руль. Если бы я его не убила, то он бы убил меня. Это самооборона, борьба за жизнь. Я прикончила его и осталась жива.

В последнее время происходят очень странные вещи. Кто-то стреляет в Вадима, за мной гонится незнакомый мужик, зовет меня по имени и хочет зарезать... Но теперь я почувствовала, что леденящий взгляд, который так беспокоил меня, пропал. Его не стало, словно я освободилась от чего-то тяжелого, сильно меня пугающего.

— Вика, ты в порядке?

Я посмотрела на подошедшего мужа.

— Наверное, в порядке. Где труп?

— Рыбки кушают. — Юрец помог мне подняться и посадил в свою машину.

—На твоей поедет Кабан. Тебе нельзя садиться за руль в таком состоянии.

Мы вернулись домой. Юрец приготовил мне горячую ванну и сел рядом на стул.

—Послушай, ну и как мне оставлять тебя без присмотра? — Он говорил серьезно и даже раздраженно.

—У меня все нормально, — ответила я, не моргнув глазом.

—Я бы этого не сказал. Вика, ты понимаешь, что мне нужно работать. Если я не буду работать, нам будет не на что жить.

—Я все понимаю.

—Ни черта ты не понимаешь. Ну какая работа, если я не могу тебя оставить даже на пять минут? С тобой постоянно что-то происходит. Я и так звоню тебе постоянно, но, по-моему, этого недостаточно. Тебя так и тянет в различные злачные места.

—В какие еще злачные места?

—Типа этого безлюдного берега...

—Тоже мне, нашел злачное место!

—Я не знаю, что еще ты выкинешь. Кто за тобой гнался и хотел убить?

—Не знаю....

—Вот видишь! Ну как я смогу тебя обезопасить? На меня и так пацаны косо смотрят.

—А чего это они на тебя смотрят?

—Ну, что я делами занимаюсь меньше, чем тобой.

—Ну так это же здорово! Ты объясни им, что это любовь.

—Любовь нельзя смешивать с работой.

Я наклонилась к супругу и провела пальчиком по его щеке.

—Юр, возвращайся на работу. Со мной все будет нормально.

—Я в этом сомневаюсь.

— Я больше не буду посещать злачные места и создавать и тебе и себе лишние проблемы.

— Если что, сразу звони.

Юрьевич встал и вышел из ванной. Я стала разгребать руками пену, пускать мыльные пузыри. Через пару минут Юрьевич вернулся и сел рядом на корточки.

— Сейчас Серега Кабан звонил, — каким-то озадаченным тоном произнес он.

— И что? — насторожилась я.

— По поводу того мужика, которого ты пришила.

— Ну говори.

— У него в кармане был охотничий билет. Я тебе сразу об этом не сказал. Так вот, Кабан сейчас пробил, кто он такой.

— Кто?

— Жил в совхозе, километрах в ста от реки. Рабочий в теплицах. Увлекался охотой. Имел зарегистрированное охотничье ружье.

— Но я не видела ружья. Только нож.

— Видимо, он просто не взял ружье. Короче говоря, обыкновенный тип, не связанный с криминалом.

— Странно. Но он же откуда-то знал мое имя...

— Вот в этом вся загвоздка!

— А как же та бумажка с телефоном, которую нашли у него в кармане? Вы выяснили, что за телефон?

— Да. Этим кренделем мы сегодня займемся. Хорошо упакованный тип. Тебе ничего не говорит фамилия Просторов?

— Как?

— Просторов Сергей Иванович.

— В первый раз слышу.

— Именно его номер телефона был записан на бумажке.

— Нет. Такого я не знаю, это точно, — покачала я головой.

— Возможно, он не имеет к тебе никакого отношения. Но странно: что связывает обыкновенного работягу и крутого мужика? Ладно, мне пора, а то я сегодня точно до братвы не доеду. Пацаны обижаются.

— Почему?

— Потому что я не работаю ни хрена, вот что. Я же не могу им объяснить, что ты не женщина, а самый настоящий наркотик.

Я улыбнулась и кокетливо подняла из воды ногу.

— Они злятся потому, что тебе завидуют.

— Да уж, было бы чему завидовать, — тяжело вздохнул Юрец. — Нажил себе головную боль.

— Они завидуют, что у них нет меня...

— Им повезло, — сказал Юрьевич и вышел.

Как только хлопнула входная дверь, я вновь погрузилась в воду и прокрутила в памяти все события, которые произошли со мной в последние два дня. Я закуталась в махровое полотенце, достала карандаш и листок бумаги. «Просторов Сергей Иванович», — вывела я аккуратным почерком. Что ж, возможно, это мне пригодится.

ГЛАВА 25

Заехав к матери, я проведала сына. Санька сидел у телевизора и смотрел какой-то фантастический фильм. Потрепав сына по щеке, я присела рядом.

— Сань, ты когда домой-то собираешься? Без тебя в квартире хоть волком вой. Тоска!

— Мам, ну я еще пару дней у бабушки побуду, — попросил сын.

— Ну, если только пару дней... — согласилась я и отправилась к маме на кухню.

Мы молчали. Что-то объяснять не было необходимости. Мама умела читать мои мысли без слов и умела чувствовать на расстоянии. Она взяла меня за руку и тихо спросила:

— Может, чего-нибудь выпьешь?

— Можно. Я сейчас не за рулем. Юрец отогнал мою машину в автосервис.

Выпив по бокальчику мартини, мы прижались друг к другу и тихонько всплакнули. Даже не верилось, что совсем недавно я бегала по пустынному берегу, спасая собственную жизнь. Через несколько минут мама принялась готовить обед. Я смотрела на нее с любовью и улыбалась: она была такая же, как и на старых фотографиях. Евгения. Женька. Красивая, волевая, энергичная и озорная, словно девчонка. Будто время остановилось и годы оказались не властны над ее возрастом. Она старела красиво, потому что такие женщины, как она, просто не умеют стареть. Каждый новый прожитый год придает им молодости и красоты. Пригубив мартини, я тихо сказала:

— Мам, ты у меня такая красивая... Как здорово, что красота передается по наследству.

Моя милая мамочка улыбнулась и с трудом сдержала слезы.

Покинув родительскую обитель, я вернулась домой. Позвонила Милка и затрещала в трубку, как самая настоящая трещотка:

— Викуль, давай к матери Вадима на дачу заедем. Там сейчас ягод — море. Я хочу мужу сок из свежих ягод приготовить.

— Возни много. Не проще ли купить? — ответила я.

— Ты же знаешь, что мать Вадима — знахарка. Она меня с того света вытащила. Так вот, она какое-то зелье приготовила для Вадима. Он на ноги за считаные дни встанет.

— Я без машины.

— Как это? И куда она подевалась?

— Повреждений много. Юрец ее в автосервис отогнал.

— Поедем на машине Вадика. У меня доверенность есть.

Я подумала, что мне и в самом деле не мешает развеяться. Сидеть в четырех стенах и вспоминать все, что было на берегу, очень тяжело. Милка не заставила себя ждать и заехала за мной буквально через несколько минут. Она возникла на пороге квартиры, как шаровая молния, кипя эмоциями и бурно жестикулируя. Машину она вела так же темпераментно, постоянно выезжая на встречную полосу, пугая ни в чем не повинных участников дорожного движения.

— Мил, да что с тобой творится? — перепугалась я не на шутку.

— Ничего. Это не я, а мой супруг страдает, что сгинула его проститутка. — Неожиданно Милка затормозила. — Знаешь, а я вот что решила: пусть Вадим думает, что Ольга умерла. Тогда все наладится. Я уверена, что все будет как раньше. А если эта стерва когда-нибудь объявится, то очень сильно пожалеет....

— Но ведь он чувствует себя виноватым?

— Ничего страшного. Пусть лучше мучается, чем с бабами валандается.

— А если они когда-нибудь встретятся? Случайная встреча. Ты подумала, как это может отразиться на Вадиме?

— Москва — огромный город, и вероятность случайной встречи равна нулю.

— Совсем недавно ты сама сказала, что Москва — это большая деревня, в ней постоянно с кем-нибудь встречаешься.

— Мне надоело об этом постоянно думать. Хочу поставить Вадима на ноги и жить с ним как раньше. Знаешь, сейчас в больнице мы поговорили. Я его простила. Понимаешь, простила и поцеловала. Впервые за несколько месяцев почувствовала себя желанной и любимой. Мне показалось, что именно сегодня Вадим прекратил свой нескончаемый внутренний марафон к сердцу капризной соперницы. Я почувствовала, что он расслабился, а это самое главное. Теперь будет все по-другому. Я стану новой. Я буду намного лучше, чем она, и муж обязательно забудет о ее существовании. Я буду его встречать после работы при полном параде, каждый день краситься и ловить восхищенные взгляды посторонних мужчин.

Милка снова надавила на газ, и машина взревела, как раненый зверь. Я закрыла глаза и почувствовала чудовищную боль в затылке. Наверное, это нервы. Обыкновенные нервы...

Вскоре показался дом матери Вадима. Мы постучались, но ответа не получили. Милка толкнула дверь, та открылась, и мы вошли.

— Что-то матушки нет, — удивилась Милка. — Скорее всего, пошла по соседям. Она любительница чайку в гостях попить.

— Ну что ж, подождем. — Я вышла на крылечко и глубоко вдохнула свежий, опьяняющий воздух. — Боже, как же здесь хорошо!

Милка вынесла небольшое ведерко и направилась к кусту малины.

— Викуля, ты зайди вон в тот белый дом, позови Марию Александровну. Я пока ягод наберу. Нам засиживаться некогда, я сегодня еще хочу успеть Вадима проведать.

— А ты уверена, что она там?

— Уверена. Это недалеко. Выручай.

Я посмотрела на Милкино ведро и пожала плечами.

— Мил, а может, лучше я ягоду соберу? Ну, что я буду по чужим людям ходить?

— Слушай, не морочь голову. Ты будешь по одной ягодке три часа собирать, — обиделась Милка.

— Ладно, схожу.

Милка весело затянула какую-то песенку и принялась собирать ягоды. Я отправилась в соседний дом. Подруга оказалась права. Мария Александровна сидела на террасе и пила чай на свежем воздухе вместе с соседкой. Увидев меня, она обрадовалась:

— Вика, девочка моя, а я в гостях засиделась! Господи, и как же ты похорошела! Прямо расцвела! Настоящая красавица. — Наговоров комплиментов, она посмотрела на меня подозрительно и тихо спросила: — Слушай, а что с Вадимом произошло? Мила толком ничего не говорит. Сказала, что приболел. Мол, нужно снадобье приготовить. Но я чувствую, что здесь что-то не то. Не нужно от меня ничего скрывать. Я же мать, я просто обязана все знать.

Я немного помялась и решила не расстраивать пожилую женщину.

— Ничего страшного. Просто его избили.

— Кто?

— Не знаю. Какие-то хулиганы.

— Вот жизнь пошла, — тяжело вздохнула женщина. — Это кто же на моего сыночка руку поднял? Изверги проклятые. Ничего, я сейчас отвар приготовлю и мазь сделаю. Они от любого недуга помогут.

Распрощавшись со своей подругой, Мария Александровна слегка обняла меня за плечи, и мы направились домой.

— А вы что, ненадолго приехали? — ласково, по-матерински спросила она.

— Торопимся. Милка хочет еще к Вадиму в больницу заехать, — неожиданно проговорилась я.

Женщина встала как вкопанная.

— Боже мой, так Вадим в больнице? Что же это ты мне сразу не сказала? Ни ты, ни Мила...

— Его уже на днях выписывают, — постаралась я спасти ситуацию.

— Тогда я с вами в город поеду. Я должна сына увидеть. Он у меня один-единственный.

— Да все обошлось. Вадим не сегодня-завтра дома будет. Милка ему ягодок отвезет. Нет никакой опасности. Занимайтесь дачей.

— Нет. Я должна ехать! — заупрямилась Мария Александровна.

— Тогда вы это с Милой решайте, — пробурчала я под нос и вдруг увидела черные клубы дыма.

В самом начале дачного поселка был пожар. Я не знаю, как это получилось, но где-то там, в подсознании, почувствовала беду и поняла, что она угрожает близкому мне человеку.

— У нас отродясь пожара не бывало, — задыхаясь, произнесла Мария Александровна и ускорила шаг. — Вроде мой дом горит...

Дальше все происходило, как на ускоренной кинопленке. Я сняла туфли и побежала. Следом за мной рванула мама Вадима, голося на всю улицу. К объятому пламенем дому уже подтягиваются соседи. Пламя вырывалось из окон, готовое заживо пожрать того, кто находился внутри дома.

— Милка, ты где?! — Я кричала так громко, что показалось, полопаются барабанные перепонки. — Мила, Милочка!!!

— Она в доме! — крикнул кто-то из соседей. — Посмотрите, дверь закрыта на кочергу!

Я бросилась к двери и схватилась за горячую кочергу, но это оказалось мне не под силу. Я обожгла руки и стала задыхаться.

— Господи, кто-нибудь, вызовите пожарных! Дверь заклинило!

— Уже вызвали, — ответил из толпы мужской голос.

— Что же они так долго едут?!

Я опустилась на землю и с ужасом наблюдала, как горит дом. Рядом со мной сидела Милкина свекровь и громко голосила.

В тот момент, когда посыпалась крыша, я всхлипнула и позвала:

— Мила, Милочка...

Я впала в шоковое состояние и очнулась только тогда, когда рядом с домом загудела пожарная машина. Огонь погасили. От дома остались одни головешки, залитые пеной. Перепуганные, полураздетые соседи сбились в группки и нервно переговаривались. Подъехавшая «скорая» оказывала первую помощь пострадавшим.

Милку спасти не удалось. Она сгорела заживо. Говорят, что ее привязали к стулу веревкой, лишив тем самым возможности передвигаться, плотно прикрыли ставни, подперли входную дверь кочергой, облили дом бензином и подожгли. Я увидела ведерко, в которое Милка собирала малину, и слезы хлынули у меня градом.

К «скорой» поднесли носилки, накрытые простыней, я потерла черные руки, покрытые волдырями, и подошла поближе. Я не стала откидывать простыню. Зачем? Хотелось запомнить Милку такой, какой знала ее при жизни, — красивой, уверенной, бесшабашной и любящей...

— Милка! Как же так получилось, Милка! — прошептала я и рухнула у носилок на колени.

— Тише. Не надо на нее смотреть. Она очень сильно обгорела. Как головешка... — произнесла женщина в белом халате.

Через несколько минут носилки засунули в «скорую» и увезли в неизвестном направлении. Я сидела на земле, покрытой пеплом, и раскачивалась из стороны в сторону, вспоминая тот день, когда увидела подругу в первый раз. Огромное желание жить, сила воли и вера в победу над страшной болезнью — вот что отличало мою Милку. Такой я запомню ее навсегда и пронесу эти воспоминания через долгие и долгие годы...

ГЛАВА 26

Я не была на похоронах, потому что вообще не могу присутствовать на этой процедуре. Я никогда не понимала общую скорбь, потому что хотела скрыть свою боль от чужих глаз и скорбела в гордом одиночестве, перебирая альбом с фотографиями любимой подруги. Вот мы на озере... А вот на той самой даче, где произошла трагедия... Милка светится от счастья и с удовольствием возится в огороде. Я лежу в шезлонге и балдею от безделья. Нас фотографировал Вадим. Были минуты, когда он не отходил от Милки даже на шаг... Были, да сплыли... А вот мы жарим шашлык. Милка режет салатик. В руке у меня бокал красного вина.

Я достала одну из фотографий подруги, поставила ее перед собой и налила полную рюмку водки.

— Привет, подружка, привет! Я знаю, что на кладбище собралась целая масса народа и тебя закапывают в сырую землю. Меня там нет. Я думаю, что ты не держишь на меня зла. Они закапывают тело, вернее, то, что от него осталось. А твоя душа здесь. Она рядом. Я не могу ее видеть, но чувствую. Знаешь, подружка, я очень много думала о последних событиях. Нас кто-то хочет убить. Меня, Вадима, тебя уже убили. Я не знаю, кто это и что ему от всех нас надо. Но мне страшно. Вадиму не сказали о трагедии, что произошла на даче. Он еще слишком слаб и узнает об этом позже. Ему будет очень трудно, потому что он тебя любил. — Выпив рюмку, я даже не почувствовала горечи и сунула в рот кусочек черного хлеба. Так положено. Водка и черный хлеб. Ничего лишнего. Еще раз взглянув на фотографию любимой подруги, я ей подмигнула. — Я скучаю по тебе, подружка. Ой как скучаю... Но ничего, у нас еще будет возможность встретиться. Никто и ничто не вечно на грешной земле. Всему есть положенный срок, все предрешено, и от этого никуда не денешься.

Через несколько минут приехал Юрьевич и повез меня в парк. Мы постелили плед и стали любоваться падающими листьями.

— Осень начинается, — уныло произнес Юрьевич и положил на мою грудь упавший кленовый листочек.

Он, как никто другой, знал, что мне тяжело, и хоть как-то старался облегчить мои страдания. Я была ему благодарна. За дружбу, за любовь, за поддержку и вообще за то, что он есть в моей жизни... Я смотрела на небо и думала, что на Милкином месте могла быть и я. Она бы пошла за свекровью, а я осталась собирать ягоды. Наверное, тому, кто ее сжег, не было никакой разницы, кого привязывать к стулу. Идет охота на нас троих. Милка мертва, а мы с Вадимом остались живы по чистой случайности.

— А хочешь, я соберу тебе букет из желтых листьев? — постарался взбодрить меня Юрец.

— Из листьев?

— Ну да. Мама любила делать букеты из листьев.

Я посмотрела в глаза супругу и увидела неподдельную боль. Он провел рукой по моим волосам и прижал к себе. Какое счастье, что в этот тяжелый для меня период Юрец оказался рядом. Он всегда знает, что нужно делать в безвыходной ситуации, и может успокоить, как никто другой. В его объятиях я чувствовала себя защищенной. Я знала, что Юрец очень за меня волнуется и втайне от меня пытается понять, что же происходит в последнее время. Он не такой, как все, он особенный. Юрьевич держит меня в своих объятиях до того самого момента, пока я не усну. А я всегда засыпаю с мыслями о нем.

— Ты любишь осень? — спросил Юрец, по всей вероятности, для того, чтобы прогнать мои печальные мысли.

— Люблю. Милка тоже любила осень. Это ее любимое время года.

— Вы были близкими подругами?

— Да. Знаешь, когда ее не стало, показалось, что я лишилась части себя. Словно у меня отрубили руку или ногу. А ты когда-нибудь терял друзей?

— Терял. — Юрьевич задумчиво посмотрел вдаль. — Многие вещи теряют смысл и былую значимость.

Мы замолчали, я с трудом сдерживала слезы. Так тяжело лишаться близких! Я знаю, что очень красива. Быть может, даже слишком, и я притягиваю заинтересованные взгляды мужчин. Я обожаю шикарные шмотки. Эффектная женщина должна иметь достойные вещи. Особенно белье. Юрьевичу нравится, что каждую ночь я ложусь спать в чем-нибудь новом. Я обожаю ходить по дорогим магазинам и рассматривать яркие витрины. Я люблю не только красиво одеваться, но и красиво есть. Красиво — это значит вкусно. Люблю наслаждаться хорошим вином и ездить на красивой машине. Люблю ощущать, что меня хотят окружающие мужчины. Я живу всем этим и именно для этого. Хотя это только обертка моей души, а изнанка совсем другая. Все это становится таким ничтожным и совсем неважным со смертью близкого человека. Милка была не просто моей подругой — это часть моей жизни.

Юрьевич вытер ладонью мои слезы. От него, как и раньше, пахло все тем же «Хьюго Боссом», этому аромату он хранил верность со времен нашего знакомства. Чудесный запах, поистине мужской и даже немного возбуждающий.

— Ты хочешь букет из желтых листьев? — еще раз повторил Юрьевич и замер.

— Хочу.

Я легла на живот и стала наблюдать, как Юрьевич собирает листья. Признаться, я не могу представить, как бы пережила эту трагедию, если бы в моей жизни не было Юрьевича. Наверное, нет ощущения более прекрасного, чем расстаться с одиночеством и начать жизнь с любимым человеком. Я ощущаю себя половинкой, которая так долго искала того, с кем бы могла соединиться в единое целое. Мой любимый собирает букет для супруги... Глядя на эту картину, хочется жить, несмотря на все трудности и невзгоды.

Юрьевич принес букет, я поцеловала его и сказала искренне, от всего сердца:

— Спасибо, родной. Для меня так важно, что именно сегодня ты со мной.

Юрец сел рядом, я положила голову ему на колени.

— А разве может быть по-другому?

— Просто у тебя столько проблем на работе...

— Моя самая большая проблема — это ты. Я не знаю, как тебя уберечь. Может, ты пока поживешь в Ялте?

Я замотала головой и закрыла глаза.

— Нет. Я не смогу без тебя даже и дня. Юрьевич, скажи, а так бывает?

— Как?

— Ну так, как у нас с тобой.

— Бывает. Если бы мне кто-то сказал об этом раньше, я бы не поверил.

Мы вернулись домой и сели за стол. Я взяла на руки собачку Зосю, влюблено посмотрела на Юрия Юрьевича и тихо произнесла:

— Господи, как здорово, что я тебя нашла...

—Это еще вопрос — кто кого нашел, — засмеялся Юрьевич и взял Зосю к себе.

Пройдя мимо Милкиной фотографии, я налила рюмку водки и положила сверху кусочек черного хлеба.

—Выпей, подруга, выпей. Я тебя никогда не забуду. Слышишь, никогда! Есть люди, которые не забываются. Ты была замечательной женщиной, и мне даже страшно говорить о тебе в прошедшем времени. Я бы многому хотела у тебя научиться. Ты сейчас далеко, приняла страшную смерть. Ой, какую же страшную! Но для меня ты будешь всегда живой. Молодой, красивой и жизнерадостной.

Юрьевич поднял меня на руки и понес в спальню. Я уснула в считаные секунды от переживаний и нервного потрясения. Это был хороший сон. Добрый и разноцветный. Мне снилась Милка в красивом фиолетовом платье, она собирала ягоды и напевала себе под нос. Я сидела рядом и любовалась ее точеной фигуркой.

—Милка, зачем так много ягод? — недоумевала я.

—Ягод никогда не бывает много. Наварим варенья, сделаем сок и компот. Мужики это знаешь как любят. Они от этого сильнее становятся.

От смеха я повалилась прямо на грядку...

Проснувшись, я села на кровати и обхватила подушку. Юрьевич сразу открыл глаза и посмотрел на часы.

—Викуля, мне нужно бежать. У меня серьезная встреча. Ты можешь побыть дома? Дождись меня.

—Не переживай. Сегодня я дома, — попыталась я успокоить Юрьевича, но втайне от него принялась вынашивать один план.

После долгих нравоучений Юрьевич уехал на работу. Я быстро оделась и, даже не взглянув в зеркало, выбежала из квартиры, чтобы поехать в больницу к Вадиму. Заглянув в палату, я постаралась придать лицу беззаботное выражение и, насколько хватало моих актерских способностей, произнесла невозмутимым голосом:

— Привет! Да ты идешь на поправку! Прямо на глазах выздоравливаешь. Еще немного, и начнешь бегать.

Вадим смотрел в потолок и никак не отреагировал на мои слова.

— Ты что, не рад, что тебя навещают? Наверное, по жене соскучился? Она с матерью на даче. На следующей неделе приедет. Сам знаешь, она у тебя заядлая дачница, а там работы немерено. Матери помочь нужно. Она и так, бедная, пашет с утра до вечера. Поэтому теперь мне за тобой следить надо. Хочешь не хочешь, но пока я буду тебя навещать.

Вадим лежал без движения и не обращал на мои слова ни малейшего внимания.

— Вадим, ты живой?

— Живой...

— А чего молчишь?

— Что ты хочешь от меня услышать?

Я слегка растерялась.

— Я хочу, чтобы ты сказал, что очень рад меня видеть.

— Я очень рад тебя видеть, — безразлично повторил Вадим.

— Что-то я особой радости не наблюдаю.

— А что я, по-твоему, должен делать? Скакать на кровати? Ты же видишь, у меня стоит капельница.

Я замолчала. Больные люди становятся злыми и раздражительными. Я и сама точно такая же.

— Может, тебе принести чего?

Вадим приподнял голову. В его глазах стояли слезы.

— Вика, ты была на похоронах?

Я не ожидала такого вопроса, была не готова к ситуации подобного рода.

— На каких похоронах?

— На Милкиных.

Сев на кровать рядом с Вадимом, я взяла его за руку и прошептала:

— Вадим, ты знаешь?

— Да. Ко мне вчера приезжала мать.

— Извини. Я хотела как лучше. Я не поехала на похороны. Такое зрелище не для слабонервных. Я буду навещать ее. Нам всем будет ее не хватать.

— А кто ее...

— Не знаю. Ранили тебя, пытались убить меня, а теперь Милка... Слишком много случайностей.

По щекам Вадима текли слезы. Очень тяжело смотреть, как плачет взрослый мужчина. Мне всегда казалось, что мужчины не умеют плакать, а оказывается, умеют... Когда теряют...

— Сначала я потерял Ольгу, теперь Милу, — застонал Вадим и прикусил нижнюю губу.

— Ольга жива. В тот момент, когда ты нашел ее на пляже, она крепко спала. Я разговаривала с ней по телефону.

— Она умерла...

Вадим закрыл глаза и сжал кулаки. Я не стала ему мешать и вышла из палаты. Никто не должен видеть мужские слезы. Вадиму нужно побыть одному и постараться смириться с теми испытаниями, которые выпали на его долю.

ГЛАВА 27

Я даже не задумывалась над тем, что я должна делать дальше. Мне хотелось только одного. Найти Ольгу и уговорить ее съездить к Вадиму. В моей сумочке лежала записная книжка Милы. Быстро ее пролистав, я нашла адрес Ольги и, поймав такси, поехала в Строгино.

Наверное, это был первый случай в моей жизни, когда я почувствовала себя крайне неуютно без спиртного. Мне захотелось хоть немного выпить, ослабить свое горе. Но это не выход из положения. Если Ольга согласится приехать в больницу, я почувствую себя более спокойно. В этот момент зазвонил мобильный, и я услышала родной голос Юрца:

— Вика, ты где? Я звонил на домашний, но ты не отвечаешь. Обещала же сидеть дома и не высовывать нос!

Юрец был очень взволнован и даже не пытался это скрыть.

— Я вышла в магазин. Всего на несколько минут, честное слово.

Мне было стыдно обманывать любимого человека, но я знала, что у меня просто нет иного выхода.

— Ты меня не обманываешь?

— Нет.

— Как вернешься, обязательно позвони.

Сунув мобильный в сумочку, я уставилась в окно и в который раз подумала, что никого и никогда не любила так, как Юрьевича. А ложь... Но это так, несерьезно... Любая женщина должна хоть немного лукавить... В этот момент вновь раздался звонок. Я быстро ответила:

— Юр, я же не на самолете полетела. Я еще не вернулась.

— Звоню по другому поводу. Как ты смотришь на то, что с завтрашнего дня у тебя будет телохранитель?

— Телохранитель?

— Вот именно.

— Юр, но это же очень дорого.

— Жизнь намного дороже, и ты уже успела в этом убедиться.

— Ну хорошо. Если ты считаешь, что это необходимо, я не буду возражать.

Я сунула телефон в сумку, Да, нет ничего дороже заботы близкого человека!

Машина остановилась у подъезда Ольги, я рассчиталась с таксистом и вошла в дом. Сердце учащенно билось, словно хотело выскочить из груди. Только бы она согласилась... Вадим сможет выкарабкаться и поверить, что не все потеряно. Подойдя к нужной квартире, я нажала на звонок и принялась ждать. Мне повезло. Дверь открыла Ольга. Она была чем-то расстроена и пребывала не в самом лучшем расположении духа. И все же правду говорят, что красоту ничем не испортишь, даже жизненными передрягами и плохим настроением. Я постаралась взглянуть на нее Милкиными глазами и почувствовала себя очень скверно.

— Здравствуйте, мы с вами не знакомы, но я очень много о вас наслышана, — произнесла я самым вежливым тоном, на который только была способна.

Ольга посмотрела на меня крайне недоброжелательно.

— Что вам нужно?

— Я бы хотела с вами поговорить.

— Вы хотите, чтобы я пустила в квартиру незнакомого человека?

— Как вам будет угодно. Если хотите, мы можем спуститься в ближайшее кафе.

Окинув меня задумчивым взглядом, девушка небрежно махнула рукой и пробурчала:

— Проходите. У меня все равно воровать нечего. Только не шуметь. В соседней комнате спит бабушка.

Я прошмыгнула на кухню и села на стул. Ольга достала бутылку красного вина, разлила по бокалам и протянула мне:

— Употребляете?

— Бывает.

— Прошу.

Сделав несколько глотков поистине божественного вина, я почувствовала легкое опьянение, такое воздушное, легкое, быстро проходящее. Собравшись с силами, я поставила бокал на стол и посмотрела в глаза Ольге.

— Я Виктория.

— Очень приятно. Я Ольга.

Она вызывающе закинула ногу на ногу и взглянула на меня с превосходством. Мила была права. Эта дама слишком уверена в себе. Волевой подбородок, чувственные губы и большие зеленые глаза. Мимо такой женщины невозможно пройти, не заметив. За такими идут до конца, делая массу ошибок и совершая необдуманные поступки. Сколько мужиков, таких как Вадим, попали в ее сети и не знают, как из них выбраться? Есть такое понятие — «роковая женщина». Это про Ольгу.

— Что вы так на меня смотрите? — прищурилась Ольга.

— Вы очень красивая.

— Да вы тоже не уродина.

— Спасибо.

Я сделала глоток и собралась с мыслями.

— Оля, Вадим в больнице. Он в очень тяжелом состоянии. Я не знаю ваших отношений, но считаю, что вы просто обязаны к нему сходить. Недавно трагически погибла его жена. Вы единственный человек, который сможет вернуть его к жизни.

— Я?

— Да, да. Именно вы. Понимаете, даже если у вас нет к нему никаких чувств, вы должны поехать. Хотя бы из жалости... Он очень верит в вашу любовь. Он ранен. Сейчас ему нужна поддержка. Если вы согласны, я отвезу вас на такси. Это не займет много времени, каких-то полчаса. Я вас умоляю.

— Я не понимаю, какое отношение имею к вашему Вадиму...

Ольга допила вино и посмотрела на часы, показывая, что она торопится. Я решила не сдаваться и стала гнуть свою линию дальше.

— Оля, вы имеете к нему самое прямое отношение. Это не мой Вадим. Он ваш.

— Мой?

— Именно ваш.

Ольга засмеялась.

— Дорогая! Мне не нужен никакой Вадим. Можете оставить его себе. Я со своими-то мужиками не могу разобраться.

— Получается, что Вадим не ваш мужчина?

— Боже упаси! Пусть он будет ваш.

Ольга была слишком беззаботна и слишком безразлична к моим словам, она не воспринимала их всерьез. Я поняла, что вряд ли смогу достучаться до ее сердца, и стала терять терпение.

— Оля, не надо смеяться. Мы говорим с вами о серьезных вещах. Сейчас вы сядете со мной в такси и поедете к Вадиму. Это займет совсем мало времени. Ведь у вас есть совесть?

— У меня?

— У вас.

Больше всего на свете мне хотелось отвесить ей пощечину. Я хотела вызвать у нее сочувствие и жалость, но она была непреклонна и вела себя так надменно, словно была готова наплевать на весь мир.

— У меня с совестью все в порядке. — Ольга зевнула, показав, что этот разговор ее утомил. — А как обстоят дела с этим у вас?

— У меня?

— Мне кажется, что у вас с этим проблемы. Вы приходите ко мне домой и убеждаете, что я должна ехать в больницу к вашему Вадиму. Но я же не «скорая помощь» и не какая-то благотворительная служба. Поймите, у меня своих проблем достаточно.

— Значит, вы отказываетесь со мной ехать?

— Отказываюсь. Вернее, я бы с удовольствием, да у меня нет времени. Так что навещайте своего Вадима сами.

Я встала и, пристально посмотрев Ольге в глаза, направилась к выходу, но что-то заставило меня остановиться.

— Вадим вас очень сильно любил, да и сейчас любит. Самое страшное в этой ситуации то, что вы не стоите его любви. Если бы что-то случилось с вами, он бы проводил у вашей кровати сутки напролет. Простите за беспокойство.

Я хотела было уйти, но Ольга меня окликнула. Она моментально стала какой-то серьезной и даже сосредоточенной.

— Вика, я не знаю никакого Вадима. У меня нет знакомого мужчины с таким именем.

От этой фразы у меня выступил холодный пот.

— Как это не знаете?

— Я вас не обманываю. Да и нет никакого смысла. Вы меня с кем-то перепутали.

Я вернулась на место и посмотрела на пустой бокал.

— Еще есть что-нибудь выпить?

— Домашнее вино.

Ольга открыла холодильник и достала бутылку.

— Из малины. Будете?

Я кивнула и залпом выпила почти целый бокал.

— Я не путаю. Может быть, вы просто не относились к этой связи серьезно? Среди ваших любовников должен быть Вадим. Он совсем не богат, обыкновенный парень. Он подарил вам купальник.

— Купальник?

— Ну да. Вы еще в нем всегда загораете на реке.

— Вы знаете, все свои купальники я покупала сама.

— Но вы ходите загорать на реку? — спросила я уже совсем беспомощно.

— Хожу.

— А на днях вы познакомились с девушкой по имени Мила?

— Первый раз слышу.

— Вы загораете в уединенном месте?

— Да. Я не люблю толпу.

Я допила остатки вина и поставила пустой бокал на стол.

— Ольга, скажите правду. Вы меня разыгрываете?

— Вас? Зачем? Вы не сделали мне ничего плохого. Я с вами предельно откровенна.

— Тогда я вообще ничего не понимаю.

— А тут и нечего понимать. Произошла какая-то путаница. Я не имею никакого отношения к вашей проблеме.

— Извините.

Не помня себя, я выскочила из квартиры. В голове была полная неразбериха. То, что Ольга лгала, не вызывало сомнений. Только зачем? Неужели ей настолько безразличен Вадим и то, что с ним сейчас происходит? А может, ей просто стыдно за эту связь, потому что в ее окружении есть мужчины поинтереснее? Дойдя до дороги, я машинально подняла руку, чтобы поймать машину.

ГЛАВА 28

Вскоре у тротуара остановился темно-зеленый «жигулёнок». За рулем сидел пожилой мужчина, который, немного поторговавшись, с радостью согласился отвезти меня домой. Усевшись на заднее сиденье, я стала смотреть в окно. Перед глазами стояла Ольга. Она не призналась, что встречалась с Вадимом, просто не захотела признаться... Даже не поехала в больницу к раненому человеку, потому что он ей не нужен. Она никогда его не любила... Наверное, это именно так, и другой причины просто не может быть.

— Красавица, ты не против, если я попутчика подсажу? Мне деньги нужны. Колымага ремонта требует.

— Что?

Я отвлеклась от своих мыслей и увидела, что машина остановилась рядом с молодым человеком, похожим на братка. Водитель и молодой человек перекинулись парой слов о дальнейшем маршруте следования и цене. Браток сел рядом со мной и заинтересованно посмотрел на меня. Я отвернулась к окну и сделала вид, что просто не замечаю его настойчивый и даже какой-то наглый взгляд.

— Далеко едешь? — спросил браток.

— Домой, — ответила я совершенно безразлично.

— А где живешь?

— Какая тебе разница?

Мне совсем не хотелось знакомиться и уж тем более разговаривать с этим малоприятным типом. Я отсела как можно дальше и, не обращая на него никакого внимания, стала думать о Милке. Когда-то нас объединяла одна и та же болезнь, а позже сплотила настоящая дружба. В глубине души мы верили, что обязательно выкарабкаемся и болезнь отойдет и даст нам право на полноценную жизнь. Постоянные обследования, снимки, консультации... Нас никто не жалел... Никто... Даже сотрудники онкологического диспансера... Ни жалости, ни малейшего сочувствия... Они смотрели на нас, как на обреченных, и скупились на ласковое слово. Это было страшное время, и оно тянулось долго. Мы лежали в палате и даже по ночам не переставали думать о своем диагнозе. Было обидно, что судьба выбрала именно нас. Мы жаждали понимания и поддержки, но так и не смогли их получить. Окружающие смотрели на нас так, словно мы прокаженные, и даже разговаривали, отходя на приличное расстояние, будто рак — вирусная инфекция. Мы чувствовали себя изгоями. Но мы пережили этот страшный удар и даже научились не удивляться предательству...

— Подруга, ты так и не ответила, где ты живешь, — перебил мои мысли мерзкий тип, усевшийся рядом.

— Я тебе не подруга и никогда ею не была, — произнесла я злобно.

В этот момент «жигулёнок» устремился в совершенно неизвестном направлении и увеличил скорость.

— Мне совсем в другую сторону! — Я ударила водилу по плечу. — Дед, ты что, забыл, куда ехать? Мне в другую сторону!

Браток, сидевший рядом со мной, рассмеялся и, как бы забавляясь, сказал:

— Ну все, подруга, ты попала... Ты даже не представляешь, что сейчас будет...

— Да что, в конце концов, происходит?!

Водила повернулся к братку и пробурчал:

— Саня, да усыпи ты ее на фиг. А то сейчас брыкаться начнет...

Это были последние слова, которые я услышала. Какой-то вонючий платок оказался на моем лице, и я полетела в темную бездну.

Очнулась я в комнате без окон. Железная дверь и тусклый, нервирующий свет... Потерев глаза, я схватилась за голову и тихонько застонала. Голова болела так сильно, словно ее сдавили в тисках и давили что было сил.

— Господи, больно-то как...

Рядом лежала сумочка. Я стала искать сотовый телефон, но его не было. Значит, я не могу позвонить Юрьевичу. Сердце сжалось. Ложь выйдет наружу. Юрец поймет, что ни в какой магазин я не ходила, а исчезла в неизвестном направлении.

Через несколько минут я собралась с силами и постучала в обитую металлическим листом дверь.

— Эй, есть кто-нибудь! Помогите, пожалуйста!

За дверью было тихо, вроде никому до меня нет дела. Самое страшное — это неизвестность. Я не знала, что ждет меня впереди и сколько времени придется сидеть в этой комнате. Не выдержав, я стала стучать в дверь ногами. Но и это не дало результата. Только боль в отбитых ногах и лишняя нервотрепка.

Я потеряла счет времени и даже не отреагировала на то, что дверь открылась. На пороге появился знакомый браток. Он сел рядом на корточки и закурил, пуская едкий дым мне в лицо.

— Ну что, подруга, очухалась? Или тебе не нравится, когда тебя называют подругой? Хочешь, будешь телкой? Хочешь?

— Не хочу.

— А кем ты хочешь называться? Говори, кем?

— Никем.

— Ты хочешь сказать, что ты никто и зовут тебя никак?

Я не сомневалась, что браток был под кайфом. Его язык слегка заплетался, а в глазах плавал дурман. Слегка приподнявшись, я посмотрела на братка умоляюще и чуть не плача сказала:

— Где я? Что тебе нужно?

— Лично мне от тебя ничего не нужно. Хотя, если честно, я бы не отказался тебя разочек трахнуть.

— А кому я понадобилась?

Браток наклонился и прошептал:

— Одному серьезному человеку.

— Какому человеку? Я его знаю?

— Нет. Но я думаю, что у тебя еще будет возможность познакомиться.

— Он хочет денег? Выкуп у мужа?

В груди встал ком, я задыхалась.

— При чем тут деньги? У тебя что, много бабок?

— Нет.

— А у человека, с которым ты познакомишься, много. Зачем ему еще, если ему свои девать некуда?

— А где мой телефон?

— У меня.

— Отдай, пожалуйста.

— Не могу?

— Но почему? — Я всхлипнула, по щекам потекли слезы.

— Потому что не положено. Я его отключил.

Браток встал, кинул сигарету на пол и затушил бычок ногой. Я встала следом и быстро заговорила:

— Послушай, помоги мне сбежать... Пожалуйста! Мой муж тебе заплатит. Мы совсем не богаты, но он найдет деньги. Я тебя умоляю, помоги...

— Не могу, — замотал головой браток. — Сдается, что ты теперь вообще больше никогда не увидишь муженька.

— Почему?

— Потому что, по моим сведениям, тебе крышка.

— Меня убьют?

— Кирдык тебе пришел, подруга. Кирдык...

— А за что?

— Это уж я не знаю. Наверное, ты где-то прокололась. Ладно, следуй за мной.

— Куда?

— Пойдешь туда, куда я тебя поведу.

Я шла за братком по какому-то длинному коридору и чувствовала, как земля уходит из-под моих ног. Каждый шаг давался с большим трудом, в ушах звенело. Мне казалось, что еще несколько шагов, и сердце не выдержит страха, разорвется на куски.

Мы спустились по винтовой лестнице, а затем пошли по странным лабиринтам, находящимся глубоко под землей. Шли будто в неудачном сне, далеком от реальности, но все происходило на самом деле. Пахло сыростью. Меня мучило удушье и головокружение. Подойдя к большим железным воротам, браток указал рукой:

— Подруга, тебе туда.

— А ты?

— А мне наверх.

— Как это?

— Мне приказано тебя доставить.

Я с ужасом посмотрела на братка.

— Зачем?

— Наверное, умирать, — все так же безразлично ответил браток.

— Умирать?

— Ну да. Ты что, смерти боишься?

— Боюсь. Можно подумать, ты не боишься.

— Я — нет. Все когда-нибудь сдохнем. Просто я поживу чуть больше, чем ты. У тебя дети есть?

— Мальчик. Красивый и уже почти взрослый. Он меня любит. И я его тоже.

— Жалко пацана, но ничего не сделаешь. Давай, не полоскай мне мозги и заходи. — Браток приоткрыл дверь.

— Но ведь там темно?

— А тебе зачем свет? Жмурикам он вообще не требуется.

— Но ведь я-то живая...

— Надолго ли? Давай, заползай.

Я вцепилась братку в рукав и заголосила:

— Скажи, это секта? Тут сатанисты? Меня принесут в жертву?

— Ты чё, дура? — не понял браток. — Я с сектантами вообще никогда не общался. Они же больные люди. Это мавзолей.

— Какой мавзолей?

— Тут покоится любимая девушка моего босса.

— Хорошо, а я-то тут при чем?

— Не знаю. Послушай, подруга, ты мне со своими расспросами уже надоела. Нельзя долго держать дверь открытой, температуру нужную поддерживать надо.

Мордоворот буквально затолкал меня в кромешную темноту и закрыл дверь. Я попыталась открыть ее, но из этого ничего не вышло. Прислонившись к холодной стене, я сжалась в комок и постаралась не поддаваться истерике. Просто по щекам потекли слезы... Обыкновенные слезы, которых в моей жизни было столько, что они бы могли превратиться в настоящее море...

Вдруг в комнате вспыхнул тусклый свет, и я обомлела. Посреди комнаты на возвышении стоял самый настоящий стеклянный гроб. С сильно бьющимся сердцем я подошла поближе. Волосы зашевелились у меня на голове, и я завопила, чувствуя, что схожу с ума.

В гробу в белоснежном подвенечном платье и свадебном веночке лежала... Ольга! Она была так же хороша, как и при жизни... только глаза закрыты. Мелкие кудряшки обрамляли спокойное лицо.

— Оля, — словно в бреду прошептала я и подошла на шаг ближе. — Оленька, Ольга! — закричала я, забившись в истерике.

Я бывала в Мавзолее у дедушки Ленина, но это было слишком давно и совсем не страшно.

— Ольга, господи, Ольга... — застонала я и бросилась к двери.

Мне показалось, что меня хотят положить рядом, что еще немного, и сюда внесут второй гроб... Руки тряслись, я почти ничего не видела, сердце билось прямо в горле...

— Выпустите меня! Пожалуйста, выпустите! Я боюсь! Помогите!

Ответом мне была гробовая тишина.

ГЛАВА 29

Забившись в угол, я долго плакала. Через полчаса я вновь осторожно приблизилась к гробу и посмотрела на мертвое спокойное лицо Ольги.

— Красивая? — вдруг услышала я.

Я обернулась и увидела незнакомого мужчину. Откуда он взялся?

— Что вы сказали? — едва не умирая от страха, прошелестела я.

— Я спрашиваю, красивая?

— Кто?

— Ольга.

— Да. Очень.

— Считаешь, при жизни была хуже?

— Не знаю... Почему вы спрашиваете? Разве живые могут сравниться с покойниками?

Мой голос предательски дрогнул, мужчина уловил это и усмехнулся.

— Мне тоже она нравилась при жизни больше, но я постарался сохранить ее привлекательность даже после смерти. Скажи, ей к лицу смерть?

— Кажется...

— Знаешь, когда очень любишь человека, то хочется смотреть на него вечно и не ощущать, что он мертв. Ты когда-нибудь была в мавзолее?

— Была.

— Тебе понравилось?

— Не знаю.

— Здесь тоже мавзолей, только частный. Так сказать, на дому. Это очень дорогое удовольствие, и его могут позволить себе только очень богатые люди. Сейчас это модно. В Москве есть кафедра по бальзамированию человека. У меня там работает приятель. Я заплатил ему огромные деньги, и он сделал мою Оленьку такой же красавицей, какой она была при жизни. Иногда я вообще забываю о том, что она умерла. Я могу любоваться ею часами, разговаривать, читать ей книги. Только вот заниматься с ней сексом у меня не получается. Раз в неделю приезжает врач и обрабатывает ее специальным составом. Так что теперь она будет вечно молодой. Правда, это дорого стоит, но такая женщина, как Ольга, этого достойна. А секс — проблема решаемая. У меня есть запись, где мы занимались любовью. Я люблю ее смотреть и мастурбировать. Это так здорово, я уже привык. Кончаю за считаные секунды...

Когда мужчина замолчал, я вытерла слезы и тихо прошептала:

— Простите, а при чем тут я?

— Как это при чем?

— Для чего вам нужна я?

Мужчина изменился в лице и скорчил такую гримасу, что я просто оцепенела.

— Я похороню тебя заживо. Я замурую тебя в стену и буду слушать, как ты стонешь, пока не сдохнешь.

— Зачем?

— Затем, что так хочу. Я приказал тебя убить на реке, но ты осталась жива. Я должен исправить ошибку и придумал тебе более страшную смерть. Вон, видишь стену, кирпичи и глину?

— Вижу, — словно в бреду ответила я.

— Эта стена и будет твоей могилой. Я замурую тебя.

— Но почему?

— Потому что ты принимала участие в убийстве моей Оленьки.

— Я?!

— Ты.

— Но ведь я не сделала ей ничего плохого. Я сидела с ней на кухне и пила домашнее вино. Я просто уговаривала ее съездить со мной в больницу.

— И все?

— Да.

Мужчина побагровел от злости.

— Я очень любил Оленьку, но знал, что иногда она встречается с другими. Я прощал все слабости и боготворил ее. Я нашел ее на берегу. Она была мертва. Я видел, как рядом с моей Оленькой прилегла какая-то тварь и протянула ей бутылку колы. Если бы я только знал, что кола отравлена, я бы выбил ее из рук, но я и подумать не мог, что из-за этой бутылки могу потерять любимую. Ольга клялась мне в любви, но я знал, что она гуляет от меня, и хотел узнать — с кем. Как только убийца ушла, прибежал какой-то дешевый фраер, сел рядом и стал ее гладить. Я уже хотел было выйти и поймать их с поличным, но фраер завопил и убежал как ошпаренный. Я спрятал ее в кустах и плакал, как пацан. А затем появилась ты вместе с подругой... Я все слышал. Я был недалеко... Я знал, что вы ищете Олю. — Мужчина замолчал, достал пачку сигарет и закурил.

Я стояла ни жива ни мертва, боясь пошевелиться.

— Вы не нашли ее, потому что Оленька была рядом со мной. Как только вы уехали, я посадил ее в машину и отвез домой. Я решил мстить. Жестоко и беспощадно. И я это сделал. Первым делом я заказал дешевого фраера, который ее лапал грязными ручонками. Затем я заказал тебя, но случилась осечка. Ту сучку, которая ее отравила, сожгли живьем. За любое преступление следует наказание.

— Или все сошли с ума, или я вообще ничего не понимаю. Ничего... Ольга не погибла. Она жива. Я пила у нее дома вино и разговаривала с ней. Вы сумасшедший, похоронили живого человека.

— Ольгу убили на пляже. Она лежит тут уже около двух недель.

— Двух недель?

— Ты не ослышалась.

Я вытерла холодный пот со лба.

— Такого не может быть. Это не так. Ольга жива, я ее видела.

— Вы, сволочи, ее убили. Вы отняли у меня самое дорогое. Я не удостою тебя такой чести — лежать рядом с моей Оленькой. Я замурую тебя в стену.

Неожиданно в руках мужчины появился пистолет.

— Подойди к стене! — скомандовал он.

Я повиновалась. В этот момент открылась дверь и вошел браток.

— Сережа, ну чё, пора?

— Пора. Начинай.

Кажется, в этот момент я просто потеряла рассудок. Я громко рыдала и умоляла отпустить меня. С каждой минутой кирпичная кладка становилась все выше и выше. Я понимала, что близок конец, перед глазами проносились различные картины из жизни. Милкина свадьба... Вот она в красивом белом платье. Вадим выносит ее из загса на руках, словно бесценный груз. Мы с Юрьевичем громко смеемся и поливаем их шампанским... Вадим ставит Милку на землю и громко кричит о том, как сильно он ее любит... Милка смеется, но в ее глазах блестят слезы. Наверное, она наверху блаженства. Она сказала, что счастлива соединить свою жизнь с мужчиной, в котором уверена на все сто... С мужчиной, который никогда не уйдет к другой женщине и будет рядом и в старости, и в болезни... Мы с Юрьевичем соглашаемся и целуемся точно так же, как и молодожены...

Неожиданно перед глазами предстали нежные руки горячо любимого Юрьевича. Это же надо иметь такие руки! Они такие сильные и такие надежные... Каждый пальчик, каждый ноготок...

А Санька, господи, как же он будет без матери? Как? Мама, папа, Зося?

Когда осталось совсем небольшое окошко, я посмотрела на уставшего братка отрешенно и тихо произнесла:

— За что?

— Не знаю, подруга. У тебя свои дела, а у меня свои. Мне сказано тебя замуровать, я и замуровываю.

Я поняла, что мне необходимо принять смерть достойно.

— Послушай, а как скоро я умру?

— Не знаю, — пожал плечами браток. — Вот сейчас перекурю и положу последние кирпичики. Так что мы можем еще немного друг на друга полюбоваться.

— Ты не ответил на мой вопрос.

— Ну я, ей-богу, не знаю, сколько ты протянешь без воздуха и воды. Ты анатомию в школе учила?

— Учила. Только мы такое не проходили.

— Видимо, плохо учила. Мне простительно, я в школе двоечником был.

— У тебя такая кладка хорошая, — произнесла я зачем-то. — Так ловко кирпич кладешь... Прямо кирпичик к кирпичику. Ты, наверное, раньше на стройке работал?

— Вот где не работал, так это на стройке.

— Не похоже. У тебя руки золотые. Им бы нужное применение...

— Да пошла ты со своей стройкой! Сколько я там заработаю? Копейки.

— А здесь ты, значит, больше зарабатываешь?

— Конечно, больше.

В этот момент мой взгляд упал на убийцу, который по-прежнему стоял в тени. Я понимала, что мне уже никуда не деться и совершенно нечего терять. Я высунулась в окошко и крикнула:

— Эй ты, придурок! Хоть понимаешь, что ты сумасшедший? Больной на всю голову?

Мужчина не ответил, он по-прежнему не сводил с меня глаз. Мои нервы сдали, и я чувствовала, что меня не остановить.

— Ольга не умерла! — вопила я что было сил. — Она была жива! Совсем недавно я пила с ней на ее кухне! Она не может тут лежать две недели! Не может! Ты сам ее убил! А еще ты заказал Вадима, сжег Милку! Тебя в дурку надо! Нужно самого забальзамировать и положить в стеклянный гроб! Устроил тут мавзолей гребаный! Ты же болен. У тебя острый психоз! Твое место в отделении для буйнопомешанных.

Мужчина изменился в лице и приказал братку:

— Давай, закладывай быстрее. Не тяни резину.

— Конечно, закладывай! — закричала я. — Кладчик, прокладчик... Гробовщик ты, вот ты кто! Вы меня заложите, а я все равно буду орать про то, какие вы мрази! Буду орать, пока не сдохну!

Я не помню, что было дальше... Я вообще ничего не помню... Какие-то выстрелы... Крики... А затем в крохотном оконце появилось перепуганное лицо моего Юрьевича... Показалось, что я уже умерла, а быть может, просто сошла с ума. Я плохо понимала, что происходит на самом деле.

— Юрка, Юр... — Я протянула в окошко руку и заплакала.

Юрьевич ее поцеловал и постарался меня успокоить.

А затем я потеряла сознание. Накачанный, сильный и безумно красивый мужчина по кличке Малыш ломал стену и выбивал кирпичи.

Потом кто-то взял меня на руки и по винтовой лестнице понес к свету. Я открыла глаза.

— Юрка, Юрочка, родной, — словно в бреду, прошептала я и вновь закрыла глаза.

ГЛАВА 30

О том, что же произошло в этом страшном склепе, я узнала позже от собственного мужа, который попросил Малыша меня подстраховать и последить за тем, куда я направилась. Малыш на машине следил за мной. Поехал и за «жигулёнком», увидел, что меня привезли к навороченному коттеджу, и вызвал подмогу — Юрьевича и Кабана. Они с трудом нашли меня, потому что в доме был тайный ход в подвал. Братка застрелили у ведра с цементом. Хозяин дома застрелился сам.

Примерно через неделю я отошла от пережитых потрясений и стала такой же веселой, как раньше. Юрьевич пригласил меня в ресторан. Я рассказала ему, из-за чего погибла моя подруга. Юрьевич нахмурился.

— Просторов Сергей... А ведь это имя было на бумажке у того мужика, который хотел тебя убить. Помнишь, на реке? Мы ведь о нем узнавали. Директор банка, денежный мешок. Ничего особенного. Разведен. Живет один, бесится с жиру, увлекается молодыми красивыми бабами. В криминале замечен не был. А оказывается, он не так прост, каким казался.

— Все уже позади, — я пригубила вино. — Ольгу убил Просторов.

— Считаешь, что он успел ее забальзамировать?

— Наверное. А это долгий процесс?

— Не знаю. Я никого не бальзамировал, — улыбнулся Юрьевич.

— Я тоже. Послушай, а что вы сделали с гробом?

— Ничего. Оставили все на своих местах. А что мы должны были сделать? Все как есть. Если кто-то заглянет на огонек, то увидит странную картинку. Только этот мавзолей еще нужно найти.

Я с нежностью посмотрела на Юрьевича:

— Господи, если бы ты только знал, как сильно я тебя люблю! Больше мне ничто не угрожает. Милку жалко. Да и Вадима... Говорят, его на днях выписывают из больницы?

— Да. Все плохое забудется, — погладил меня по щеке Юрец. — На выходные поедем к Милке, положим цветы.

— Конечно, — обрадовалась я. — Вадима тоже возьмем.

— Без проблем.

В этот момент у Юрьевича зазвонил мобильный. Он достал телефон и поморщился — ресторанная музыка была чересчур громкой.

— Викуля, я тебя оставлю на пару минут. А то тут ничего не слышно.

Я кивнула и рассеянно стала смотреть по сторонам. Неожиданно меня чуть удар не хватил — за одним столиком я увидела Ольгу! Она была живая и выглядела совсем неплохо. Я вскочила и подбежала к ней, не в силах вымолвить ни слова.

— Привет. Ты что не здороваешься? Не узнаешь меня? — улыбнулась Ольга.

— Узнала...

— Да что ты так глаза вытаращила! — засмеялась Ольга. — Я не привидение. Потрогай, я живая.

— Вижу, что не мертвая, — выдохнула я еле слышно. — В веночке и свадебном платье ты тоже была ничего...

— Я еще никогда не примеряла свадебное платье, но думаю, осталось совсем немного. У меня есть один паренек на примете. Богат, как Крез. Живет в самом настоящем замке. Между прочим, директор банка. Любит меня до безумия! Правда, в последнее время пропал, наверное, дела замучили. Но то, что он от меня не соскочит, знаю точно. Я ему сделала магическую сексуальную привязку. Заколдовала, одним словом.

Я ухмыльнулась и спросила, не слыша из-за музыки собственного голоса:

— Его случайно не Сергеем зовут?

— Да.

— Просторов?

— А откуда ты знаешь? — Ольга слегка испугалась.

— Ты не выйдешь за него замуж...

— Почему?

— Пока ты лежала в гробу, он застрелился.

— Как застрелился?

— Обыкновенно. Из пистолета.

В этот момент вернулся Юрьевич. Он увидел Ольгу и побледнел.

— Слушай, это ты в гробу лежала?

— В каком гробу? Вы что несете оба? Полный бред...

Ольга растерянно переводила взгляд с одного на другого.

Юрьевич присвистнул.

— Послушай, а как ты из гроба выбралась? Там крышка была — ого-го!

Ольга покрутила пальцем у виска:

— Что вы ко мне с каким-то гробом прицепились? Я в гробах сроду не лежала. Придет время, лягу, но только не сейчас.

Мне показалось, что она сейчас заплачет.

Я немного брезгливо взяла ее за руку и удивилась, что ладонь теплая.

— Оля, кто ты? — спросила я строго.

Ольга не ответила на мой вопрос и посмотрела на Юрьевича.

— А где вы видели гроб?

— В домашнем мавзолее господина Просторова.

Ольга опустила голову на стол и тихонько всхлипнула. Мы с Юрьевичем переглянулись, но даже не попытались ее успокоить. Ольга подняла голову и болезненно поморщилась:

— У меня есть сестра. Мы близнецы, но воспитывались отдельно. Ее усыновила какая-то семья алкашей. Мы обрели друг друга только тогда, когда стали взрослыми. Я возненавидела ее сразу, как только увидела. Тот же подбородок, те же глаза и те же губы... Моя полная копия. Она приехала ко мне погостить на лето и осталась. Мы никогда не выходили из дома вместе, потому что никто не должен был знать, что у меня есть сестра-близнец. Она во всем мне завидовала и называлась моим именем. Даже завела себе какого-то лоха. Скорее всего, это и был Вадим. Просто она не могла найти что-либо лучше. Она мечтала о Сергее Просторове, с которым я встречалась... Боже мой, неужели он убил себя? А как же деньги и райская жизнь, которую он мне обещал? Сестрица и сюда сунула свой любопытный нос, хотела у меня увести классного мужика. Сука... Трахалась бы дальше со своим женатым лохом... Она пропала пару недель назад. Я подумала, что наконец-то она оставила меня в покое и отправилась к себе в деревню. Ее не любила даже бабушка. — Ольга вытерла мокрые глаза платочком. — Сама посуди, зачем человеку тень? Я возненавидела тот день, когда она меня нашла, мечтала, чтобы с ней что-нибудь случилось. Чтобы ее не стало! Но я не хотела потерять Просторова. Я не хотела вновь окунуться в нищенскую жизнь, из которой недавно вылезла... Сука, какая же она сука... И тут перешла мне дорогу... — Ольга взяла стоящую на столе бутылку и принялась пить прямо из горлышка. — Тварь, настоящая дрянь... Не знаю, смогу ли еще когда-нибудь найти такого же человека, как Просторов? Такие мужики на дороге не валяются. Она даже все мои повадки копировала. Строила из себя светскую львицу. Дешевка... Я видела как она со злобой смотрела в окно, когда я уезжала с Просторовым в казино. Я чувствовала... Гадина... Сережа... Сереженька... а ведь он даже ничего не успел перевести на мой счет. Ни копейки, ни доллара. Козел... Сдох...

Мы с Юрьевичем переглянулись и одновременно встали, сообразив, что рядом с этой женщиной нам просто нечего делать. Как только я отошла на несколько шагов, Юрьевич вернулся, склонился над пьющей из горлышка Ольгой и сурово произнес:

— Если ты все же захочешь похоронить сестру, знай, она лежит в подвале у Просторова.

Ольга никак не отреагировала на слова моего супруга, и мы вышли из ресторана.

ЭПИЛОГ

Октябрь месяц. Наверное, в Москве уже холодно, и мокрый асфальт усыпан разноцветной листвой. Но мы с Юрьевичем этого не видим. Мы в Египте! Здесь жарко и так здорово! Мы живем в Шарм-эль-Шейхе, в красивом отеле. Я влюбилась в Египет сразу, ведь еще в детстве я мечтала стать египтологом и изучать эту прекрасную страну.

Рано утром мы с моим дражайшим Юрьевичем, обнявшись, выходим на балкон своего номера, который плавно переходит в самый настоящий сказочный сад с огромными ярко-красными цветами, и любуемся этой просто невероятной красотой.

Отель замечательный. Разлапистые пальмы качают под ветром лапами, аккуратно постриженные газоны, и кругом потрясающие цветы, цветы, цветы... Отличные бассейн и пляж, прекрасные рестораны с поистине изысканной кухней. Мы уже успели съездить к гигантским пирамидам, посмотреть знаменитых сфинксов, побывали в Каире, обошли все музеи. Были у храмов Карнака и Луксора. Юрьевич потащил меня в самую настоящую пустыню на ужин и танцы с бедуинами. Я покаталась на верблюде и влюбилась в арабскую музыку.

А это безумно красивое море... Манящая загадочная синь... Юрец увлекся подводным плаванием и говорит, что уже чувствует себя Ихтиандром.

Вот и сейчас мы нежимся на лежаках у прибрежной волны и влюбленно смотрим друг на друга. Через пару дней вернемся домой, но нас не покидает ощущение, что мы обязательно вернемся в этот чудесный край. Слишком многое еще хочется увидеть, узнать.

Юрец целует мне руку и говорит:

— Господи, и как мы могли жить друг без друга столько лет?

А я смеюсь, пожимаю плечами, вытираю слезинку и нежно склоняю голову любимому на плечо.

ПОСЛЕСЛОВИЕ

Вот и закончилась последняя страничка моего романа.

Я, как и прежде, с нетерпением жду ваших писем, дорогих моему сердцу. Мне очень приятно осознавать, что всё, что я вынашиваю и описываю в своих романах, способно вызвать отклик у моих любимых читателей.

На столе, как всегда, груды писем. В них ваши судьбы, проблемы, победы и поражения. С фотографий на меня смотрят улыбчивые, задумчивые, а иногда и усталые лица. Я бесконечно благодарна за то, что вы доверяете мне сокровенные тайны и переживания. Всю вашу боль я пропускаю через себя и переживаю за вас, как за самых дорогих и близких людей. А иначе просто не может быть. Для меня это не обыкновенные отклики, а моя жизнь, потому что ваши боль и радость становятся и моими. Каждый читатель для меня родная душа.

Мне искренне хочется, чтобы тяжелая и безрадостная жизнь миновала нас. Порой нелёгкая судьба наносит нам удар за ударом, но надо научиться встречать каждый новый день улыбкой. Не стоит откладывать свою жизнь «на потом», нужно налаживать её сейчас, ведь она такая короткая. Наши сердца должны быть счастливыми и свободными от любых обид.

Мне хочется, чтобы мои ответы на письма придавали вам побольше уверенности и помогали ценить себя. Мне хочется, чтобы мы вместе учились хорошо разбираться в тех мужчинах, которые встречаются на нашем пути. Нас всегда пугает глубокое чувство, но страх — это не повод для отступления. Самое главное — уметь сохранить себя в рамках любых отношений.

Мы становимся мудрее, проходя сквозь череду разочарований, обид и душевной боли. Я искренне надеюсь, что мои советы помогают вам разумно строить личные отношения. Учиться можно не только на собственных ошибках, но и на чужом опыте.

Дорогие мои, мне искренне хочется, чтобы рядом с нами были партнёры, с которыми бы у нас совпадали жизненные цели и интересы. Довольствоваться посредственностью можно, но только какое-то определённое время, потому что эти отношения рано или поздно сойдут на нет. И, пожалуйста, не забывайте про самоуважение. Оно дороже всего. Если вам приходится выбирать между любовными отношениями и чувством собственного достоинства, выбирайте последнее. Поверьте, без этого никак. Вы должны любить и уважать себя.

Будьте открыты и всегда готовы к неожиданностям. Уверяю вас, всё самое лучшее еще впереди! Давайте жить активно, дышать полной грудью, заводить всё новые и новые знакомства, ведь только таким образом можно встретить ЛЮБОВЬ. Я жду ваши истории. Если вы не хотите, чтобы я опубликовала письмо в своей книге, то дайте знать. Я ничего не сделаю против вашей воли.

И, пожалуйста, пишите как можно более разборчиво свои адреса на конвертах. Иногда мои письма возвращаются ко мне обратно лишь по той причине, что я не смогла правильно разобрать на конверте ваш адрес. Я не даю советов потому что тот, кто дает советы, берет на себя ответственность за чужую судьбу. Я же высказываю свое СУБЪЕКТИВНОЕ МНЕНИЕ, которое поможет вам разрешить сложную ситуацию и взглянуть на себя со стороны.

Я бесконечно благодарна читателям, которые поделились со мной пережитым, и с большим удовольствием протягиваю всем руку дружбы.

Заходите на мой сайт: WWW.ЮЛИЯ-ШИЛОВА.РФ.

На этом сайте я с удовольствием общаюсь со своими поклонниками.

Не забывайте, что изменился адрес моего почтового ящика:

129085, Москва, абонентский ящик 30.

Пожалуйста, не пишите на старый адрес, он больше не существует.

До встречи в следующей книге. Я приложу все усилия для того, чтобы она состоялась как можно быстрее.

Любящий вас автор,
Юля Шилова.

ОТВЕТЫ НА ПИСЬМА

1

ЗДРАВСТВУЙТЕ, ЮЛИЯ! ВЫ НАПИСАЛИ СТОЛЬКО КРАСИВЫХ ИСТОРИЙ О ЛЮБВИ, А САМИ-ТО В НЕЁ ВЕРИТЕ?

ЭЛЬВИРА, г. ПЕНЗА.

Эльвирочка, верю. А как же без этого? Мы все стремимся к любви, зачастую живём ради неё и начинаем ненавидеть весь мир, когда она проходит. Любовь даёт нам надежду на счастье и лучшее будущее. Зачастую любовь доставляет слишком много страданий, но, несмотря ни на что, мы живём чувствами и ощущениями. Все ищут именно ту любовь, которую придумали сами. Я считаю, что не важно — придуманная ли любовь, или реальная, главное, чтобы она жила в сердце. У человека всегда должна оставаться надежда... Любовь — это талант, а талант даётся не каждому. И уж если любовь нам дана, то мы просто обязаны беречь свои чувства. Если любви нет, то не стоит переживать по данному поводу. Нужно жить в её предчувствии.

На курорте я познакомилась с одной замечательной парой. Они прожили вместе шестьдесят лет. Глядя на них, я вдруг поняла, что любить нужно уметь, ведь это достаточно большой труд. Эти люди так друг друга понимали без слов, что словно превратились в одно целое. У них одинаковые вкусы, привычки и мысли. С годами отношения не шли на спад, а, наоборот, крепли. Нужно видеть, насколько трогательно они относились друг к другу. И если один из супругов болел, то второй настолько переживал, что заболевал тоже.

С годами меня стала притягивать более спокойная и рациональная любовь, в которой не должно быть безумных порывов, скандалов, ссор и выяснения отношений. Для меня несимпатичны накал страстей, переживания и семейные разборки. Моё — это любовь-дружба, любовь-понимание и привязанность, в которой нет места юношескому максимализму, безрассудствам и смятению чувств. Я стала более взвешенно относиться к партнеру, научилась критически мыслить и идти на компромиссы. Для меня важна независимость, и она отнюдь не помеха любви.

Любящий вас автор,
Юлия Шилова.

2

ЮЛЕНЬКА, Я ОБОЖАЮ ВАШИ КНИГИ, МЫ ЧИТАЕМ ИХ ВСЕЙ СЕМЬЁЙ. В ОДНОМ ИЗ КУЛИНАРНЫХ ЖУРНАЛОВ В ИНТЕРВЬЮ С ВАМИ Я ПРОЧИТАЛА, ЧТО ВАШЕ ЛЮБИМОЕ БЛЮДО – МОЗГИ. ПОЖАЛУЙСТА, ДАЙТЕ РЕЦЕПТ.

ВАЛЕНТИНА, г. МИНСК.

Я действительно очень люблю отварные мозги в соусе и с удовольствием их готовлю. Только сразу предупреждаю, что это блюдо довольно своеобразное, на любителя и понравится не каждому. Записывайте рецепт:

МОЗГИ ОТВАРНЫЕ В СОУСЕ

500 г мозгов, одна морковка, немного петрушки, головка репчатого лука, столовая ложка разведённого уксуса, листик лаврового листа, 4–5 горошин перца, соль по вкусу.

Залить мозги холодной водой. Ровно через два часа снять с них плёнку. Лучше всего это делать, не вынимая их из воды. Затем положить их в кастрюлю. Налить воды так, чтобы она только чуть прикрыла мозги, добавить специи, соль, уксус и довести до кипения. Как только вода закипела, закрыть посуду крышкой, уменьшить огонь и варить мозги до готовности около тридцати минут. Готовые мозги выложить на блюдо, полить томатным соусом и посыпать измельчённой зеленью петрушки.

Приготовление томатного соуса:

На полстакана томатной пасты одна неполная столовая ложка муки, некрупная морковь, петрушка, головка репчатого лука, по столовой ложке острого томатного соуса и сливочного масла.

Морковь и головку лука нарезать и пассеровать со столовой ложкой сливочного масла и неполной столовой ложкой муки. Добавить томатную пасту. Хорошо размешать. Добавить стакан мясного бульона и поварить на слабом огне около десяти минут. В соус добавить соль по вкусу и столовую ложку острого томатного соуса. Всё хорошенько перемешать, процедить сквозь сито и заправить кусочком сливочного масла.

На гарнир к мозгам обычно подают картофельное пюре.

МОЗГИ ЖАРЕНЫЕ

Мозги замочить в холодной воде на 30–40 минут. Очистить от плёнки, положить в кастрюлю, залить холодной водой так, чтобы она покрыла мозги. Добавить столовую ложку уксуса, соль, 2–3 лавровых листа и 5–6 горошин перца. Когда вода закипит, уменьшить огонь и варить ещё тридцать минут. Готовые мозги охладить в отваре, вынуть и дать слегка обсохнуть. Затем каждую половинку разрезать на две части, посыпать солью, молотым перцем, обвалять в муке и со всех сторон обжарить в масле на разогретой сковороде. Готовые мозги уложить на блюдо, полить маслом и лимонным соком и посыпать нарезанной зеленью петрушки или укропа.

На гарнир можно подать жареный картофель, зелёный горошек, стручки фасоли или даже отварную морковь.

На 1 шт. мозгов — 1 столовую ложку муки, пол-лимона и две столовые ложки масла.

МОЗГИ, ЖАРЕННЫЕ В СУХАРЯХ

Моё самое любимое лакомство.

Сварить мозги точно так же, как указано выше. Разрезать каждую половинку на две части, посыпать солью и молотым перцем, обвалять в муке, а затем смочить в яйце и обвалять в сухарях. Подготовленные мозги обжаривают восемь минут в хорошо разогретом масле до образования золотистой корочки. Готовые мозги уложить на блюдо, полить маслом и украсить зеленью.

На гарнир можно подать зелёный горошек, морковь или стручки фасоли. Отдельно подать томатный соус.

3

ДОРОГАЯ ЮЛЕЧКА, Я УСПЕШНАЯ ЖЕНЩИНА, ЗАНИМАЮСЬ БИЗНЕСОМ. МУЖЧИНЫ НАЗЫВАЮТ МЕНЯ СТЕРВОЙ, ДА И СОТРУДНИЦЫ ТОЖЕ. Я НА ЭТО НЕ ОБИЖАЮСЬ, А ДАЖЕ ГОРЖУСЬ. ЕСЛИ БЫ Я НЕ ВЫПОЛНЯЛА СВОЮ РАБОТУ С ТАКИМ ОСТЕРВЕНЕНИЕМ, ТО НИКОГДА НЕ ДОСТИГЛА БЫ ТЕХ ВЫСОТ, КОТОРЫЕ ИМЕЮ. КАК ВЫ ОТНОСИТЕСЬ К ЖЕНСКОЙ СТЕРВОЗНОСТИ? КАК ПО ВАШЕМУ, ОТЛИЧАЕТСЯ ЛИ МУЖСКОЙ БИЗНЕС ОТ ЖЕНСКОГО? Я ЧАСТО СЛЫШУ, ЧТО У ЖЕНЩИН, ЗАНИМАЮЩИХСЯ БИЗНЕСОМ, НЕ СКЛАДЫВАЕТСЯ ЛИЧНАЯ ЖИЗНЬ. ВОТ И У МЕНЯ ТОЧНО ТАК ЖЕ... С ЛЮБОВЬЮ,

ОКСАНА, ЯКУТИЯ.

Миф о стервозности бизнес-леди распространяют наши мужчины. Они никак не воспринимают женщин в роли руководителей. Именно мужчины негативно отзываются о женщинах, утверждая, что они могут пройти по трупам, только бы получить то, что хочется. На самом же деле стервозность у деловых женщин появляется из-за взрывного темперамента, усталости или слишком большой ответственности и тяжёлой борьбы за своё место под солнцем. Женщина находится в постоянной борьбе за свою карьеру, мужа, ребёнка, близких. Она пытается получить от жизни намного больше, чем та может ей предложить.

А что касается личной жизни... то это вопрос времени. Нелегко жить с сильной, умной и самодостаточной женщиной, которая не станет жертвовать своими интересами. Конечно, мужчины жалуются на нехватку внимания и рыщут в поисках новой любви и ласковых слов... Бизнесвумен имеет неограниченную свободу в денежных средствах и может многое себе позволить.

Отличается ли мужской бизнес от женского? Я сама занималась бизнесом и видела, что мужчины редко ведут себя на равных с женщинами, при малейшей возможности они стараются указать женщинам их место. Многие женщины пытаются использовать женские чары для достижения определенных целей. И это нормально. Несмотря на занятость, женщина должна оставаться ЖЕНЩИНОЙ.

Оксаночка, вы правильно делаете, что не обижаетесь на звание стервы. Принимайте это как комплимент. Женщин в бизнесе отличает обязательность. В отличие от мужчин женщина никогда не берет на себя обязательства, если не может их выполнить.

Женщина принимает решение исходя из ситуации, а мужчина сам создает вокруг себя ситуацию. Выработайте в себе бесконечное терпение и настойчивость. Именно эти качества пригодятся вам в осуществлении вашей заветной бизнес-мечты. Делайте свою работу с удовольствием. Возлюбите ближнего своего как самого себя, а если не складывается личная жизнь, то ни в коем случае не отчаивайтесь и не опускайте руки. Вы просто слишком хороша для тех мужчин, которые, увы, не удержались с вами рядом. Придет время, и появится именно ваш мужчина. Самое главное, ни в коем случае не упустить его из виду. Живите в предчувствии любви и знайте, что тот, кто нужен, уже на полпути к вам. Желаю удачи. Я горжусь вами, Оксана.

Любящий вас автор,
Юлия Шилова.

4

ЮЛИЯ, Я ОБОЖАЮ ГЕРОИНЬ ВАШИХ РОМАНОВ. СКАЖИТЕ, А ОНИ ПОХОЖИ НА ВАС?

ЛЮБА, г. СУДАК.

Героиня моих романов — сильная женщина. Она наделена такими качествами, как решительность, напористость и умение постоять за себя. Я не считаю, что эти качества присущи только мужскому полу. Они не зависят от половой принадлежности. Они присущи тому, кто хочет добиться успеха, независимо от того, женщина это или мужчина. Все мои героини — женщины, обладающие чувством собственного достоинства. Они умеют достойно встретить и пережить жизненную бурю. Нелегкий труд таких женщин обычно вознагражден, так как, вкладывая, такая женщина умеет и брать.

Если женщина хочет добиться успеха, она обязана быть сильной, потому что по-другому нельзя выжить в современном мире мужчин. Внутренняя сила — это замечательное средство, направленное на достижение положительных результатов. Чувствовать себя сильной, в хорошем смысле этого слова, означает быть уверенной в себе, осознавать собственные ценность и значимость. Мои героини не любят ждать. Они хотят получить всё и сразу — хорошую работу, отличного мужа, деньги и достойную жизнь, не стыдятся своих желаний. Моих героинь отличает сила характера и способность совершать определенные поступки.

Похожа ли я на своих героинь? Думаю, да, потому что я наделяю их своими эмоциями, чувствами, мыслями. Иногда я с ними даже спорю. Иногда ненавижу, а порой очень сильно люблю. Бывают моменты, когда мне становится за них стыдно, а случается, что я ими горжусь и даже завидую их силе, авантюризму и желанию жить на полную катушку. Я, как и мои героини, всегда рассчитываю только на себя, на свои силы и никогда не жду манны небесной. Я считаю себя сильной женщиной, которая сделала себя сама, не имея богатых родителей, влиятельного мужа или любовника. Я состоялась независимо от помощи мужчины.

Когда-то я уехала из маленького городка покорять столицу. Семь суток в плацкартном вагоне... На родине я понимала, что нужно что-то менять, я хочу от жизни намного большего, чем она может мне предложить. Судьба не раз испытала меня на прочность предательством и одиночеством, но я не впала в депрессию, а пришла к банальной истине, что в жизни мне, кроме как на саму себя, рассчитывать не на кого. Я сама себе и поддержка, и опора. Мне никогда не бывает стыдно за свое прошлое, и я горжусь тем, что нашла в себе силы сделать решительный шаг и круто изменить свою жизнь.

Любящий вас автор,
Юлия Шилова.

5

ЗДРАВСТВУЙТЕ, ЮЛИЯ! МЕНЯ ЗОВУТ ЕЛЕНА. МНЕ 24 ГОДА. СЕЙЧАС ЖИВУ В МОСКВЕ. ВЫШЛА ЗАМУЖ, РАБОТАЮ, В ПРИНЦИПЕ, НИЧЕГО НЕОБЫЧНОГО.

ПЕРВАЯ ВАША КНИГА, КОТОРУЮ Я ПРОЧИТАЛА, БЫЛА «СЕРДЦЕ НА ПРОДАЖУ, ИЛИ Я ВИЖУ СВЕТ В КОНЦЕ ТОННЕЛЯ». Я ПОРАЗИЛАСЬ, НАСКОЛЬКО РЕАЛЬНО ВЫ ОТРАЗИЛИ СОБЫТИЯ, КОТОРЫЕ ПРОИСХОДЯТ С НАШИМИ ДЕВУШКАМИ. ТАК КАК Я РОДИЛАСЬ В ХАБАРОВСКЕ И ПРОЖИЛА ТАМ ДВАДЦАТЬ ОДИН ГОД, Я НЕОДНОКРАТНО СТАНОВИЛАСЬ СВИДЕТЕЛЬНИЦЕЙ, КАК МОИ ПОДРУГИ ОТПРАВЛЯЛИСЬ В КИТАЙ, КОРЕЮ ИЛИ ЯПОНИЮ НА ЗАРАБОТКИ. КТО-ТО ПРИВОЗИЛ БОЛЬШИЕ ДЕНЬГИ И ЗАГАДОЧНО ОТМАЛЧИВАЛСЯ, КТО-ТО ЗАМЫКАЛСЯ В СЕБЕ, НО ПРО ТРУПЫ-ТО, КОНЕЧНО, РЕЧИ НЕ БЫЛО.

ВЫ РОДИЛИСЬ В ГОРОДЕ АРТЕМЕ, НАСКОЛЬКО Я ПОНЯЛА. Я БЫВАЛА ТАМ, КАК И ВО ВЛАДИВОСТОКЕ И В НАХОДКЕ. Я ПОМНЮ ГОСТИНИЦУ «ИНТУРИСТ» В ХАБАРОВСКЕ, ПРАВДА, ЗАХОДИЛА ТОЛЬКО В РЕСТОРАН, НО ВСЕ ОПИСАННОЕ В КНИГЕ НАСТОЛЬКО ДО БОЛИ ЗНАКОМО И БЛИЗКО, ЧТО АЖ ЩЕМИТ СЕРДЦЕ. ПРАКТИЧЕСКИ ПОД КОНЕЦ КАЖДОЙ КНИГИ Я СИЖУ И ПЛАЧУ, КАК ДУРОЧКА, А ПОТОМ ЕЩЕ НЕСКОЛЬКО РАЗ ПЕРЕЧИТЫВАЮ ПОСЛЕДНИЕ СТРАНИЦЫ РОМАНА И ОПЯТЬ РЕВУ.

В ОБЩЕМ, НЕ БУДУ ДОЛГО РАСТЕКАТЬСЯ МЫСЛЬЮ ПО ДРЕВУ, ЧТОБЫ ВАС ОСОБЕННО НЕ УТОМЛЯТЬ СВОИМ ПИСЬМОМ, СКАЖУ ТОЛЬКО: ВАШИ КНИГИ – ЭТО СВЕТ В ОКОШКЕ. ПРОДОЛЖАЙТЕ ПИСАТЬ. ДАЙ ВАМ БОГ КРЕПКОГО ЗДОРОВЬЯ, ЛИЧНОГО СЧАСТЬЯ, РАДУЙТЕ НАС СВОИМИ КНИГАМИ.

ЕЛЕНА, г. МОСКВА.

Дорогая Леночка, вы ни в коем случае не утомили меня своим письмом. Наоборот, я прочитала его с большим удовольствием.

Думаю, что моё творчество тем и притягивает, что я слишком обнажаю свою душу и пишу искренне. Я выкладываюсь по полной и не только описываю жизнь своих героинь, но и проживаю ее вместе с ними. Я плачу, болею, живу их переживаниями и трудностями. Иногда мне достаточно тяжело отличить выдуманный мир от реального. Я работаю так, как будто очередная книга будет последней, и мне хочется вложить в неё всё самое сокровенное.

Когда я заканчиваю книгу, то полностью опустошена, как будто кто-то украл у меня жизнь и оставил один на один с реальностью.

Мы, женщины, живем в мире мужчин и каждый миг отстаиваем свои позиции, заставляя их считаться с нашим мнением. И в этом мире мы должны не только выжить, но и преуспеть.

Я рада нашему знакомству и надеюсь увидеть вас на моей встрече с читателями. Вы сильная женщина, и я очень признательна вам за теплые слова, которые согревают мою душу. Да хранит вас бог.

Спасибо за ваше письмо и веру в меня как хорошую писательницу.

Любящий вас автор,
Юлия Шилова.

6

ЗДРАВСТВУЙТЕ, ЮЛИЯ! СКАЖИТЕ, КАК УБИТЬ ЛЮБОВЬ, КОТОРАЯ НЕ ПОМОГАЕТ, А РАЗРУШАЕТ И ОТРАВЛЯЕТ ЖИЗНЬ? КАК НАУЧИТЬСЯ ЖИТЬ НЕ ЧУВСТВАМИ, А РАЗУМОМ? ГОВОРЯТ, ЛЮБОВЬ — ЭТО БОЛЕЗНЬ. ТАК ВОТ, Я СОШЛА С УМА! Я ПОЛЮБИЛА ЖЕНАТОГО МУЖЧИНУ, КОТОРЫЙ НИКОГДА НЕ РАЗВЕДЁТСЯ, И НАЗЛО ЕМУ, В ОТМЕСТКУ, ВЫШЛА ЗАМУЖ ЗА ЕГО ДРУГА-АМЕРИКАНЦА, С КОТОРЫМ ОН САМ ЖЕ МЕНЯ И ПОЗНАКОМИЛ. СЕЙЧАС Я ЖИВУ В ЧИКАГО. У МОЕГО МУЖА ТУТ БИЗНЕС, И МОЙ БЫВШИЙ ПРИЕЗЖАЕТ К НАМ НА ТРИ-ЧЕТЫРЕ ДНЯ КАЖДЫЕ ДВЕ НЕДЕЛИ. И ЭТИ НОЧИ, ПОКА МОЙ МУЖ СПИТ, МЫ ВМЕСТЕ.

Я ПОНИМАЮ, ЧТО ЭТО БЕЗУМИЕ, ЧТО ТАК ЖИТЬ НЕЛЬЗЯ, НО НЕ МОГУ НИЧЕГО С СОБОЙ ПОДЕЛАТЬ. МУЖ НЕ ДОГАДЫВАЕТСЯ О НАШЕЙ ЛЮБВИ. ОН ОЧЕНЬ ХОРОШИЙ ЧЕЛОВЕК И ДОВЕРЯЕТ СВОЕМУ ДРУГУ. МНЕ ОЧЕНЬ ТЯЖЕЛО: ЧУЖАЯ СТРАНА, ЧУЖОЙ МУЖ, КОТОРЫЙ МЕНЯ ЛЮБИТ, И МОЙ БЫВШИЙ, ПРИЕЗДА КОТОРОГО Я С НЕТЕРПЕНИЕМ ЖДУ. ХОЧЕТСЯ МАХНУТЬ НА ВСЁ РУКОЙ И ВЕРНУТЬСЯ К СЕБЕ НА РОДИНУ... КАК ВЫРВАТЬ ИЗ СЕРДЦА ЭТУ БЕСПЕРСПЕКТИВНУЮ ЛЮБОВЬ И НАПРАВИТЬ СВОЮ ЖИЗНЬ В НУЖНОЕ РУСЛО? ЖИЗНЬ БЕЗ ЛЮБИМОГО — ЭТО ВЕЧНЫЕ НЕРВНЫЕ СРЫ-

ВЫ, А С НИМ — ЭТО ВЕЧНОЕ ОЖИДАНИЕ И ЧУВСТВО СОБСТВЕННОЙ НЕПОЛНОЦЕННОСТИ. С ОГРОМНОЙ ЛЮБОВЬЮ,

КАРИНА, г. ЧИКАГО.

Карина, ваше письмо — крик души, и тут сложно дать какой-либо определенный совет. Вы спрашивайете, как научиться жить не чувствами, а разумом? Для женщины это очень сложно, потому что женщина живет в первую очередь эмоциями, а уж потом рассудком. Ясность приходит с жизненным опытом, но все же взять под контроль чувства и эмоции возможно.

Я уверена, вы пройдете через все ваши душевные метания и определитесь со своими чувствами и совестью. Быть холодной и расчетливой тяжело, но тут есть плюс — такая женщина делает меньше ошибок. Вы полюбили женатого мужчину, и перспектив у вас с ним нет и быть не может. В отместку вышли замуж за его друга — почти не знакомого вам человека. Думаю, это не самое мудрое решение, ведь вы сами говорите, что после замужества ваша жизнь превратилась в бесконечные страдания.

Ваш женатый дружок неплохо устроился, вы же готовы идти за ним в огонь и воду. Ради чего? Вы пошли на все только для того, чтобы быть рядом. А на какие жертвы пошел он, используя ваши искренние чувства, предав своего близкого друга? Он использует и вас, и его, а это омерзительно.

В любовных отношениях должна быть определенность или перспектива на будущее. Если этого нет, то подобные отношения убивают морально и разрушают и без того хрупкий внутренний мир. Вы должны поговорить с тем, кого любите, начистоту. Если его все устраивает и он не готов сделать решительный шаг, то нужно задуматься — стоить ли идти на вечные жертвы ради человека, которому вы, по большому счету, вовсе не нужны?

Вы страдаете сами и мучите того, кто рядом. Посмотрите на своего мужа. Из ваших слов понятно, что он достойный человек. Так спросите себя, зачем ему вся эта грязь? Да, да, грязь! Пока не поздно, подумайте над этим и сделайте выбор между человеком, который назвал вас своей женой, и обыкновенным проходимцем. Если же вы не в состоянии построить с мужем отношения и создать полноценную семью, то лучше вернуться на родину и искать счастье дома. Подумайте над этим.

И все-таки я настоятельно вам рекомендую задуматься над своей судьбой, отбросить мысли о безумной любви к недостойному вас человеку и представить, что будет с вами лет этак через десять? Перед вашим взором возникнет измученная немолодая женщина с выжженной душой и тоской в глазах. Продолжение отношений — путь к одиночеству. Ваш друг свой выбор уже сделал, выдав вас замуж. Теперь дело за вами.

Любящий вас автор,
Юлия Шилова.

Женщина, которой смотрят вслед

Литературно-художественное издание

16+

Шилова Юлия Витальевна

НЕЧЕГО ТЕРЯТЬ, ИЛИ МУЖЧИНУ ДЕЛАЕТ ЖЕНЩИНА

Роман

Редакционно-издательская группа «Жанры»

Зав. группой *М.С. Сергеева*
Ответственный за выпуск *Т.Н. Захарова*
Технический редактор *О.В. Панкрашина*
Корректор *И.М. Цулая*
Компьютерная верстка *Ю.Б. Анищенко*

Общероссийский классификатор продукции ОК-005-93, том 2; 953000 — книги, брошюры

Подписано в печать 08.11.2013 г.
Формат 84×108 $^{1}/_{32}$. Усл. п.л. 16,80.
Тираж 15 000 (1 тираж — 3 000) экз. Заказ № 5689/13.

ООО «Издательство АСТ»
129085, РФ, город Москва, Звездный бульвар, дом 21, строение 3, комната 5

Отпечатано в соответствии с предоставленными материалами в ООО «ИПК Парето-Принт», г. Тверь, www.pareto-print.ru